U0065195

陳墨

武俠小說的黃金時代

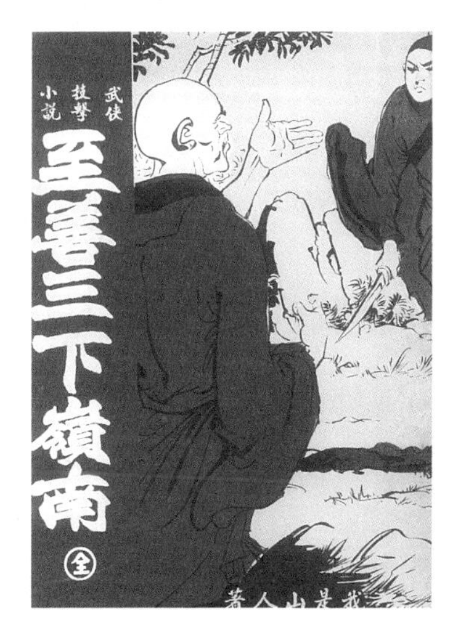

香港大武俠時代：初期名家**我是山人**書影2
初期名家**風雨樓主**書影1
初期名家**牟松庭**書影1

名家雲湧的當年香港

香港大武俠時代：初期名家**蹄風**書影4

香港大武俠時代：初期名家**張夢還**書影4

香港大武俠時代：盛期宗師**梁羽生**書影4

武侠小說的黃金時代

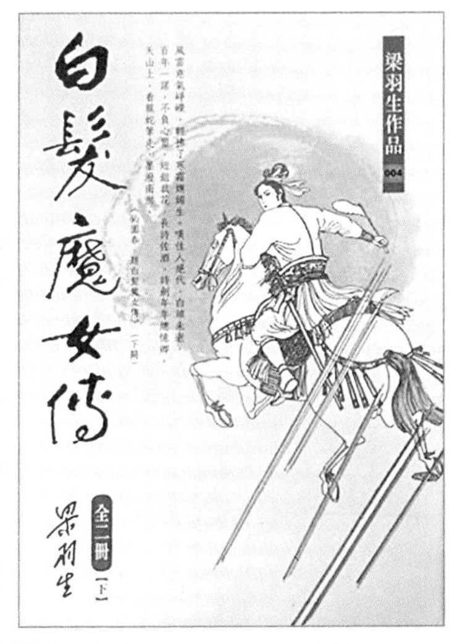

香港大武俠時代：盛期宗師梁羽生書影4

名家雲湧的當年香港

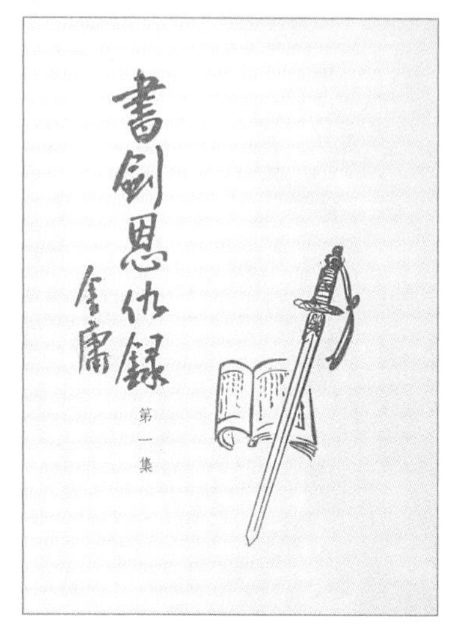

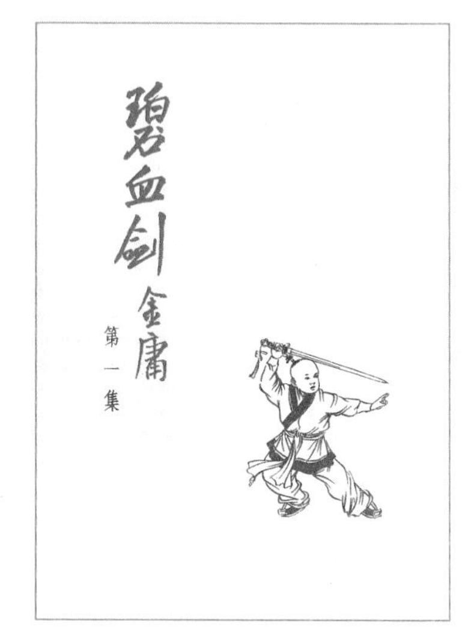

香港大武俠時代：盛期宗師**金庸**書影4

武俠小說的黃金時代

香港大武俠時代：盛期宗師金庸書影4

名家雲湧的當年香港

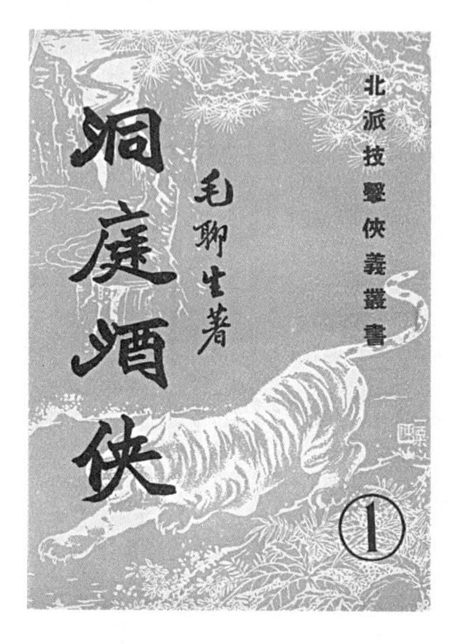

香港大武俠時代：盛期巨擘**金鋒**書影2
盛期巨擘**田牧風**書影1
盛期巨擘**江一明**書影1

武俠小說的黃金時代

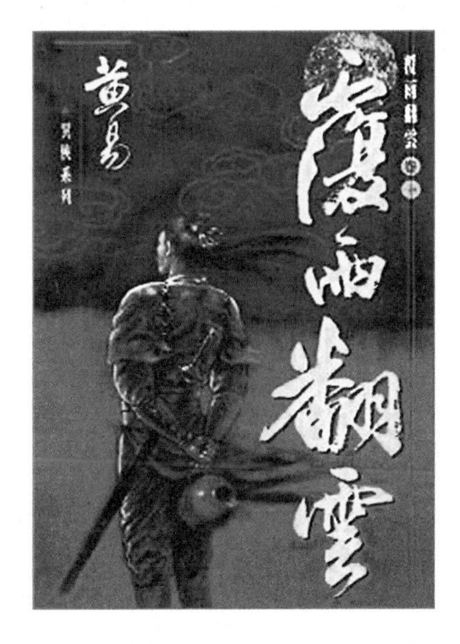

香港大武俠時代：盛期巨擘黃易書影4

香港大武俠時代：盛期巨擘**黃易**書影4

武俠小說的黃金時代

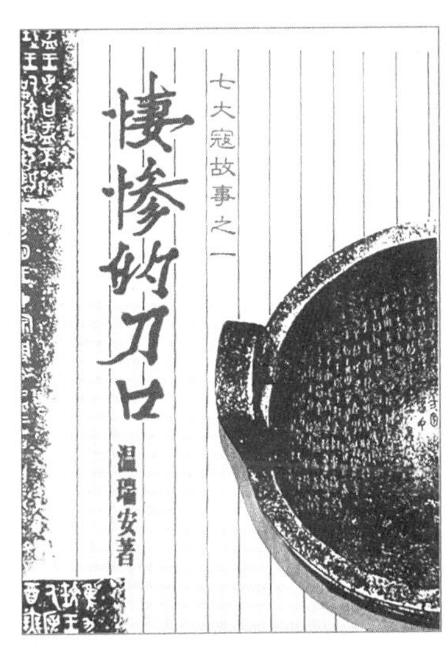

香港大武俠時代：盛期巨擘溫瑞安書影4

香港大武俠時代：盛期巨擘溫瑞安書影4

武俠小說的黃金時代

香港大武俠時代：中期健將黃鷹書影4

香港大武俠時代：中期健將倪匡書影4

香港大武俠時代：晚期後浪龍乘風書影4

名家雲湧的當年香港

香港大武俠時代：晚期後浪西門丁書影2
晚期後浪馬榮成書影1
晚期後浪喬靖夫書影1

（部分封面提供：顧臻）

香港武俠小說史

上

陳墨 著

名家推薦

香港武俠小說自初出至今已有八十餘年，其流傳地域除了香港本地和澳門，更遠及東南亞地區和台灣乃至歐美的華人社區。作品數量巨大，風格多樣，傳統與現代共存，關於香港武俠小說的歷史，卻從未有過全面的考察和研究，陳先生這部《香港武俠小說史》是當之無愧的開山之作。在作品選擇上，通過對幾十個作家的介紹和幾百部作品的點評，盡力將真實的香港武俠小說原貌呈現在讀者和研究者眼前。

——中國武俠文學學會副秘書長　顧臻

陳墨先生是筆者欽佩的武俠研究專家，他早年因喜愛武俠之故，曾廢寢忘食地閱讀轟然湧入內地的大量港台武俠，並寫過多部引介新武俠名家名著的書籍。基於對作品負責的態度，也基於對武俠自始至今的喜愛，陳墨終於完成了這項艱鉅的文史工程。透過這部嚴謹撰寫的武俠小說史，人們得以掌握住其間主要的脈動和情節。對香港武俠作家、作品中確實值得討論的題旨、技法或寓意，作出切中肯綮的品評；這不啻在對香港武俠創作之史實作了清晰周詳的表述之外，更附贈了對香港武俠名家名作的文學品鑑。

——風雲時代社長、知名評論家　陳曉林

香港武俠小說史（上）

——目錄

第三章　王香琴與念佛山人的武俠小說　91

第四章　我是山人的武俠小說　117

第五章　毛聊生的武俠小說創作　163

第六章　大圈地膽的武俠小說　191

第七章　武林散珠集萃（一）　221

第八章　牟松庭的武俠小說創作　257

第十一章　蹄風的武俠小說創作 407

第十二章　金庸的武俠小說創作（上） 437

潛在讀者市場顯然十分巨大，然則，關注當代流行文化、大眾讀物的有心人士自應有計畫地研究、撰寫、累積，進而推出具代表性與前瞻性的香港武俠小說史，以回應華文世界廣大讀者的期籲。可是，儘管諸多文史學者和關心武俠小說前景的作家們經常撰文呼籲、提醒，一部夠水準、有創意的香港武俠小說史卻一直「只聞樓梯響」，千呼萬喚仍遲遲不見問世。

其實，寫出一部夠水準且有創意的香港武俠小說史，確實不是件容易的事。原因在於：其間的源流、背景、傳承、轉換，率皆十分繁複。

首先，香港武俠小說之盛行，自有特殊的地緣關係：嶺南本是尚武與技擊之風流行的地區，香港緊鄰廣東，一九四九前後大批紳吏文墨之士湧來，身家安頓後往往滋生寫作發表的意念，而市井中關於技擊與俠義的傳奇早已成為流行的談資，無形中醞釀了武俠寫作的氛圍。

其次，清末的俠義傳奇，諸如《聖朝鼎盛萬年青》及由其補綴增刪而來的《乾隆遊江南》等俠義說部，寓有反清情節，卻因避諱之故，寫得閃閃縮縮，有時且故意露些破綻，但所謂南少林「五祖」的譜系，方世玉、胡惠乾、洪熙官的事蹟，諸說部中均多所著墨，且流傳甚廣，故後來的文人可以據此自行發揮。加以清末民間流行江南八俠刺雍正之傳說，後來的寫手又可藉此演繹出許多繪聲繪影的情節；於是，香港早期的武俠創作，不少是沿襲著《萬年青》之類傳奇故事而開枝散葉，互相因襲。

另一個源流，則是現當代的嶺南武術家傳奇，包括洪拳名家黃飛鴻、詠春拳創始人葉問，及曾受業葉問而自創截拳道的李小龍，由於年代切近、且與香港直接有關，故格外受到港人關注。茶樓說書、演義說部固常以這些武者為主角，當時及後來的電影、電視、漫畫也多聚焦於這些風雲人物。因此，香港社會氛圍頗有利於武術、技擊等相關新聞的炒作和渲染，其實顯而易見。一九五四年太極門與白鶴派武師的擂台賽引發了報人羅孚敦促梁羽生於新晚報副刊創作連載武俠《龍虎鬥京華》，進而引出次年金庸撰寫《書劍恩仇錄》，揭開了新武俠的序章，並非偶然。

回顧梁、金出道之前的香港武俠，頭緒相當蕪雜，一是太多在沿襲和延伸《萬年青》《遊江南》及群俠刺雍正等幾已約定俗成的故事系統，重複漫漶，難有新意；甚且敘事中還間雜著粵語，文氣、語言殊不統一。二是援用民國北派五大家還珠樓主、王度盧、白羽、朱貞木、鄭證因等人的套路或情節，而語言與格調卻反較五大家陳舊，因敘事多仿照傳統章回小說的路數。此所以梁、金一出，以擬似新文藝的手法，現代白話的用語，一洗粵派武俠的纏夾及傳統俠義說部的迂緩，迅速贏得讀者的認同和喜愛，故被推崇為新武俠。自金、梁出場之後，粵派武俠迅速式微，而香港的傳統武俠作家們則紛紛跟進新風尚，以較現代的手法和較洗練的文字來抒寫故事情節，然因文學素養或修為境界各有不同，自仍以金、梁為管領香江武俠創作之風騷的公認名家。

但這絕不意味金、梁之外的各家沒有秀出群倫的傑作。事實上，早先即有受北派五大家影響的毛聊生等人，及受平江不肖生影響的牟松庭，作品風味皆不俗。及至金、梁創作盛期，也尚有張夢還、金鋒（毛聊生後期筆名）、蹄風等名家各展所長。其間偶而在武俠創作領域裡乘興出手，留下驚鴻一瞥的絕妙作品者，更不在少數。至於倪匡，其所撰質與量均極驚人的科幻小說迄今膾炙人口，有些作品之情節與寓意超妙入神，簡直匪夷所思；而其早年所寫的甚多武俠小說，長篇者固多已被他本人一笑置之，但所撰數十篇武俠短篇，實不乏情景交融或新意盎然的佳構，非常精妙，不容忽視。而在金、梁影響圈外，由於古龍作品在台灣異軍突起，深刻衝擊香港新一代武俠作者，於是出現了黃鷹、龍乘風等「古龍風」的優質作家，而且他們的產品數量甚多，尤以黃鷹的「大俠沈勝衣」「天蠶變」系列最受矚目。

除此之外，當然還有遭逢劫難來港之後的溫瑞安。受過生平最大的壓抑和橫逆，反而成為溫瑞安突破自我既往作品格調的奇妙契機，在香港，溫瑞安的創作力大肆發揮，除了推出在風格和內涵上均走向成熟的代表作之外，他還不斷嘗試創新、突破，甚至不惜向包括自己和所有既往名家的寫作路數、人文理念、語言風格挑戰，即使一時顯得突兀或撕裂，也在所不憚。《刀叢裡的詩》便是他突破武俠格律而開創嶄新境域的特異之作，在武俠寫作上堪稱戛戛獨絕。不過，他有許多系列作品迄今未曾收尾，因此遭到不少譏評，想來或是因他求好求變求全心切，總想出人意料，致反而不願以平常心處理。但無論如何，五大家如今只有他碩果僅存，念念不忘發揚武俠精神的溫瑞安對此自須有個令人滿意的交代。

然後就是為武俠創作帶來全新可能性的黃易。與後來的諸多網路作家脫離武俠而熱中玄幻相反，黃易自始喜愛和認同武俠，雖也曾在科幻、玄幻領域撰作了不少掀起熱潮的作品系列，更且是華文界第一位成功創作出「穿越」小說模式的作家：但他自己將《尋秦記》列為「異俠小說」，就內容看，分明還是武俠的底子，然而他對戰國末期歷史的嫻熟掌握及巧妙運用，則可以看出他為武俠開闢新維度、新境域的苦心與功力。

至於篇幅浩繁的《大唐雙龍傳》，甚至可以視為逆轉金庸《鹿鼎記》將武俠解構化的走向，逕自再為武俠精神與俠道內涵重樹典範的奇崛之作：以寇仲、徐子陵這兩個流浪少年的真摯兄弟情誼為經，以隨末唐初驚濤駭浪的時代風暴為緯，以入世和出世這兩種看似迴異的人生態度為張力，居然可以編織出簡直匪夷所思、卻又絲絲入扣的動人故事，可讀性之外又兼具理念上的突破性，誠屬武俠小說史上的一個傳奇。

本來，《大唐》之後，黃易另寫下風格相近而卷帙亦相對浩大的《邊荒傳說》，已屬逞才揚己；嗣後更又寫數百萬言《盛唐三部曲》，同一套路重複漫衍，彷彿招式用老，竟至力竭而逝，令人惋惜之餘，未免為他感到不值。不過，見仁見智，這部《香港武俠小說史》對儼然為黃易武俠之廣陵散的《盛唐三部曲》別有闡發，自亦屬作史者的品鑑之一。

陳墨先生是筆者欽佩的武俠研究專家，他早年因喜愛武俠之故，曾廢寢忘食地閱讀轟然湧入內地的大量港台武俠，並寫過多部引介新武俠名家名著的書籍。他更曾花大氣力探討金庸作品的方方面面，陸續推出不下二十部非常精彩，使內行人得以看門道，而外行人更可看熱鬧的「金學研究」名著，其論點和推演，不時有令人嘆為觀止的卓見，足見他不但深入研讀金庸原作及近現代重要武俠著作，且對心理學、人類學、歷史、文學理論、戲劇理論，乃至傳統掌故、江湖雜學也有深入涉獵。這次他受中國武俠文學學會之托，撰寫首部完整的香港武俠小說史，埋首書齋，歷時三年，委實是一項極其艱鉅的文史工程。然而，由於陳墨和金庸、梁羽生均有深交，常面對面地討論過他們的作品，對倪匡也是一見如故，和溫瑞安亦有交誼，而對香港其他重要的武俠作家、作品，本來也不陌生，故確是完成香港武俠小說史的不二人選。

但從上述香港武俠創作從粵派、北派到當代詠春拳名家軼事的來龍去脈，以及各個未曾列入第一流名家名作，然卻有不容忽視的寫者、不容埋沒的佳作而言，如果不經過認真的「沙裡淘金」過程，勢必有遺珠之憾。於是，陳墨不但安排期程，親自赴港採訪熟知其時香江武俠創作及發表內情、或主持相關武俠刊物編務的當事人、作家、知情者，以期掌握具體的情況；而且，除了已經閱讀過的眾多早期武俠外，更請蒐集了數千上萬冊早年香港刊印之小薄本原版武俠書的好友顧臻先生，提供這些得之匪易的書冊，逐一閱覽，以期「眼見為憑」。即使對武俠作品已極為熟稔，但要在兩年內看完上萬冊，並逐冊作出摘要或評語，實在仍是極耗心神與目力的考驗。

然而，基於對作品負責的態度，也基於對武俠自始至今的喜愛，陳墨終於完成了這項艱鉅的文史工程。他的認真程度，可從下述一細節概見其餘：眾所周知，他對金庸作品研究多年，本已熟極而流，但此次再寫到金庸，卻因顧臻提供民國作者「吳門孫劍秋」所著武俠小說《神怪劍俠》，並提到可能與金庸《書劍恩仇錄》有關聯，陳墨細加考證，發現《書劍》的確可能受到該書「啟發」，因兩書之間涉有關聯的線索有五條之多，包括書末的香塚輓詞「浩浩愁，茫茫劫……」陳墨雖認為金庸只是「借鑒」，並非模仿，更非抄襲，不會損害金庸的聲譽；但對金庸從未提過《神怪劍俠》一書，大抵也略覺詫異。陳墨特地表明此一發現源自顧臻提供原書和疑點，自是不欲掠人之美，而其寫作本書的態度之嚴謹，實亦不言而喻。

於是，香港武俠小說創作的源流、背景、社會氛圍、刊物興衰、影視互動，透過這部嚴謹撰寫的武俠小說史，人們得以掌握住其間主要的脈動和情節。至於對金、梁、溫、黃四大家的深入品評和剖析，對張夢還、倪匡、金鋒、蹄風、黃鷹、龍乘風、西門丁等主力寫手、作品的擇要述評和擇優品題，自是陳墨出色當行的拿手絕技，他在品評金庸的一系列著作中已作出鮮活的展示，如今更擴而充之，延伸到對香港武俠作家、作品中確實值得討論的題旨、技法或寓意，作出切中肯綮的品評；這不

為敘述主線，對香港武俠小說的發展歷程做全面的介紹和梳理，同時將不同作者的作品置於同一時空內，從而展示了武俠小說生態的多樣性，而不是僅有盛開的幾朵鮮花。

在作品選擇上，通過對幾十個作家的介紹和幾百部作品的點評，展示作品所處年代的文化特點與讀者的各種偏好，不以個人的好惡臧否來選擇論述對象，盡力將真實的香港武俠小說原貌呈現在讀者和研究者眼前。

陳先生著眼於香港歷史和文化的特殊性與複雜性，在書中揭示和闡明香港武俠小說複雜生態的根源——不同語言、文化和傳統在香港社會中的具體反映，這可謂發前人所未發。將武俠小說放在語言文化領域中進行考察和研究，而不是一般文學史的文學論述，對武俠小說研究來說是個新穎的研究視角。

他在書中進一步指出，這樣的語言文化差異隨著香港社會經濟的發展，在香港武俠小說中表現為漸漸合流，融為一體，適應著香港社會的新形勢、新變化，這是從歷史的角度抓住了文化發展的脈絡與特點，這不僅為香港武俠小說未來研究提供了新的角度，拓寬了研究視野，豐富了研究手段，而且對香港文學史、文化史和社會史的研究也有參考意義。

茲本書台灣版即將付梓，承蒙陳墨先生轉知出版方陳曉林社長之邀，遂擬此文，遙以為賀。陳先生大作慮周而淹雅，令末學如我輩若睹絕塵之驥，區區數言又豈能道盡其妙哉！

顧臻謹識 2021.12.24

緒言

陳墨

故事是人類的精神食量，滋養人類成長進化。武俠小說是一種故事類型，能夠滿足特定人群的精神需求，其存在及研究價值不言而喻。

一、香港武俠小說史概述

已知香港最早的武俠小說家是鄧羽公，其代表作《至善禪師三遊南越記》於一九三一年開始在報紙上連載，至今已有九十年。

香港武俠小說史可分為三個時段。一是舊派武俠小說時段，時間是一九三〇年代初至一九五〇年代末；二是新派武俠小說時段，時間是一九五〇年代中期至一九八〇年代中期；三是「後新派」武俠小說時段，時間是一九七〇年代中期至今。

這一分期的依據，是新派武俠小說大家梁羽生的創作，一九五四年一月開始連載《龍虎鬥京華》，一九八三年八月結束《武當一劍》的連載，這段時間是新派武俠小說的流行時段。一九五四年至一九六〇年前後，新派方興，舊派未艾；而一九七〇年代中期則是新派未艾，後新派方興，所以出現舊派與新派、新派與後新派的重疊。

香港有三個語言文化圈，即英語文化圈、粵語文化圈、國語文化圈。其中英語文化圈與武俠小說無涉，香港舊派武俠小說基本上是在粵語文化圈中流行，新派興起於國語文化圈，後新派則是香港粵語和國語文化圈融合時期的產物。

舊派的代表作家是鄧羽公、朱愚齋、王香琴、念佛山人、我是山人、毛聊生及大圈地膽等人，舊派即傳統派，朱愚齋、念佛山人、我是山人、大圈地膽等作家代表了這一派的主流，廣東人寫、寫廣東人、給廣東人看，小說特點可用兩個關鍵字概括，一是朱愚齋提倡的「國術稗史」，即講述廣東武術家傳記與掌故；一是念佛山人提倡的「技擊小說」，即講述武術家的技擊打鬥故事。

在這一主流之外，還有一條重要支流，即以鄧羽公、王香琴、毛聊生、香雪海等人為代表的虛構小說流，其小說特點，一是虛構故事而不拘泥於稗史紀實，二是講述中國各地傳奇故事而不限於廣東英雄。這一支流與中國傳統武俠小說、民國武俠小說的聯繫更為緊密，並不著眼於廣東一地，想像空間更為廣闊。

當然也有例外，鄧羽公的《至善禪師三遊南越記》是寫廣東英雄，卻並非國術稗史；大圈地膽小說大多寫廣東武林英雄，但《迷蹤鐵漢》的主人公霍元甲卻不是廣東人。舊派武俠小說的讀者，也未必都是廣東人。

新派武俠小說的誕生，說是因為一九五四年初，香港太極派武師吳公儀與白鶴派武師陳克夫在澳門的那場比武所致——比武的第三天即一九五四年一月二十日，香港《新晚報》開始連載署名梁羽生的武俠小說《龍虎鬥京華》——其中固然有一定的因果關係，但這場比武只是催生香港新派武俠小說的一個重要的偶然因素，而非必要，更非充分條件。

香港新派武俠小說產生的真正原因及其充分條件，是香港社會人口結構、媒介環境的變化及居民的精神需求。

二十世紀一〇年代初至四〇年代末，中國大陸戰火不斷，動盪不安，不少大陸居民移居香港，形成了與廣東籍移民習俗不同的文化生活圈即非粵語文化圈——為簡便起見，我稱之為「國語文化圈」——與香港原有的粵語文化圈、英語文化圈三足鼎立。一九四六至一九四九年，香港又有大規模移民潮，由此帶來了媒介環境的改變，即國語傳媒不斷增加，無論是左翼報系還是右翼報系，都要爭奪輿論市場。如何吸引讀者？既是爭奪輿論陣地的迫切要求，也是報紙生存與發展之需。讀者喜歡武俠小說（舊派武俠小說盛行已經充分證明了這一點），報紙刊載武俠小說以滿足讀者需求即為必然。

總體上說，以梁羽生、金庸為代表的新派武俠小說的特點，一是外省人寫、寫外省人，給所有中文讀者看；二是基於新時代的價值觀念，採用新的寫作技法，呈現新的文化風貌。梁羽生、金庸小說的基本敘事模式是融合武俠傳奇與歷史框架，即江湖傳奇與國族命運相結合，提升了武俠小說的意義層次，拓展了武俠小說敘事空間。崇尚民族主義、愛國主義精神，金庸首倡的「為國為民，俠之大者」之說，為古代俠者作了重新詮釋與定義。

梁羽生、金庸的武俠小說創作都是從《新晚報》起家，《新晚報》是《大公報》的子報，屬於香港左派陣營，在價值觀方面，他們的小說都遵從階級鬥爭學說，即同情並支持社會底層反抗統治階級的鬥爭，農民起義領袖成了新武俠小說的英雄。

新派武俠小說品流複雜。梁羽生、金庸代表了香港新派暨《新晚報》派武俠小說的主流。在這一主流之外，還有諸多支流。牟松庭小說創作早於梁羽生，也採取左派立場及其價值觀，但其小說敘事方法與技巧仍然秉持《水滸傳》傳統。

蹄風的清宮小說並不堅持單一的漢族立場，而是在漢、滿、蒙、回、藏等民族的立場之上，作更具有普遍意義的人道精神書寫；蹄風小說中的李自成形象，與梁羽生小說中的李自成形象大相徑庭。蹄風主持的《武俠世界》雜誌上的作家作品，也與

《新晚報》派武俠小說大異其趣。江一明、高峰、倪匡、林夢、張夢還等人的小說中的傳奇世界，各有迥異於梁羽生、金庸小說的獨特風景。新派金鋒由舊派毛聊生蛻變而成，其創作旨趣在推陳出新，左右逢源。新派作家中不全是外省人，也有廣東人江一明；外省新派作家也不僅寫外省人，也寫廣東英雄，如金庸《碧血劍》中袁承志。總之，新派並非一條河流，而是一個「水系」。

一九七〇年代，香港經濟開始飛速發展，成為著名的「亞洲四小龍」之一，香港社會也隨之進入高速度、快節奏生活的歷史新時期。隨著電視的普及，香港市民的娛樂生活方式也出現了明顯變化。與此同時，「古龍文體」及「古龍文風」也影響了香港新生代武俠小說讀者的閱讀口味與時尚，香港武俠小說出現了「後新派」的萌芽，溫瑞安及被稱為香港武俠小說「三劍客」的黃鷹、龍城風、西門丁等新生代作家應運而生，武俠小說的流行趨勢也隨之改變。

後新派武俠小說的特點，一是價值觀念進一步更新，法制觀念增強，鄉愁逐漸淡化，歷史敘述和古典情境的營造不再是武俠小說的常規，現代觀念和現代意識更大規模滲透於「仿古」或「擬古」傳奇中。

特點之二，古龍文體流行，短句子，小段落，使得武俠小說敘事節奏更加明快。

特點之三，是武俠小說類型融合及敘事規則的變化，武俠小說不只是民族鬥爭、階級鬥爭、復仇、奪寶、爭霸、伏魔等故事元素的組合，而是融合了推理小說、偵探小說、言情小說、驚悚小說、神怪小說（鬼故事）乃至情色小說等多種類型元素。

特點之四，是小說「制式」的變化，即通常意義上的長篇小說大大減少，而《武俠世界》雜誌的創新制式——介乎中篇與長篇之間、篇幅在十萬字左右的「大小說」——成為主流制式。這一制式的體量篇幅，不僅可以滿足快節奏閱讀之需，也更容易改編成電影作品。

特點之五，是作者的商業品牌意識突出，一個作家創作出一個或幾個品牌，常常會創作該品牌系列，不斷開發利用，不斷擴大並增強品牌效應。

後新派武俠小說同樣情況複雜。例如黃易，不僅創造穿越、玄幻等武俠小說寫作新路徑，且逆快速多變時代的短、快潮流而動，創作了《大唐雙龍傳》等數百萬字的超長篇作品，奇蹟般吸引廣大讀者。例如漫畫武俠的興起，馬榮成的漫畫小說《中華英雄》、《風雲》等等成為香港武俠小說世界的獨特景觀。而隨著網路的普及，武俠小說不再集中在報紙、雜誌、圖書等傳統媒體，寫作與發表門檻降低，「去中心化」加上自作把關人，武俠小說的創作生態由此改變。

香港武俠小說九十年，發展並不均衡。

一九四六至一九八五年的四十年間，是香港武俠小說的繁榮期——抗日戰爭結束，香港、廣東武俠小說即進入武俠小說大流行時期，直到一九八五年前後香港武俠圖書市場出現明顯衰退。而一九五〇年代至一九七〇年代，則是香港武俠小說的高潮鼎盛期。

一九五〇年代，舊派武俠小說漸趨成熟，而新派武俠小說迅速崛起，香港出版商還紛紛再版大陸民國時期的武俠小說作家作品，三者共振，造成香港武俠小說的第一個鼎盛期。

一九六〇年代至一九七〇年代，由於金庸、梁羽生小說創作漸入佳境，臺灣臥龍生、諸葛青雲、司馬翎、古龍等名家武俠小說紛紛湧入香港報刊及圖書市場，使得香港武俠小說繁榮至極。

一九八〇年代中期之後，香港武俠小說進入淡季，亦可謂衰落期。原因之一，是武俠圖書市場趨於飽和，讀者對武俠小說的需求量盛極而衰。原因之二，是金庸、古龍、梁羽生等人的武俠小說大大提升了香港武俠小說的品位，讀者也越來越挑剔，不願購買「不夠水準」之作。原因之三，是香港經濟發展，媒介環境有重大變化，社會精神消費也越來越多元，通俗作品種類越來越多，市場越來越細化；而電視機進入尋常百姓家，改變了香港人的娛樂生活方式和習慣。看電視劇的時間增多，閱讀武俠小說的時間相應減少。

隨著網路移動終端普及，知識碎片、即時資訊、電玩遊戲勢必更多「擠佔」香港新生代讀者的業餘時間和精力。即便如此，香港武俠小說的創作與傳播並未停止，仍有新人新作出現——黄易就是這一時期的標誌性人物——香港武俠小說史仍在綿延。

二、有關本書的若干說明

武俠小說是通俗文學，其創作與傳播、生存與發展，有賴於商業文化市場。一部完整的武俠小說史，當是對武俠小說的創作、傳播、接受、輿論批評等各個環節的全面描述和分析，對相關媒介如報紙、刊物、出版社、書店、租書店等作適當介紹，對作家作品的銷售、借閱數量作數據統計。遺憾的是，本書無法做到。

一部完整的香港武俠小說史，當對香港報紙、刊物、圖書市場上活躍的所有作家作品作全面掃描和述評。一九六〇年以後，臥龍生、諸葛青雲、司馬翎、古龍為代表的大批臺灣武俠小說作家作品登陸香港，有大量臺灣版圖書在香港銷售，有作家舊作在香港重刊，也有大量新作在香港首發，與香港本地作家作品共同營造了香港武俠小說的繁榮局面。本書也沒有介紹臺灣作家作品的傳播資訊。

無法達到理想目標的原因有三條，首先是筆者掌握的資料資訊不夠多，其次是繼續調查相關資訊的時間不夠長，再次是本書的篇幅容量不夠大。

這部《香港武俠小說史》可能名不副實，它實際上只是《史稿》，甚至只是《草稿》。因為其中只有香港武俠小說作家作品介紹，且還資訊不齊全。

本書的章節安排，既沒有按照香港武俠小說發展的不同階段分卷，也不是按照不同年代分章，而是以不同時期代表性作家的小說創作為線索。

所以如此，原因之一，是受中國武俠文學學會主編的《武俠小說通史》體例規定之限，即不分卷，只分章。原因之二，香港武俠小說的舊派、新派、後新派之分，固然有其可識別標誌與時間節點，但如前所述，舊派與新派有一段重疊，新派與後新派又有一大段重疊，若以某個時間節點作為分界線將它們斷然劃分，反而會傷害其歷史真面貌。

原因之三，是有很多作家的小說創作跨越了不同時段。例如香港武俠小說的開山祖師之一鄧羽公，從一九三〇年代就開始發表武俠小說，而到一九六〇年代仍有武俠小說新作連載和出版；新派代表作家梁羽生的武俠小說創作，從一九五四年一直延續到一九八三年。若按時間分段，例如每十年為一時間單位，雖有利於不同時期的歷史敘述，卻不利於對一個作家創作歷程的整體把握，鄧羽公、梁羽生、江一明等作家的創作勢必會被切割得七零八落，從而不利於把握作家的創作全貌。

所以，本書以作家為綱設立章節。章節的排列，則按照該作家開始武俠寫作的時間先後為序，並由此展示香港武俠小說的歷史脈絡。

書中歷史脈絡，不僅考慮時間的先後，同時也考慮舊派、新派、後新派的先後，由於舊派與新派、新派與後新派存在部分重疊，本書的規則是先說舊派、再說新派，最後才說後新派，例如鄧羽公屬舊派老作家，他在一九六〇年代的創作也同樣納入舊派時段講述，即排列在梁羽生等新派小說家之前敘述；同樣，梁羽生是新派作家，他在一九八〇年代的創作也排列在黃鷹、溫瑞安等人之前（即便這兩個人的創作從一九七〇年代就已開始）。

書中有《武林散珠集萃》三章，分別屬於舊派作家作品、新派作家作品、後新派作家作品，置於舊派、新派、後新派的分界點上，相當於本書的分卷標記。

書中作家作品敘述的篇幅有明顯不同。有幾位作家如金庸、梁羽生分幾章敘述；有的作家占一章；王香琴、念佛山人合占一章；而大量作家則只有一節（在《武林散珠集萃》中）。以大小不等的篇幅介紹不同的作家作品，是根據三條選擇標準綜合權衡所得。三條標準是：一、作品數量，二、作品品質及其重要性，三、寫史人能夠找到相關作品。

把作家作品數量列為第一選擇標準，是尊重市場、尊重讀者。書中專章討論的絕大部分作家，都出版過十部及以上長篇小說，或三十部及以上中短篇小說。基本假設是：一個作家能出版大量作品，表明這個作家受讀者歡迎，獲得市場認可，讓出版商有利可圖。專章講述這樣的作家作品，當無大錯。

把作品品質及其重要性列為第二條標準，是因為它在很大程度上取決於寫史人的主觀判斷。作品品質，包括故事情節、人物形象、語言藝術等基本層面，以及形式新穎度、技巧創新性、風格獨特性等更高衡量標準。牟松庭只寫了四部武俠小說，也為他設立專章，是因為他的小說風格獨特且成績不俗，值得專章講述。用幾章篇幅講述金庸小說，不是因為其作品數量，而是因為他的小說品質超群。

至於重要性，除了文學標準之外，還有史學標準和文化人類學標準，書中有些作家作品，按單純的文學標準看，其品質不高，卻是廣東、香港武術史的重要口碑史料，具有「國術稗史」價值；有些作品中的武術家掌故如同神話與傳奇，卻反映了口碑流傳與作家創作過程中的想像方式與邏輯，具有文化人類學價值。

此外，寫史人還有一個心願，即儘量展現香港武俠小說的完整生態，即對品質最優的作家作品與品質相對較差的作家作品作出分層次展示，爭取做到「眾生平等」。《武林散珠集萃》中的作家作品參差不齊，並非作者沒有取捨標準，而是想作多層次呈現。

第三條標準，即以能找到相關作品為條件，是無奈，也是實情。有些作家的作品數量不少，但就是找不齊，例如舊派作家禪山人、冷殘、香雪海等人，作品數量不少，但卻找不齊，無法窺見全貌，對其小說創作的重要性也就無法作出準確衡量，所以無法作專章講述，只能放在《武林散珠集萃》中。還有些作家作品甚至一部也找不到，例如「廣派」武俠小說創始人高子峰（**戴昭宇**）[1] 的作品就無法找到，無從閱讀，也就無法講述——本書漏記的作家作品肯定還有不少，寫史人只能有一份證據

在武俠小說創作方面，一九三一年六月，鄧羽公以凌霄閣主筆名，在《羽公報》上連載《至善禪師三遊南越記》，一直到《羽公報》關門，改為《愚公報》續刊。一九三二年二月三日以是佛山人筆名連載《胡亞乾》，眉題「武俠短篇」。一九三三年一月，又以凌霄閣主的筆名，在《愚公報》連載《少林秘紀》。[6]

幾年後，《至善禪師三遊南越記》在香港《天光報》上再次連載（筆名仍為凌霄閣主），連載時間為一九三五年一月廿三日至一九三六年十一月十五日，共六四四期，這是鄧羽公最重要的作品，也是香港武俠小說史上影響深廣的重磅之作。

鄧羽公的武俠小說還有《少林英雄血戰記》、《黃飛鴻正傳》、《五梅義釋馮道德》、《義女還頭》，一九五〇年代在香港《成報》連載了大量作品諸如《南天滿漢爭雄傳》、《陳香一棍震三灣》、《金公濟大鬧五桂山》、《佛山找錢華》、《黃蕭養正傳》、《江湖龍虎榜》[7]，在其他報紙連載的作品有《五嶺遊俠傳》[8]、《廣東江湖奇俠傳》[9]、《廣東江湖奇俠別傳》[10]、《圭峰三女俠》[11]等。

遺憾的是，上述作品我們無法全部看到，只能看到其中一部分。以下只能根據筆者能夠看到的作品，作鄧羽公的武俠小說創作的敘述和評說。

一、南少林暨廣東武林故事溯源

香港學者黃仲鳴指出：「香港的技擊小說作家喜寫南少林故事，源自晚清佚名所著一部書：《聖朝鼎盛萬年青》，又題為《乾隆巡幸江南記》、《繡像萬年青奇才新傳》，坊間版本通稱《萬年青》或《乾隆遊江南》。」[12]《至善禪師三遊南越記》亦是例證。作者在小說開頭即聲明：「故當日少林技僧因何而受清帝仇視，以至於焚毀少林，此種辣毒手段，世傳多為清帝諱。坊間《萬年青》一書，即為專制帝王掩其罪惡也。而其述至善等人舉動，尤為謬誤。竟將此段慘痛之孤臣孽子心腸湮沒殆盡。在當時專制帝王摧鋤壓迫反動勢力之苛酷嚴密，或亦勢所不許。閣主獲此兩段少林秘史，互相印證，誠有待於吾人之編正以告世人。」[13]這表明，鄧氏小說與佚名之作《萬年青》有關，準確說，鄧羽公的《至善禪師三遊南越記》一書，是對晚清小說《聖朝鼎盛萬年青》的糾偏之作。

因此，在討論鄧羽公的小說之前，須瞭解《聖朝鼎盛萬年青》。[14]《聖朝鼎盛萬年青》共七十六回，有兩條故事線索，主線是乾隆遊江南故事，副線是廣東武林故事。全書故事情節可分為十三個大段，其中乾隆故事七段（含最後簡短尾聲），廣東武林故事六段（從方世玉杭州打擂臺故事起）。兩條故事線索在杭州第一次分岔，後來在乾隆故事中也含有廣東故事的線索，如乾隆所遇鮑龍、洪福、高進忠、方魁等人，曾先後與廣東武林英雄為敵。小說的具體分段如下。

1、乾隆故事：第一回至第四回（前半），寫乾隆出京遊歷故事。

2、廣東故事：第四回（後半）至第八回（前半）寫方世玉打擂臺故事，以及兄弟三人同時拜至善為師，到至善為黃坤報仇故事。

3、乾隆故事：從第八回後半開始[15]，至第十三回結束。[16]

4、廣東故事：第十四回開始，寫胡惠乾打機房，先後打殺牛化蛟、呂英布、雷大鵬，直至馮道德從武當山趕來，與五枚妥協。（十八回開頭）

5、乾隆故事：從第十八回中[17]至第三十回，乾隆遊蘇州、杭州、揚州等地。

6、廣東故事：從第三十一回開頭，寫雷大鵬之友李全忠擺擂臺報仇，胡惠乾之友林發衍應戰，當地人程奉孝（陳玉）勸他們罷手。此段至本回結束。

7、乾隆故事：從三十二回開始，寫乾隆繼續漫遊，一直到第四十四回「老大人開科取士，胡惠乾正法歸天」，才把北京故事與廣東故事聯繫起來。即寫廣東武舉人白安福進京會考，考取進士，然後回廣東找胡惠乾報仇。

8、廣東故事：從第四十四回起，至第四十七回末，寫白安福與胡惠乾的仇恨糾葛。

9、乾隆故事：從第四十八回始，寫乾隆遊杭州、嘉興、金華，至第五十八回中。[18]

10、廣東故事：從第五十八回中始，寫白安福與胡惠乾的衝突，胡惠乾殺了方魁的妻子、兒子（**方興**）、孫子，給廣州官府中人留下更加惡劣的印象。兩廣總督曾必忠設計圍捕胡惠乾，高進忠亦趕到廣州，主動要求參加圍捕，並出謀以弓箭手防止胡惠乾從牆頭走脫。最終以兩千官兵加上高進忠圍攻西禪寺，高進忠殺胡惠乾，後又與眾人一起殺三德和尚。胡惠乾的兒子胡繼祖要找至善替父親報仇。此段故事至第六十六回（**六十五、六十六回寫方魁到成都找馬雄、白眉，此二人答應到廣州協助抓捕胡惠乾，及防止胡惠乾師父至善報復，白眉邀五枚、馮道德對付至善**）。

11、乾隆故事：第六十七回至第六十九回，寫乾隆重遊揚州，在揚州平山堂寺廟遭遇俗氣勢利的方丈天然和尚，並設法懲治天然的過程。

12、廣東故事：第七十回開始，至第七十五回。講述馬雄到福建少林寺打聽至善消息，得知童千斤、謝亞福兩人主動請纓，要回廣州為胡惠乾報仇。結果高進忠打死童千斤，馬雄踢傷謝亞福並廢去他武功，白眉讓謝亞福去福建給至善帶信，讓他來找自己理論。白眉知道至善不可能來廣州，請高進忠告訴撫台，讓撫台奏請北京派武林高手前來助陣。結果陳宏謀、劉墉二人將乾隆推薦的鮑龍、洪福二人派往廣東。

鮑龍、洪福趕到廣州後，彙集白眉、五枚、馮道德、高進忠、方魁、馬雄等人，再請福建官府派出數千官兵圍困少林寺。白眉和五枚議定，由白眉對付至善，由五枚對付方世玉，由馮道德對付洪熙官，其他人則可以混戰取勝。結果白眉打死了至善，五枚打死了方世玉，馮道德抓捕了洪熙官，少林寺被滅。

13、乾隆故事：第七十六回，講述乾隆回到京城，獎勵眾有功之臣。全書結束。

《萬年青》講述乾隆遊江南傳奇，為什麼要加入廣東武林故事？乾隆遊江南故事與廣東武林故事及南少林的恩怨有什麼關係？這是值得考慮的問題。真實原因不得而知，只能推測。

推測一，是主題關聯，即作者要歌頌「聖朝鼎盛」為主題，所以寫乾隆運籌於帷幄之中、決勝於千里之外，解決廣東問題。

推測二，是作者熟悉廣東武林故事，想方設法把這一資源編織到傳奇故事中去。乾隆雖然沒有親自參與廣東武林故事，卻與白眉等人滅南少林行動密切相關，高進忠、方魁、鮑龍、洪福乃至白眉、馬雄等人都是乾隆指派或邀請的。具體說，白安福是聯繫乾隆故事和廣東故事的關鍵人物，此人原是廣州機紡行的員工，因胡惠乾為父報仇而憤然練武，奮發圖強，申請機紡行資金買得考生資格，而後考取廣東第十三名武舉人，而後進京考取武進士，而後向陳宏謀、劉墉申請回廣東去建醮祭奠被打死的機紡行逝者，實際上是向官府告發胡惠乾。

由此，胡惠乾報父仇的民間個人行為，就引起了官府的注意，並成為官府通緝的對象。高進忠同樣是聯繫乾隆故事和廣東故事的關鍵人物，此人是四川人，是峨嵋山白眉和尚的弟子，與馬雄是同門師兄弟。此人有一身武藝，只是找不到出路，只能以「高鐵嘴」的名義為人看相算命，流落到蘇州。在蘇州遇到前往四川請馬雄對付胡惠乾的廣州捕頭方魁，給方魁看相時，引起了乾隆的注意和賞識，成為此後乾隆對付少林寺的重要骨幹。書中的鮑龍、洪福二人，在乾隆「行俠仗義」的過程中與乾隆結識，並被乾隆當作人才儲備起來，後來成為提鎮，並在滅南少林時立下大功。

書中乾隆形象出自作者想像，由傳奇加神話構成，與真實歷史無關。

證據一，乾隆離開京城，非但不帶一個隨從，且不提前告訴大臣，只是寫信告訴陳宏謀、劉墉，說他離開京城「遲則十年，早則五載」才回。真實的皇帝不可能這麼幹。

證據二，乾隆到飯館吃飯，飯館讓他付錢，他竟發火，不僅砸桌子，還要砸招牌。與其說是皇帝氣派，不如說是惡霸行徑。要不是少年周日青替他付帳，這件事真不知道如何了結？

證據三，乾隆還與官兵打架。第二回中，他打傷提督葉紹江的兒子，繼而又與葉提督派去的兵丁作戰。

證據四，每當乾隆遇險，就有神仙幫忙，「此乃萬民之主，有百神保佑，泥丸宮，真龍出，見金光萬道，霧爪雲鱗上沖霄漢，直達靈霄寶殿。這日玉帝升殿，查檢下界善惡，查得海邊關提督葉紹江前身，本屬靈猴，修煉千年，合入地仙之隊，因與太行山八百年碩鼠有父子塵緣，故令先後轉胎下世，望他身到朝堂，為國效忠，愛民惜福。不料他二人投入官家，前言悉背，凌虐子民，無惡不作，所犯諸大過早經虛空過往神祇，日夜伺察絡續奏聞。是日玉帝查察之餘，拍案大怒，忽據守殿仙官跪稱：『當今天子被葉絆倒，亟須速護，並去奸臣。葉氏父子惡貫滿盈，應早收滅』等語。」[19]

書中乾隆通神情節甚多，如在過江時，顧客要湊錢祭拜江神，乾隆想起唐太宗跨海征東時遇到風浪，知道是海龍王來朝拜人間皇帝，寫下「免朝」兩個字就沒事了。於是乾隆也這麼幹，且有神奇效果。[20]

第八回「下潮州師徒報仇，遊金山白蛇討封」中，乾隆遊金山時，有白蛇精向乾隆皇帝「討封」。第廿五回「毓秀村百鳥迎皇，小桃園萬花朝聖」中，百花、百鳥之靈爭相向乾隆獻媚。第三十回「東留村老鼠精作怪，飛鵝山強賊寇被誅」中，乾隆還在東留村消滅了兩個老鼠精。

值得注意的是，書中至善禪師雖非正面人物，卻也不是反派。胡惠乾打殺牛化蛟、呂英布、雷大鵬的消息傳到至善耳中，至善大罵胡惠乾，既恨且痛。進而，至善還對徒弟說，「只等你們此去，將來報效皇家。若得一官半職，上可以報國，下可以救民。他日封妻蔭子、顯我教門，更要兄弟相和，手足相顧。」[21] 此外，在胡惠乾報仇過程中，三德和尚、童千斤、洪熙官等人始終在勸說胡惠乾，報仇不要過分，不要意氣用事，遺憾的是，魯莽衝動的胡惠乾完全聽不進去。

一九二〇年代末，小說《聖朝鼎盛萬年青》中故事被多次改編成電影。上海新人影片公司先後拍攝了《方世玉打擂臺》（一九二八）[22]、《勇孝子》（《方世玉打擂臺》後傳，一九二九，導演任矜蘋，主演任潮軍）、《擂臺英雄》（一名《胡惠乾打擂臺》，一九三〇，導演許忠俠，主演高倩蘋、任潮軍）等。天一影片公司於一九二九年更連續推出了九集電影《乾隆遊江南》（張振鐸飾乾隆，參演者有陳玉梅、秦哈哈、胡珊、馬徐維邦、陶雅雲、蕭正中、魏鵬飛、蔣耐芳、孫敏等）。[23]

上海鴛鴦蝴蝶派作家江喋喋（江蝶盧）將《聖朝鼎盛萬年青》改寫為《少林小英雄》，刪除乾隆部分，保留南少林部分，改寫結局，由至善央求五枚師太出山，化解少林、武當恩怨，保住了方世玉等人的性命。因《少林小英雄》初版時間難以確定，[24]無法判斷該書是否比鄧羽公的《至善禪師三遊南越記》早，自然也就無法判斷此書對鄧羽公的創作是否有影響。

二、《至善禪師三遊南越記》述評

《至善禪師三遊南越記》是凌霄閣主（鄧羽公）最重要的武俠小說。其重要性，一是為鄧氏小說篇幅最長、名聲最著者；二是書中講述南少林暨廣東籍武林人物及其歷史，為後代「廣派」武俠故事書寫提供了故事及思想資源。

《至善禪師三遊南越記》的主要內容，是河南嵩山少林寺（即廣東人所謂的北少林）住持白眉和尚一心復國，並把少林寺建成反清復明基地，從而被雍正王朝所忌恨，以至於官府派兵毀滅了少林寺。白眉對此也有預備，安排自己的徒子徒孫到南方去撒播反清復明的火種，培育反清復明的人才，建立反清復明基地，以便在機會來臨時就與滿清王朝對抗。

主人公至善禪師是白眉的弟子，講述他三遊廣東，[25] 培育二娣、小武、新錦、班主鐵腳三、華寶、生老虎（梁挽）、鐵頭老鼠（胡惠芳）、胡惠乾、秦虎、方世玉、童千斤等一大批弟子，從事反清復明事業。至善禪師先是以紅船為基地，進而以廣州西禪寺為基地，進而開闢了芙蓉寨、福建九蓮山洞、萬猴山等多處根據地，且改造了秦虎的飛鷹嶺、飛鵝嶺基地。至善最突出的行為，是率人進京刺殺了毀滅少林寺的罪魁禍首雍正皇帝。此舉對反清復明事業雖然無關鍵性影響，但最低限度能夠報仇雪恨，鼓舞人心。

從前述引言即可看出，鄧羽公的寫作立場與《聖朝鼎盛萬年青》（下文統一簡稱為《萬年青》）的立場截然不同，書中人物形象與《萬年青》中所塑造的廣東武林人物形象如方世玉、胡惠乾等人的形象自然也迥然有別。

白眉、五梅等人的身分，也與《萬年青》截然不同。在《萬年青》中，白眉是四川峨嵋山和尚，後轉入成都，其武功來源未加說明。白眉的弟子高鐵嘴即高進忠稱呼至善、馮道德為師叔，似乎白眉是與五梅、至善同輩人物。更重要的是，《萬年青》中的白眉，雖然不問世事，但經不住弟子馬雄和捕頭方魁的懇求，終於答應從成都前往廣州，參與廣東武林的糾紛。也就是說，在至善的弟子方世玉、胡惠乾與馮道德的弟子牛化蛟、呂英布、雷大鵬的衝突中，他是站在馮道德一邊。更重要的是，他既然參與至善師徒與馮道德師徒的糾紛，實際上是站在官府一方，利用官府的力量，打擊胡惠乾、至善。

《萬年青》中，就是白眉出主意讓官府派兵、派員圍攻福建少林寺，並在官兵幫助下，親自動手將至善、方世玉師徒殺害，並逮捕了洪熙官等人。而在《至善禪師三遊南越記》中，作者重新設定了白眉的身分，即明朝九門提督朱國忠（係明朝宗室），明亡後到嵩山少林寺出家，後擔任少林寺住持。白眉是五梅、至善、三德、馮道德等人師父，更是少林寺反清復明運動的發起者和領導人——正因為白眉領導少林寺反清復明，清朝皇帝雍正才下令毀滅少林寺。本書就是從官府派人火燒少林寺開始的。

在《萬年青》中，沒有說明五梅（五枚）師太的出身。她與至善是什麼關係？與白眉、馮道德又是什麼關係？書中也沒有明確交代。因而，在方世玉打擂臺故事中，他幫助了方世玉；在胡惠乾打機房故事中，她又幫助胡惠乾對付馮道德，讓馮道德鎩羽而歸。但在最後，她又受白眉邀請，與馮道德一起來對付至善，並親自對付方世玉，將方世玉打死。此人到底是什麼立場？作者寫得不很清楚，讀者也就難以分辨。

而在《至善禪師三遊南越記》中，作者重新設定，說五梅乃是清初文豪呂留良的女兒，也是《聊齋志異》中所寫的紅線女俠。五梅師太的這一身分定位，決定了五梅這個人物在這本書中的立場及其行為，與《萬年青》中的五枚師太完全不同。在這部書中，五梅是立場鮮明的反清復明領袖之一。她是以廣州海幢寺作為基地，培養反清復明人才，並幫助至善建立反清復明基地。

值得一說的是，在民間傳說中，通常都認為是呂四娘刺殺了雍正，但在這部書中，白眉卻沒讓五梅即呂四娘參與刺殺雍正的行動，只是讓她割了雍正的頭顱，祭奠自己的父親呂留良。有意思的是，她在祭奠父親之後，曾一度猶豫要不要徹底歸隱，但在至善等人的勸說下，她還是振作精神，把反清復明事業進行到底。

本書並不是一部政治歷史小說，而是一部典型的武俠傳奇作品。證據是，書中人物故事及其武功技藝，都有明顯的傳奇色彩，顯然不是按照寫實的路子寫作。例如，少林寺被毀滅時，少林寺僧竟然用孔明燈——仿照現代氫氣球——飛出寺外數百里，至善和尚居然從河南嵩山一直飄到陝西漢中定軍山，此一情節近乎神話。進而，至善與五梅在蜈蚣山消滅淫狐，更是神話。至善的武功也近乎神話，他可以在空中飛行，且有捆仙索等神話法寶。進而，書中出現多種山精海怪，諸如野人、蟒蛇、狐仙、靈犬、美人魚等等，也足以證明作者志在傳奇。

重要的是，作者寫這部書，主要目的是給方世玉、胡惠乾、洪熙官、童千斤、鐵頭老鼠、華寶等人為廣東歷史中的武林傳奇人物平反昭雪，樹碑立傳。這些人都是至善的弟子，所以，至善的故事，實際上也就是廣東英雄的故事，而廣東英雄的故事，也就是至善禪師的故事。也正因如此，這部《至善禪師三遊南越記》作為廣東武林英雄傳奇之書，形塑了人們對廣東英雄及其歷史的民間共同記憶，也是此後數十年間有關廣東傳奇英雄人物的故事、小說、電影、電視劇改編的重要資源。

本書的結尾有些出人意料。至善禪師在廣東、福建及廣東與廣西邊界、廣東與江西邊界等地建立了反清復明根據地，到最後竟然沒有人們預料和期待中的那種與滿清王朝的正面大決戰，而是在滿清官府的精心布局下，被迫從廣東撤退至廣西十萬大山。期待中的高潮沒有出現，從小說寫作角度說，多少有些讓人失望。但從閱讀效果看，卻並不太差，因為在歷史上說，到了乾隆時代，滿清政權早已落地生根，人們開始享受安居樂業的太平盛世，並不期望重燃戰火，實在沒有多少人希望過那種因戰爭而動盪不安的生活。

在小說的結尾部分，至善禪師與萬雲龍、勞虎等人發生了爭執，至善要保存反清復明的火種，傳承少林武術精神；而萬雲龍、勞虎則主張與官兵正面對抗，不惜犧牲。這兩種選擇哪一種更正確？顯然值得斟酌。而作者顯然更傾向於白眉和至善的選擇，即退隱到廣西十萬大山之中，保存反清復明的薪火。

作者讓萬雲龍也隨至善等人退隱到廣西，實是暗示著名的反清復明組織「洪門」就開始於廣西十萬大山之中——洪門組織公認的創立者就是萬雲龍。作者還進一步暗示，後來洪秀全起義之所以從廣西開始，是因為白眉、至善等少林寺僧退隱廣西十萬大山後，培育了廣西人民的反抗精神。這當然是小說家言，卻也是作者為這部書的結尾找到了一種可以理解的合理推斷。

這部小說以至善禪師多次出入廣東作為情節主線結構全書，重點突出，脈絡清晰，框架相對完整。白眉——五梅及至善師兄弟——至善的弟子等三代英雄人物前赴後繼，歷盡艱險而矢志不渝，讓人肅然起敬。再加上故事情節曲折多變，起伏跌宕，既有懸念與危機，也有大快人心事，對讀者具有一定的吸引力。

本書自然有不足之處。一是有不少故事都是作者敷衍而成，並非所有段落都精彩可讀。更明顯的不足，是小說在人物形象刻畫方面顯得比較薄弱。

至善是本書的主人公，但他的個性卻不完整，自主性及其自我同一性明顯不足。首先，作為反清復明基地的創建者及前敵總指揮，至善對自己的任務目標沒有明確規劃，且對廣州官府情勢及反抗鬥爭方略也沒有清晰認知，顯然缺乏領袖才幹，只能被動應對。其原因，當然是作者缺乏明確意識及相關設計。更大的問題是，至善的心智水準也缺乏恆定性，在不同的情境中出現極大波動，有時甚至不像是同一個人。

具體說，當至善禪師獨當一面時，他敢想敢幹，經驗豐富，智慧過人，奇思妙想層出不窮；而當他面對五梅師太時，則立即失去主見，甚至失去主體性，只能唯唯諾諾；而當他面對師父白眉時，就更是不會思考也不願思考，而是言聽計從，師父怎麼說，他就怎麼做。所以如此，當是由於作者受到傳統師徒倫理的束縛和影響，即徒弟要聽師父的，師弟要聽師兄的。白眉是至善的師父，五梅是至善的師兄，至善對他們只能言聽計從，否則就不是好弟子、好師弟。

作者可能沒有想到，這樣做會有損於小說人物形象的刻畫。更嚴重的是，同樣的情況也出現在至善與其弟子的關係上，即便方世玉、童千斤、華寶、洪熙官乃至胡惠乾等人都能獨當一面，在師父至善面前都只能做應聲蟲，失去個性靈光。因為要演繹師徒倫理，使至善師徒的英雄氣概和領袖才幹受到嚴重束縛和扭曲。

三、短篇佳作《義女還頭》

鄧羽公一九三〇年代創作的其他武俠小說作品，如《胡亞乾》、《少林秘紀》、《少林英雄血戰記》、《黃飛鴻正傳》、《五梅義釋馮道德》等，目前無法找到。能夠找到的只有一個短篇，即《香港文學大系・通俗文學卷》收錄的《義女還頭》。[26] 遺憾的是，《大系》的編者也不知道這篇小說寫作於何時、發表於何處。[27]

《義女還頭》講述南宋皇裔趙孟雄，隱居在廣東新會銀州湖畔二十四峰中，經營林場，屬下有壯士百餘人，時常劫奪貪官污吏的不義之財，成了元朝蒙古統治者的眼中釘。駐新會總兵托哈帖不花，命屬下癩狗率部入侵林場，放火未成，又於當晚發動突襲，殺了趙孟雄，並將其頭顱懸掛在林場柵欄上。趙孟雄的獨生女兒趙秀瓊奮勇救父，與林場主管阿亨一起殺回林場，奪回父親頭顱，殺了仇人癩狗，最終全殲元兵。小說結構緊湊，氣氛緊張，情節起伏曲折，吸引力強。

尤為可貴的是，小說篇幅雖短，趙孟雄、趙秀瓊、阿亨等人形象卻很鮮明。趙孟雄既豪邁爽朗，平等待人，奮戰至死，令人肅然起敬。趙秀瓊膽大心細，心掛兩頭，既想保護父親，又怕母親擔心，所以在第一次救父之後，立即回到母親身邊；待她遵照母命重回林場時，父親已經罹難。雖然悲痛至極，仍堅持戰鬥到底。元兵偷襲成功，原因在阿亨自以為是，不聽趙孟雄的指示行事。趙孟雄戰死後，阿亨一心自殺以贖罪，遇到趙秀瓊後，又決心奮戰求生，幾次轉折，令人印象深刻。

小說用改良的文言寫作，文筆簡潔而優美。開頭幾句寫景：「疎黯孤零之碎星，正在間時微閃，一似久病人懶於看物，閉目時多……獨有淡薄之殘月，又自層雲穿出，轉瞬又復為層雲所蔽，如是稍露即蔽之更迭循環，大似人生歷程，顯晦無常，時刻在掙扎挫磨中也。」比喻奇特，韻味深長，看似閒筆，實則不僅創造濃重陰暗的氛圍以籠罩全篇，同時也暗示了趙孟雄生死玄機，顯示語言藝術之妙。

《義女還頭》堪稱短篇武俠小說佳作。

四、晚期武俠小說作品

一九五〇年代中期，新派武俠小說興起，鄧羽公重新披掛上陣，從一九五五年起，先後在香港《文匯報》和香港《晶報》上連載發表了《五嶺遊俠傳》、《廣東江湖奇俠傳》、《廣東江湖奇俠別傳》、《圭峰三女俠》等武俠小說作品。因筆者只找到了《五嶺遊俠傳》和《圭峰三女俠》兩部作品，以下分別評述。

先說《五嶺遊俠傳》。本書共十回，講述清軍南下時，朱一貴、屈大均（翁山）率領羅天生、陳文豹、聶風人、施福、天衣道長、心白禪師等漢族英雄，在仙霞嶺、大庾嶺等重要隘口阻擊清軍；後救出紹武皇子，前往臺灣投奔延平王鄭經的故事。小說開頭出現的黃宗羲、黃道周、金堡、屈大鈞（翁山）等人，都是真實歷史人物。

作者讓這些歷史人物在序幕中登場，目的當是為取信於讀者。臺灣歷史上確有朱一貴其人，本書的第一主人公朱一貴，不是臺灣鄉民，而是明朝王子。本書並非歷史紀實，故事情節主線是虛構傳奇。如朱一貴隻身刺殺滿清貝勒，劫奪滿清軍糧分給當地饑民，三四個人即可攪亂清軍陣營等等，即是典型的傳奇故事。

本書民族主義和愛國主義思想主題十分明晰。滿洲軍隊入關並南下，明王朝的官員面臨劇烈的歷史變遷，有人投敵求榮，有人逃難保命，也有人挺身而出、對抗異族入侵。書中羅天生、陳文豹、聶風人、施福、凌安世、徐千斤、雲中龍及天衣道長、心白禪師等人，追隨並幫助朱一貴、屈翁山抗清義舉，不惜犧牲，成為可歌可泣的民族英雄。而與他們敵對者，固然有滿清貝勒與將軍，但更多是新近投敵的明朝漢族官員。

漢人個體的不同選擇，是這部書的一大看點。面臨劇烈社會動盪，個人生死關頭，一家人也可能有截然不同的選擇。其中最典型的是，處州總鎮侯天龍投降滿清，其女侯月嫦力勸無效，惱怒的侯天龍竟將女兒逐出家門，導致侯月嫦輕生，獲救後投入抗清隊伍中。

更值得一說的是，書中的延平王鄭經及其軍師周松齡，深怕朱一貴等人搶臺灣地盤，拒不接納紹武皇子，反而設計圍剿大陸來人，反清同道互相殘殺，朱一貴死於內訌，讓人憤懣難抒。這一出乎讀者意料的情節結局，有深刻的人性依據，或許更接近於歷史邏輯。

《五嶺遊俠傳》雖以遊俠為名，重點卻是演繹歷史傳奇。證據是，本書關注重點明顯是明朝「江山」，而很少涉筆於由武林人組成的「江湖」。書中偶爾也會描述武功打鬥，例如第六回書中，鐵臂猿凌安世與清軍汪千總的對打，「凌安世施展『李逵救母』的板斧絕技，上則迎架敵槍，下則橫斧轉化為『吳剛伐桂』；汪千總正欲掣回鐵槍，轉化為『王彥章撐渡』的解數，連挑帶打，以應付凌安世上下兩路劈攻……」但縱觀整個戰場，乃至書中所描述的所有戰鬥，都是典型的戰爭形式，而非尋常的武功打鬥。如是，這部小說究竟是歷史傳奇，還是武俠小說？尚需斟酌。或許可以說，它是將歷史傳奇融入武俠小說的一種嘗試。

本書時而串珠，講述朱一貴在不同情境中衝鋒陷陣；時而開枝散葉，分頭講述朱一貴、屈翁山、羅天生等人在不同地點的戰鬥故事，其中有些段落故事很熱鬧，有一定的吸引力；但也有些段落只不過是是敷衍故事，而且在結構上也缺少整體性。典型例證是，小說第一回中鄭重其事地講述胡一青偷偷離開黃宗羲，想來是要投入抗擊滿清的實際戰鬥，但此人後來卻再也不見蹤影。

本書語言，屬文言白話形式。敘事語言接近白話，對話則多是文言。如小說開頭，朱一貴出場時對黃宗羲說：「黃老師別來無恙？尚憶及京華分袂，老師曾謂天行事尚有可為之言乎？」這種小說語言，當下讀者或許有些不適，但在一九五〇年代，或許有讀者喜歡。小說最後一回「日月潭水寒，文章空想三分勢；五丈原星落，天地傷心一首詞」，對仗工整，富有文學韻味。就小說而言，朱一貴戰死是勢所必然，而朱一貴在殘酷戰鬥中還要作詞，恐怕有些浪漫過頭。

再說《圭峰三女俠》。此書篇幅不長，只連載了三十一天，寫作這部小說時，作者已年屆七旬，從已知證據看，這可能是鄧羽公的最後一部武俠小說。

小說講述指天椒招燕飛、趙英、勞寶珠三位綠林女英雄結成異姓姊妹，分別駐守新會縣境內圭峰山天王峰、綠護屏、獅子峰，攻守同盟，與官府為敵。

其中有三段故事，其一是圭峰山故事。即：招燕飛劫奪新會縣令謝穆清送給五邑督辦鐸塔將軍的壽禮，勞寶珠在新會縣衙搶得珠寶之後，趙英又劫奪崖西統領韓紹元送給鐸塔的壽禮，並將腳夫、官兵吸納入山寨。

其二是龍頭村故事。即：圭峰山天王峰發現無名屍，招燕飛探得是離圭峰山三十里的龍頭村村長勞棠，被獵戶杜超所殺。崖西韓統領派兵抓了龍頭村更夫勞星，招燕飛將他救出，後設計驅退官兵，讓勞星當上村長，全村歸順圭峰山。

其三是攻打新會縣城故事。即：新會縣、崖西統領派人前往五邑督辦請求派兵清剿圭峰山，被睦州鍾老虎所俘；韓統領派兵進攻綠護屏，被圭峰三女俠所敗；招燕飛一不做二不休，索性攻打新會縣城，殺了縣令謝穆清。適逢太平天國運動爆發，圭峰三女俠隨即加入太平軍。

以上三段故事，有不同重點，圭峰山故事是典型的綠林故事，龍頭村故事則有偵探故事輪廓，攻打新會縣城故事則類似戰爭故事。但作者似沒有認真構想，更沒有認真經營，小說顯得相對簡單而粗糙。在第一段故事中，雖寫了招燕飛、趙英、勞寶珠分別建功，但並不涉及她們的身世與經歷，更不涉及她們的情感與個性，因而三位女俠形象相對模糊。主角尚且如此，其餘人物也就可想而知。

小說名為《圭峰三女俠》，但其中卻又出現舉人妻子招儀落難蝴蝶岩，被招燕飛慫恿落草，並成為三女俠的大家姐，如此一來，書中就有四位女俠，顯得名不副實。此外，小說開頭明明是勞寶珠進新會縣城，但最後卻說是招燕飛，如此自相矛盾的情況在連載小說中雖不少見，但在一個月內的寫作中就出現張冠李戴現象，說明年歲不饒人，作者精力難以顧及首尾一致。

五、鄧羽公武俠小說小結

鄧羽公是香港武俠小說史的開拓者。他的小說《至善禪師三遊南越記》在香港武俠小說史上具有十分重要的意義。即便這部作品是改寫前人作品，而非百分之百的原創；即便未來的學者經過大規模深入調查，發現香港在鄧羽公之前就有武俠小說作品發表，也不會影響鄧羽公小說的價值及其歷史地位。

小說《至善禪師三遊南越記》梳理並確立了南少林暨廣東武林英雄的譜系，其中如白眉、五梅、至善、三德、方世玉、胡惠乾、洪熙官、童千斤、鐵頭老鼠等人物形象，已經成為香港武俠文化史的典型，亦是民間記憶的源泉。

鄧羽公的武俠小說，無論是早期的《至善禪師三遊南越記》、《胡亞乾》、《黃飛鴻正傳》、《五梅義釋馮道德》及《義女還頭》，還是晚期的《五嶺遊俠傳》、《廣東江湖奇俠傳》、《廣東江湖奇俠別傳》、《圭峰三女俠》，都有一個共同特徵，即講述南少林暨廣東武林故事、書寫廣東英雄，創造廣東地域文化景觀。

鄧羽公是香港「廣派」武俠小說的奠基人，開創了廣東人寫、寫廣東人、給廣東人（**包括香港廣東人**）看的「廣派」武俠小說先河。如果說鄧羽公的新聞採寫及時事評論是揭發並批判廣東社會積弊，那麼他的歷史小說如《黃蕭養正傳》[28]及武俠小說則是不斷形塑勇於反抗社會不公且愈挫愈奮的廣東人文精神。

鄧羽公的武俠小說創作，從一九三〇年在《羽公報》連載小說，至《圭峰三女俠》於一九六〇年一月在《晶報》連載結束，經歷了三十年的漫長歷程。他寫過長篇、短篇和中篇，寫過武術技擊也寫過神話功夫，寫過舊傳統也嘗試過新觀念。鄧羽公的武俠小說是香港武俠文化史上的寶貴遺產，值得後人深入研究。

【注釋】

1 葉洪生：《論劍：武俠小說談藝錄》，第四十八頁，上海，學林出版社，一九九七年。

2 林遙：《中國武俠小說史話》，二六四頁，上海，上海世紀出版集團、上海文化出版社，二〇一八年。

3 《羽公報》停刊時間，目前尚不清楚。根據百度《鄧羽公》條目（由「楓之舞」分享）說，《羽公報》是一九二五年因為得罪廣州市長林雲陔而被迫關門，鄧羽公亦因此離開廣州，先去佛山，後去香港。但，查林雲陔信息，此人於一九二三年二月八日被孫中山任命為廣州市政廳委員長（相當於市長），但十八天後即同年同月廿六日就改任大本營金庫長、大本營財政部第三局局長，直到一九二七年才第二次擔任廣州市政廳委員長。也就是說，一九二五年林雲陔並非廣州市長。另據黃仲鳴主編的《香港文學大系・通俗文學卷》介紹，鄧羽公在《羽公報》關門之後曾續辦《愚公報》。但《愚公報》何時創辦、何時及因何故停刊，仍不清楚。

4 黃仲鳴：《琴台客聚：鄧羽公的〈石山報〉》，http://paper.wenweipo.com/2007/08/25/

OT0708250025.htm（2007—08—25）。

5 斯耶：《是佛山人棄筆為商》，載香港《粵江日報》一九四三年十二月十九日第四版。（顧臻提供）

6 黃仲鳴主編：《香港文學大系．通俗文學卷（一九一九—一九四九）》，第五十四頁，香港，商務印書館有限公司，二〇一四年。引者按：《至善禪師三遊南越記》第三十三回提及的《少林寺劫前秘錄》一書，很可能就是《少林秘紀》，主要內容是講述萬雲龍在少林寺從正心、慈安學藝，因正心與慈安淫亂，引發少林寺僧不滿，遂請白眉回寺擔任住持，萬雲龍則憤然離寺，前往四川。

7 這批作品使用了凌霄閣主、忠義鄉人、鄧羽公等不同筆名，刊載時間為一九五二—一九五七年。

8 《五嶺遊俠傳》於一九五五年八月六日至十二月三十一日連載於香港《文匯報》。

9 《廣東江湖奇俠傳》於一九五六年五月一日至一九五六年十二月三十一日連載於香港《晶報》，共二四五期，十五回。

10 《廣東江湖奇俠別傳》於一九五七年一月廿九日至一九五八年六月三十日連載於香港《晶報》，共五一八期，後期連載書名又改為《廣東江湖奇俠傳》。

11 《圭峰三女俠》於一九五九年十二月廿八日至一九六〇年一月廿七日連載於香港《晶報》，共三十一期。

12 黃仲鳴主編：《香港文學大系．通俗文學卷（一九一九—一九四九）》，第五十四頁，香港，商務印書館有限公司，二〇一四年。

13 凌霄閣主（鄧羽公）：《至善禪師三遊南粵記．序言》，香港《天光報》，一九三五年一月廿三日。引者按：我所看到的顧臻先生提供的電子版。

14 佚名：《聖朝鼎盛萬年青》，李道英、岳寶泉點校，北京，北京師範大學出版社，一九九三年二月。此版本係根據北京師範大學圖書館館藏光緒十九年（一八九三）上海五彩公司石印本及民國上海日新書局石印本校點，為于天池主編的「北京師範大學圖書館館藏白話公案俠義小說選刊」之一。

15 佚名：《聖朝鼎盛萬年青》第七十七頁，李道英、岳寶泉點校，北京師範大學出版社，一九九三年二月。

16 佚名：《聖朝鼎盛萬年青》第一三五頁，李道英、岳寶泉點校，北京師範大學出版社，一九九三年二月。

17 佚名：《聖朝鼎盛萬年青》第一八五頁，李道英、岳寶泉點校，北京師範大學出版社，一九九三年二月。

18 佚名：《聖朝鼎盛萬年青》第四六六頁，李道英、岳寶泉點校，北京師範大學出版社，一九九三年二月。

19 佚名：《聖朝鼎盛萬年青》第十二頁，李道英、岳寶泉點校，北京師範大學出版社，一九九三年二月。

20 佚名：《聖朝鼎盛萬年青》第十五—十六頁，李道英、岳寶泉點校，北京師範大學出版社，一九九三年二月。

21 佚名：《聖朝鼎盛萬年青》第一五三頁，李道英、岳寶泉點校，北京師範大學出版社，一九九三年二月。

22 新人影片公司在一九二八年很可能拍攝了兩部《方世玉打擂臺》，一部是由任彭年導演、丁德桂、任潮軍、王仰樵等主演（見程季華主編《中國電影發展史・附錄》第一卷第五九〇頁，北京，中國電影出版社，一九八一年）。另一部是一九二九年出品的，陳秋風編劇，陳野禪導演，王天聰飾方世玉，劉愛麗飾苗翠花，沈哄天飾方有德，俞樵翁飾雷老虎，顧夢癡飾李巴山，李月東飾李小環（見中國電影資料館編《中國無聲電影劇本》中卷第一六七四—一六八二頁，北京，中國電影出版社，一九九六年）。

23 《乾隆遊江南》第一、二集由邵醉翁編導，第三集編導李萍倩，第四集編導姜起鳳，第五、六集編劇邵醉翁、導演姜起鳳，第七集導演洪濟，第八、九集導演李萍倩。《中國無聲電影劇本》中只搜集了《乾隆遊江南》第一、六、七、八集的故事梗概（中卷第一八一二—一八一七頁),不清楚影片中是否涉及廣東武林故事。

24 江喋喋的《少林小英雄》有多個版本,一是廣益書局版,沒有標注出版時間;另一版本是上海新民書局,出版時間是民國廿四年(一九三五年)。

25 書名《至善禪師三遊南越記》,「三遊」之說,只是一個概數。書中至善禪師進出廣東(廣州)的次數其實不止三次,第一次是從雲南到廣州,後去海南島再回廣州,後去福建九連山再回廣州,後去北京刺殺雍正再回廣州,後去湖南等地再回廣州,最後又去福建九連山再回廣州。即使把海南島之行也算是南越(南粵),至善禪師進出廣東的次數也有五次之多。

26 鄧羽公:《義女還頭》,載黃仲鳴主編:《香港文學大系·通俗文學卷(一九一九—一九四九)》,第二五八—二七三頁,香港,商務印書館有限公司,二〇一四年。

27 《義女還頭》選自何文法主編《省港名家小說集》(廣州文社,缺出版日期,據序言應為一九三七年),這個集子的選編者也沒有說明小說的出處。見載黃仲鳴主編:《香港文學大系·通俗文學卷(一九一九—一九四九)》,第二七三頁,香港,商務印書館有限公司,二〇一四年。

28 《黃蕭養正傳》,一九五五年十一月十八日至一九五六年六月十五日連載於香港《成報》。

第二章

朱愚齋的國術稗史及其武俠小說

朱愚齋（一八九二—一九八四）是香港武俠小說史的另一奠基人。其志趣和路徑與鄧羽公明顯不同，朱愚齋是以記錄「國術稗史」作為自己的寫作目標，為的是不讓國術名家的歷史蹤跡被湮沒。朱愚齋雖不是一九四〇年代「技擊小說」的宣導者，甚至也不是技擊小說寫得最出色者，其早期著作卻是技擊小說的濫觴。

朱愚齋原名朱棠，字愚齋，筆名齋公，廣東南海大灶鄉人，父早逝，後隨母遷徙廣州，少年時投身蘆排巷報知寺為廝役，跟寺裡知客僧亞登學技擊。辛亥革命後，奉母到香港，在電話公司做司機，其後拜林世榮為師，學習技擊八年，又習跌打損傷醫術二年。後又另拜醫師學醫七年，並以此為業。

一九三一年，他以齋公為筆名，撰寫《廣東近世四大俠軼事》，號稱「國術稗史」，敘述黃澄可、爛頭何、唐家六和林世榮故事，其中林世榮故事占四分之三。該文從一九三一年五月三十日起在香港《工商晚報》連載。[1] 一九三三年六月廿一日，朱愚齋的《粵派大師黃飛鴻別傳》開始在香港《工商晚報早刊》上連載，引起轟動。

已知的朱愚齋作品有：《廣東近世四大俠軼事》、《粵派大師黃飛鴻別傳》、《粵派拳師陸阿采別傳》、《嶺南武術叢談》、《南海拳豪》、《少林英烈傳》（一名《鐵馬騮秘史》）等。是否有遺漏？遺漏了哪些？尚待進一步調查。就上述作品言，其創作可分為前後兩個階段，前一階段為一九三〇年代至一九四〇年代，為「國術稗史」

階段，前四部作品即是這一階段的重要成果。後一階段為一九五〇年代，為「技擊小說」階段，有《南海拳豪》與《少林英烈傳》兩部長篇小說。

朱愚齋以記錄國術稗史為志向，被同門譽為「林門之良史」，[2]他自己也號稱「所述均非虛構」，[3]此言不可不信，因為他是林世榮弟子，而林世榮是黃飛鴻弟子，嫡系傳人講述師門故事，焉能不信？但也不可全信。人際傳播的規律，是傳言便會有資訊增減與變形；而重述傳奇掌故者也可能隨時隨地再創作。舉例說，《黃飛鴻別傳》中說黃飛鴻是舞獅高手，而《嶺南武術叢談・黃飛鴻軼事（二）》中則說黃飛鴻並不善於舞獅。同一作者的兩部作品孰對孰錯？孰真孰假？讀者難以判斷。

把朱愚齋的「國術稗史」錄入香港武俠小說史，理由是稗史多為掌故，國術稗史即武林人物的歷史掌故，既是歷史書寫的另類形式，也可以說是小說的另類形態。

朱愚齋秉持的寫實路線，是武俠小說創作的重要路徑之一，讀者同樣可看到誘人的武林掌故與傳奇。當然，拘泥於非虛構，對作者的想像力和創造性不免會有所束縛，作品結構的創造性設計也會受其影響。

下面對朱愚齋的幾部重要作品作逐一介紹和分析。

一、《粵派大師黃飛鴻別傳》

《粵派大師黃飛鴻別傳》於一九三三年六月廿一日起在香港《工商晚報早刊》連載，一共連載兩百四十五期。本書是文言文作品，不分章節，也沒有回目。

此書從黃飛鴻十二歲時隨父親街頭賣藝開始講起，直到黃飛鴻逝世結束。

這部書並非純粹的武俠小說，也不是嚴格意義上的傳記，本書不依傳主的生平編年敘述，至多不過是按照少年、青年、中年、老年的大體分期，想到哪裡寫到哪裡。記述的重點為武林及市井故事，涉及黃飛鴻的家庭日常生活的篇幅反而不多。例如，書中就找不到黃飛鴻小妾莫桂蘭的名字及其故事；書中說黃飛鴻終年七十五歲，也未必準確。

書中的黃飛鴻，有市井江湖人的脾性，年輕時，難免於鬥氣，有時也好色；步入衰年，則洞察世情，韜光養晦，不欲惹事生非等等，都真實可感。黃飛鴻於傷科醫藥、武術、舞獅等領域中的技藝與事蹟，或離事實不遠。

本書以《黃飛鴻別傳》命名，講述的不僅是黃飛鴻故事。而是包括了：

一、黃飛鴻弟子如梁寬、陳殿標、凌雲階、陳錦泉、林世榮、伍文琯、伍銓萃、夏重民等人的故事。

二、還包括林世榮的弟子，即黃飛鴻徒孫姜魂俠、關坤、譚就、鄭芳、鄭二、李祥、梁澤、麥展程、劉湛等人的故事。其中林世榮及其弟子的故事占了大量篇幅，所以有的版本乾脆將本書一分為二，前半部為《黃飛鴻傳》，後半部為《黃飛鴻與林世榮傳》。[4]

三、本書還包括晚清至民初大量廣東武林名人，如林福成、鐵橋三、爛頭何、金公濟、唐家六、吳英、李澄波、耿德海、黃隱林、黎仁超、何超、周泰、陳旺等人的故事。

四、還包括廣州城鄉及香港的大量市民故事，戲院、妓院、工廠、碼頭、花船、官府、街市與鄉村中的土豪、惡霸、流氓、地痞、小偷、騙子和普通居民的百態人生故事片斷。

從這一角度看，本書不僅是黃飛鴻故事集，也是黃飛鴻、林世榮一系的名人故事集，也是晚清至民初廣東與香港武林名人故事集，其中有武林社會史及市民社會史的寶貴資料。

本書的寫法也很特別，是以黃飛鴻的生平為經，串連起武林名人的掌故與傳說，與其說是串珠，不如說是故事堆積。它的文化價值大於其文學價值。

作為「國術稗史」，其中有關武術的內容當然不可忽視。書中對武術打鬥的講述，雖有渲染乃至虛構，但卻儘量向實在的武術功夫靠攏，屬武術功夫寫實一路。如開頭由黃飛鴻賣藝時介紹五郎八卦槍，從太極、兩儀、四象、八卦，說到五郎八卦槍法，頭頭是道。有關習技之道，書中也常有精彩之論，如：

「技擊之道，談何容易，非大歷艱苦，必無有成，尤須有恆，功勤不苟，然後始能徹悟斯技之理。苟一暴十寒，不如不習之為愈。吾嘗見有一時心意衝動，投身而習斯術者，未及數日，而雄心已冰，更有時作時輟，略識手法名目，則以驕人，間有高眼慈心，良不欲其陷於危境，告以技擊直義，使其覺悟自拔，猶嘵嘵問難，刺刺不休，故老拙懷藝以來，非深識其人者，寧葬技泉壤，亦不傳也。」

這是鐵橋三初見蔡贊時的一段話，雖非驚人創見，卻也是學藝與人生的經驗之談，值得聽取。

作者是林世榮的弟子，書中內容當有不少掌故資訊來自林世榮口傳。作者興致所至，有時候還會講述自己的見聞。例如在講述黃飛鴻為黑旗將軍劉永福療傷事時，插入一大段作者自己的見聞：

「予內戚梁氏女，跌仆脫麒麟髀，越年餘，疽發，治之無功，卒以是去世。摯友馮君其焯，其長公子，亦以是殞其生，嗚呼，世之罹此創者，又安可忍乎哉。」

接著又說自己師從林世榮學藝而後學習跌打醫術的經歷，再加一段對現實中的傷科醫生的觀察和議論，然後才重新進入正題。類似插敘，還有後半段中有關練武健身的議論，進而插敘練習《易筋經》的方法步驟數千言；以及作者學醫經歷及行醫感悟等等。想到哪寫到哪，雖不嚴謹，倒也有趣。

《別傳》寫作時，黃飛鴻逝世不久，此書為較早的黃飛鴻傳奇故事集，亦是日後黃飛鴻題材小說及電影的主要資訊源，功莫大焉。

二、《粵派拳師陸阿采別傳》

本書一九三六年刊於香港《華字日報》，亦由華字日報編輯成書。[5] 結集成書時，不分回，不分段，不分行，全文以圓圈標點。書名上方有「國術稗史」字樣，表明作者的寫作目的，是要為武林寫史、為武林高手立傳。

該書從陸阿采身世簡介及至少林寺至善禪師門下學藝開始，學藝結束時被至善禪師派去追捕少林寺逃徒黎虎，相當於畢業實習和考試。考試結束後才正式從少林寺畢業，南下回歸廣州，其後幫助杜傑復仇，最重要的情節是結識少林派高手鐵橋三；其後是收黃麒英為徒，以及娶劉氏女為妻，進而聽從妻勸，專業從醫，不以武功示人，直至六十八歲逝世。

書中陸阿采的傳記故事其實並不多。書中大部分內容，是穿插多個同門師兄弟故事。如至善禪師向陸阿采講述高足童千斤、方世玉打擂臺故事；方世玉向陸阿采講述李翠屏故事；陸阿采向黎虎講述胡惠乾故事；溫良玉講述自己年輕時尋花眠柳故事；乃至鐵橋三講述收蟹和尚慧慈為徒故事，等等。少則數頁，多則數十頁，例如胡惠乾打機房一段，就有三十多頁，占全文十分之一。

本書最後還梳理了陸阿采的傳承系統，即陸阿采—黃麒英—黃飛鴻—林世榮—梁永亨。本書寫作與連載時，梁永亨仍在香港油麻地南京街設武館授徒。與其說本書是陸阿采傳記，不如說是廣東少林派名人掌故集。

書中另一部分內容，是詳述武林經驗和武術知識。如少林寺象奔頭陀教陸阿采暗器知識：「……暗器種類繁多，不能一一為汝述。今只擇其最普通者，為汝言之。曰飛鏢，曰袖箭，曰飛蝗石，曰飛刀，曰鐵蟾蜍，曰花裝弩，曰流星錘，曰鐵鴛鴦等屬。分析其狀態，及其運用之法言之，汝其諦聽之哉：飛鏢一物，為暗器中最流行者……」

又如，在胡惠乾與呂英布激烈打鬥時，插入一段有關「目力」訓練的知識介紹：「目力一門，為武技中最重要者也，此技俗稱為夜眼。凡武技高深之人，必練眼力為武技助。蓋與人交手，目力如不精銳，在在具有危險。以是故，多有致力於夜眼一技者。至於練二目之法，睡醒不開目，以兩手大拇指背相合擦熱……」類似段落，隨處可見。

本書的武打描述，也是以寫實為特徵。例如書中寫李翠屏與法玄的打鬥：「法玄……運指直剜翠屏之目。翠屏以撥手禦之，反手沉下，回以一虎尾千字，運臂橫撳其軀。法玄急以截手為拒，順勢曲肘，進逼一步，力撞翠屏之胸。翠屏偏馬側身，以虎爪法先制其肘，從而施以下三路之勾彈腿法……」除武功打鬥描述外，書中對跌打療傷也有大段議論，看起來頗具實用參考價值。

本書名為歷史人物傳記，實際上是武俠小說；說它是武俠小說，卻又以或紀實或想像的史料標榜。其原因，是作者的文類知識相對貧乏，對文類的區分也相對馬虎。好在當時的讀者對此也不甚講究，作者這樣寫，讀者也就這樣看。

作為一部武俠小說，這部書的文學成就並不高，但這部書在香港武俠文化史上的影響卻不可低估。書中有關少林派武功傳承及諸多名人故事，不僅影響到後來的武俠小說，更影響到三〇年代至八〇年代的香港武俠電影。

三、《嶺南武術叢談》

這是作者在一九四七年至一九四九年間發表的武林軼事的結集。[6] 內含：《遇武尼橋三得遺訣》、《至善技服童千斤》、《陸阿采試技釋伯符》、《混跡煲頭謝亞福避禍》、《枯樹百株死練拿龍爪》、《虎鶴雙形拳史》、《鼠步梅花拳史》、《無影腳之創造者》、《八卦棍法傳粵索引》、《觀舞獅黃飛鴻巧遇鄒泰》；《黃飛鴻軼事（一）》、《黃飛鴻軼事（二）》、《黃飛鴻軼事（三）》、《較技招怨肥仔二遭暗算》、《言語遭尤檳榔成遇梁寬》、《劉湛軼事》；《林世榮軼事》、《呂龍山軼事》、《譚就軼事》、《譚就死關坤鞭棺》、《關坤四挫反勝折服呂鎮山》、《潘季一拳打三腳虎》、《潘季一求虎爪法所歷》、《記潘季一之三事》、《胡立功鐵線拳挫袁大力士》、《黃浩然之伏地虎尾腳法》、《朱培勇奪機關槍》、《阮榮貴力奪單刀》；《五點梅花棍》、《恃技亡身》、《盲拳打倒老教頭》、《踢石柱黃清祺息爭》、《蔡二姑之蟠龍腳法》，以及附錄：《朱愚齋先生二三事》、《海幢寺武僧證佛記》。

書中所寫，正是作者心目中的「國術稗史」。其中《至善技服童千斤》、《陸阿采試技釋伯符》等篇亦在《陸阿采別傳》中已有敘述。《觀舞獅黃飛鴻巧遇鄒泰》、

林派報了大仇。

本書與作者此前的作品有幾點重大變化。一是，明確地站在少林弟子反抗滿清官府的立場，上承鄧羽公《至善禪師三遊南越記》，下與新派武俠的價值觀共鳴。二是，作者此前的作品《黃飛鴻傳》、《陸阿采傳》、《嶺南武術叢談》乃至《南海拳豪》等，都是以「國術稗史」為號召，走寫實路線，作品由故事碎片堆積而成；而《少林英烈傳》則是由傳記體改為故事體，即全書為一個完整故事，主人公則是一個團隊。三是，本書故事內容並不拘泥於歷史事實，且有令人震撼的戲劇性情節。

本書最令人震撼的情節，是杏隱禪師聽說自己的親傳弟子倫帝榮成了師門、民族的雙重叛徒，追隨異族官府殘殺自己的同胞兼同門，即挖了自己的雙眼——為自己看錯了人、教錯了弟子而自挖雙眼！字裡行間，其實有更多內容，杏隱為什麼不親自去廣州殺倫帝榮清理門戶？值得深思。最大可能，是他無法對倫帝榮下手，不願也好，不忍也罷，總之是無法下手。

杏隱對倫帝榮寄予厚望，師徒情深，而倫帝榮叛變投敵、殘害同門，既驚且怒，更傷心鬱悶，失望可想而知。杏隱當然不能將自己的私情置於大義之上，卻又無法以大義清除私情，結果就只能是自挖雙眼，表達自己的憤怒、憤懣和愧疚，同時派關門弟子張達兄妹代自己執行道義判決。書中的這一段情節，值得欣賞品味。

書中的另外兩處震撼性情節與情境，是挖去雙眼的杏隱禪師送弟子前往廣州時，先是以溪水給張達、張阿瑛洗目，讓他們分清正義與邪惡；再是敲木魚、誦佛經，如慷慨悲歌，重演了當年高漸離送荊軻，高唱「風蕭蕭兮易水寒、壯士一去兮不復還」的悲壯一幕。

另一幕讓人震撼的情景，是張達為了取信於倫帝榮，要借羅佩坤的人頭，而羅佩坤也充分理解張達的打算，慷慨獻出自己的頭顱。這故事很自然地讓人想起當年樊於期將軍自刎獻頭顱的故事。將這一情節與前面敲打木魚的情節聯繫起來看，可見作者借鑒了《史記・刺客列傳》中的荊軻故事。

作者借鑒歷史經典的目的，當然是要讓自己的小說變得更好看。這實際上是朱愚齋小說創作中的一個重要變化。張達從一個純粹的獵人變成杏隱的弟子，又從杏隱的弟子變成烈士刺客，在書中重演古代烈士之風，讓人感慨。不同的是，荊軻刺秦最後以失敗而告終，而張達刺殺倫帝榮和哈將軍，最終取得了勝利。這也是歷史與小說的不同：歷史必須符合真實，而小說則要滿足讀者的期待。

本書以「技擊小說」為商標，這是朱愚齋所長，但本書中並沒有作任何多餘的鋪張。例如，張達、張阿瑛拜師，杏隱禪師只對他們講了一課，即「五合三催之理」，所為五合，即手與眼合、眼與心合、肩與腰合、身與步合、上與下合；所謂三催，即手催、身催、步催。言簡意賅，卻是意趣深遠。

本書當然也有不足，最明顯的一點是，張達、張阿瑛拜師，「不數月，技乃與師不相伯仲」（第四集，第十八頁）。此說恐怕難以讓人置信。實際上，杏隱禪師收張達、張阿瑛為徒的情節，本身就有些急就章，似乎是臨時起意。若讓張達兄妹早幾年拜師，並且有更多實戰訓練機會，則這段故事肯定會更可信。

【注釋】

1 林遙：《中國武俠小說史話》，二六四頁，上海，上海世紀出版集團、上海文化出版社，二〇一八年。

2 朱愚齋：《無影腳之創造者》，載《嶺南武術叢談》第三十二頁，臺灣，華聯出版社，一九七一年五月。

3 朱愚齋：《嶺南武術叢談・自序》，臺灣，華聯出版社，一九七一年五月。

4 澳門新生出版社版（無出版時間），就將此書分為《黃飛鴻傳》上、下及《黃飛鴻與林世榮傳》上、下（作者署名齋公），新生版為四集的合訂本。此書出版時間至遲不晚於一九七六年，其時作者健在，只是不知道這樣的分集方式是否得到作者的認同。

5 我看的版本是有容書齋影印本，共兩冊。書後版權頁標明，本書是中華民國二十五年十二月印行，編輯者為華字日報，印刷者是聚珍印務書樓有限公司，發行者是華字日報營業部。

6 參見朱愚齋：《嶺南武術叢談・序》（己丑年即一九四九年），香港，通俗出版社。

7 參見朱愚齋：《南海拳豪・自序》（壬辰年即一九五二年秋），香港，南風出版社（祥記書局代理）。

8 參見朱愚齋：《少林英烈傳》封面及扉頁標注，香港，南風出版社（祥記書局代理），無出版時間。

9 朱愚齋作品通常都有自序，但我沒有找到該書的第一集，從而不知道本書寫作和初版時間，也不知道本書是否有自序。

第三章 王香琴與念佛山人的武俠小說

王香琴和念佛山人都是香港武俠小說史上的重量級人物。把王香琴與念佛山人置於一章，並非這兩位作家的重要性不足以專章論述，而是因為寫史人所掌握的作品資料不夠，無法形成專章。將兩位作家放在一起講述，有一個意外的好處，即可更清晰地看到香港早期武俠小說的兩種不同的寫作路徑，即虛構路徑和寫實路徑，這兩條路徑的第一組代表人物分別是鄧羽公和朱愚齋，而王香琴和念佛山人則是兩種路徑的第二組代表性人物。

一、王香琴及其小說簡介

王香琴，原名王中嶽（一九〇六－一九七九年），另有筆名幽草（王香琴寫豔情，幽草寫武俠[1]）。廣東佛山人，現代小說家，善寫豔情小說而文筆華麗，寫情細膩處確有獨到的手法。成名於廣州，在《公評報》發表的《我之初戀》，在《國華報》發表的《十萬美人塔》，都可算是他的傑作。在香港《南中報》發表《瓊花島之美人王》，讓沉寂的《南中報》銷紙達三萬份；在《誠報》發表的《零落斷腸花》也足媲美靈簫生《海角瓊樓》。[2]

在武俠小說方面，王香琴也有不可忽視的貢獻。一九三五年至一九四四年間，他在香港報紙上發表了很多文言短篇傳奇，諸如《冤獄》、《卜紫姑》、《神槍》、《異尼》、《推刃記》、《更生記》、《快恩仇》、《斷頭術》（以上作品發表於香港《工商日報》，時間為一九三五—一九三七年）、《綠波紅線》、《玉人宴》、《鐵臂佳人》（以上作品發表於香港《粵江日報》，時間為一九四二—一九四三年），[3]《相思江美人奇俠傳》、《劍膽琴心》（一九四三），《白鵝潭三鳳屠龍》（一九四四）以及《仙城劍影》等。

王香琴的短篇文言小說，是一九三〇年代中期至一九四〇年代中期香港武俠小說史的重要景觀。王香琴的長篇武俠小說，已知的有：《鴛鴦七俠尋香記》、《三俠長征女兒國》、《嶺南廿四俠》、《楊露禪與鐵夜叉》、《鬼斧神弓》、《黃山十八俠》、《彈鋏英雄傳》、《女俠脫脫兒》、《簪花女俠》、《玉弓銀箭》、《劍映夕陽紅》、《天府十八魔》等。其中《女俠脫脫兒》曾被拍攝成電影。[4]

二、王香琴的短篇傳奇

王香琴於一九三五至一九四四年間在香港報紙上發表的文言短篇小說，堪稱「王氏聊齋」，其中有武俠故事或江湖傳奇，可見一九三〇至一九四〇年代香港武俠史一斑。

以下是對這些作品的簡要述評。

《冤獄》（一九三五）

由晚清魯東某地師爺張子才講述一樁強姦謀殺案的偵探與斷案過程。現場留下的凶器屬於某甲，某甲逃走時恰好發生搶劫殺人案，遂以搶劫殺人罪名將某甲判處死刑。後查明搶劫殺人案凶手是與某甲同名，而強姦殺人案凶手則是被害人的兒子，某甲之所以不交代逃亡原因，是他與有夫之婦偷情。

這個故事與武俠的關聯是，「子才密訪甲之閭里，則甲雖豪強，然有俠氣，殺人越貨，似不肯為，特使酒任性，好以力雄人，一鄉均受其摧折，遂廣為人所詬耳。」這是「俠以武犯禁」的衍生版本，這故事有趣味，也有深意。

《卜紫姑》（一九三五）

講述李信因母、妻生病入山求卜紫姑（紫姑為廁神，善卜），遇和尚，說他母親前世是屠夫，妻子前世是悍婦，此生當有此報；說李信前世行善當有好報。和尚讓美女陪酒，美女竟然是剪紙。因果報應主題，因和尚的「解構」而變得意味深長。這故事傳奇味道極濃，和尚不是神，更像是俠。

《神槍》（一九三五）

其中包括兩個故事，一是歷史名人左宗棠自詡文武雙全，在山中遇到一家奇人，少年文才、少女劍法讓他自慚形穢，女僕鴉兒舉鐵槓如麻稈，說「英雄不出，遂使庶子成名」，左宗棠從此不敢驕傲。

另一故事是張營長以神槍手自居，遇少年槍法更好；張營長仍不接受教訓，後在山裡遇到一群婦女，個個槍法如神，這才知道山外有山、天外有天。故事中的「隱者」，全都似俠道中人。

《異尼》（一九三五）

倩梅遊大同，坐騎將她顛下懸崖受傷昏迷，醒來時發現有男子幫她療傷，脫光她的衣服，晚上還與她一起睡。倩梅怒，此人才剝去偽裝，原來是個尼姑。尼姑說，她父母被虎吃了，師父被土豪綁架作妾，學武後想為師父報仇卻找不到仇人。說完後，尼姑自殺。

尼姑無疑是俠客，與倩梅親暱行為，像是同性戀，更像是尋找溫暖、尋找自己的少女身分，找不回，毋寧死。這故事意味深長。

《推刃記》（一九三五）

「推刃」即復仇。僧人大覺被人打敗，就去殺了仇人的師父高僧悟可。悟可的弟子聽說大覺住藥王寺，大覺已離開，就去燒了藥王寺。藥王寺逃僧又殺了悟可弟子了凡的父親，了凡又殺了藥王寺僧。原任縣官覺得了凡情有可原，想為他減刑，有劍客來殺了縣官並燒了縣衙。新任縣官將雙方都抓來殺了，此事才得平息。

作者揭露了推刃即復仇的荒唐，復仇本身或許情有可原，但遷怒於旁人、盲目洩憤就是另一回事了。問題是：新任縣官殺無赦，不也是「依法推刃」？

《更生記》（一九三六）

嶺南高士梅到鴛鴦江經商，娶當地大戶女兒劉青娥為妻，妻兄歧視外來女婿，高士梅要回鄉，妻子不從。後聽說妻子改嫁，高士梅前往探查，被劉青娥及其新婚丈夫痛打並囚禁，幸得丫鬟李虹影將他救出。李虹影被主子處死。故事中的李虹影不會武功，卻是俠客：基於同情的勇敢義舉，即是俠行。

《快恩仇》（一九三七）

牛兒的父親因打抱不平被富豪僕人打死，牛兒發誓為父親報仇。富豪賠禮、賠錢、為牛兒提供工作，甚而將女兒瓊英許配給牛兒，牛兒一律拒絕。牛兒因攜帶凶器被捕，富豪為牛兒贖身。富豪死，牛兒報恩照顧其子女，富豪家失火，牛兒救出瓊英及其帳本，牛兒死於火中，瓊英終身不嫁。故事中有三個義人：牛兒、富豪、瓊英，三人都有古俠風範，他們的俠義行為，令人印象深刻。

《斷頭術》（一九三七）

講述一家五口走江湖，賣栗子且表演斷頭術娛人賺錢。故事中呈現了真實的江湖及江湖人：「非盜則騙，非狡則猾，目不見軒雅之人，耳不聞禮義之語，而奇技間現，有不可思議者。」作者對江湖中人似無好感，但江湖畢竟是社會景觀。

《峨嵋鋸》（一九三七）

講述浙江書生陳秉禮在南方深山中的奇遇，女匪三娘子殺獵人當食物，要陳秉禮吃，陳秉禮嘔吐。後為三娘子治好濕症，三娘子讓他看自己的兵器「峨嵋鋸」，即大刀上有五環鉤，兩面都能殺人。美女強盜三娘子是典型的綠林女魔頭，是天性變態，還是環境使然？值得深思。

《綠波紅線》（一九四二）

陳星槎武功不俗，自以為無敵。過河時與渡船姑娘發生口角，姑娘的父親賠禮，陳星槎要姑娘給他磕一百個頭。老者不再說話，姑娘將陳星槎打翻，再打仍然被打翻。陳星槎一心報仇，在街上襲擊姑娘，被姑娘捏斷臂骨，從此不再言武功。

故事中的三個人物形象鮮明，陳星槎驕傲自滿，姑娘的父親老於世故，小姑娘不卑不亢，不愧為「綠波紅線」（**水上俠女**）。

《玉人宴》（一九四二）

關若谷家藏玉觀音，富商楊君可出資廿五萬求購而不得，用家藏珍寶交換，關若谷也拒絕。楊君可找來方美人，嫁給關若谷為妾，偷走玉觀音，還設玉人宴，請關若谷參觀。

故事中的楊君可覬覦寶物，巧取豪奪，亦盜亦騙，是典型的江湖作風。關若谷愛寶物更愛美人，令人同情。

《鐵臂佳人》（一九四三）

妓女寶雲賣藝不賣身，伍公子自恃豪富兼有武功，買通老鴇強行為寶雲贖身迫嫁。婚宴上，寶雲與伍公子打賭，若伍公子能將她胳膊弄屈，她就嫁給他；若不能，則還她自由。結果伍公子無法弄屈寶雲的胳膊，且被寶雲推倒。多年後，寶雲送還伍公子一萬元贖身費，說「吾不負公子！」

寶雲是奇女子，憑鐵臂武功贏得自由，更難得的是在金錢上也不負公子，最寶貴的是她的人格獨立。

《仙城劍影》5

講述仙城公子蘭成娶妓女素雲為妾，得素雲表妹紫燕為婢。沒想到素雲竟是俠女，武功不俗，且有俠義情懷。當時城裡頻發美女失蹤案，素雲和紫燕暗中調查採花大盜蹤跡，決心為民除害。

這是典型的傳奇：妓女—處女—俠女，讓蘭成公子大開眼界且大為震驚。蘭成閨中情趣十分細膩；人物形象也生動可感，蘭成多情、素雲端莊，紫燕嬌憨，都很突出。遺憾的是，本故事沒有結局。而妓女—處女—俠女傳奇，是典型的男性欲望的產物。

三、王香琴的長篇小說《鬼斧神弓》

《鬼斧神弓》[6]講述滿清入主北京之初，漢族武林中「反清復明」派與「反清不復明」派的矛盾衝突。反清復明派骨幹李珍珠、白鶴道人、混元子、翁半禪等人，面對外族入侵的巨大歷史變遷，反清復明只是基於文化心理和使命感，到底應該怎麼做？並無真確目標，更無可靠路徑，只能四處追尋，開始想去投靠吳三桂，繼而到南京去投靠福王和馬士英，又一度去揚州找過史可法，但始終都沒有找到切合實際的目標和路徑。只能聽信黃藥禪師、青山老祖的模糊預言，接受劫運，盲目奮鬥而已。

反清不復明派並非基於民族認同，而是想投靠「真命天子」以獲取功名利祿。雷春投靠耿仲明，是因為他認為耿仲明是真命天子；周雷、神駝子投靠孔有德，散播流言，說握有兵權的孔有德是真命天子。周雷、神駝子、雷春等人後來投入吳三桂麾下，是因為算命先生說「吳三桂是真命天子」。江南四鬼即黑風怪、白無常、追命鬼、鬼見愁四人則等而下之，他們想幹大事，卻不知道什麼是大事。白鶴道人武功高強，他們就追隨白鶴道人；保柱冊封黑風怪為「衛國將軍」，四人立即改弦更張，投靠保柱，博取功名。書中未見「反清」，只有「不復明」派對「復明」派的不斷殺戮圍剿，即漢族武林內訌。

書中也有真正的反清志士，一是獨腿花子王。他原是抗清名將袁崇煥部下，前半生一直在抗擊清兵；袁崇煥被崇禎皇帝處死，他才脫離軍隊，到南京做了花子王。滿清南下之際，他到揚州追隨史可法，殺敵數百後自刎身亡。他知道明朝皇帝並非好皇帝，卻不因此憎恨明朝皇帝；他知道清兵勢不可擋，卻並不因此氣餒灰心，而是選擇追隨和保護史可法直到以身殉國。花子王比翁半禪、混元子、白鶴道人等更富有軍事經驗與政治智慧，對個體生命也有更深的思考和設計，所以，他始終從容不迫，視死如歸。

二是年輕的史青，雖在反清復明派陣營中，其目標只是反清，並不以復明與否為念。進而，知道滿清勢不可擋，反清將是一個長久的苦戰過程，甚至要幾代人加以延續。所以，當淨來和尚提出要找一個隱秘的地方建立訓練基地，史青就帶著李珍珠前往屯溪經營大小葫蘆谷。最後葫蘆谷被保柱攻破，史青等人全部戰死，但史青形象卻永垂不朽。

王香琴是言情小說名家，書中李珍珠、史青、方素心的三角戀愛故事，寫得驚心動魄。李珍珠與史青兩情相悅，只因「匈奴未滅，何以家為」而被延宕。史青表妹方素心只想與表哥史青結為夫婦，見史青與李珍珠鍾情已深，便由愛生恨，想要把他們倆全都毒殺；並將葫蘆谷布防圖交給保柱，導致葫蘆谷被攻陷。此人沒有民族觀念、政治立場、道德操守，只有私欲和私利，卻成了決定葫蘆谷命運的關鍵因素。她的欲望愛情，讓人不寒而慄。

本書書名《鬼斧神弓》，鬼斧是指神駝子關大斧，神弓當然是指神箭手史青。因人生目標截然不同，鬼斧、神弓不能共存，只能你死我活，最終先後殞命。

書中李珍珠、白鶴道人、混元子乃至保柱等人形象，都值得一說。

李珍珠並無真正的政治目標，也無相應的政治智慧，只是出於民族義憤而投身於反清鬥爭中。她與哥哥李崧到北京刺殺多爾袞，哥哥被神駝子關大斧所殺，此後最大目標就是殺神駝子關大斧，為哥哥李崧報仇。她的武功不斷提升，心智卻未隨之成長，始終被情緒衝動所控制，最後也是因此殞命。是所謂：性格即命運。

白鶴道人是武林宗師，世外高人，異族入侵將他推向塵世中。其弟子雷春加入保柱團隊，他出山目標是要殺死叛徒雷春，給武林一個交代。最後他以犧牲一隻胳膊為代價，終於將叛徒殺死。殺死叛徒後，白鶴道人卻挖掉了自己的雙眼，為自己「看錯人」而贖罪。這一行為，令人震撼且唏噓。

混元子是黑峨嵋派領袖，在國難當頭，灰心喪氣，很快就削髮出家。只是心氣難平，當翁半禪找到他，他與翁半禪再度入世，先是刺殺多鐸未果，後與翁半禪一起犧牲在小葫蘆谷中。他們的犧牲，是漢民族志士命運的生動寫照。

保柱是個梟雄，有梟雄武功、智慧，更有梟雄個性。他認準了的事就要去做，哪怕那件事其實只是心中執念——他把「反清不復明」這一原則本末倒置，只顧消滅反清復明的異己，而將反清排列在後，終成了民族罪人。讀者痛恨保柱其人，但想到他不過是被自以為是的執念所控制，不過是國難大悲劇中的芸芸眾生之一，此種仇恨，也只能化為深深的嘆息。

《鬼斧神弓》是國語白話文寫成，語言質樸而流暢，與王湘琴文言文短篇小說大異其趣，也可以說是異曲同工。本書以虛構故事揭示歷史與文化的真相，其思想深度與藝術趣味超出同類題材及同一主題小說一籌。

四、念佛山人對武俠小說的貢獻

念佛山人，原名許凱如（一九〇八—一九七二年）[7]，別名許謙，另有筆名半僧道人、謙謙等。籍貫廣東南海，早年在廣州，是《公平報・大羅天》專欄作者群即「大羅天仙」之一。[8] 歷任《廣州七十二行商報》《越華報》《現象報》等報記者、編輯，並以念佛山人筆名，在各報撰述武俠技擊小說，著譽近廿年。遷居香港後，歷任國際新聞社、《先生日報》《天下日報》編輯，其所撰著小說、小品文為多家報紙連載。從業公餘，對社會公益服務至具熱心，歷任筲箕灣街坊會、香港昭倫公所、許氏宗親會常務理事、宣傳主任十多屆，香港國術總會、各派國術社、健身學院顧問，交遊至廣。[9]

念佛山人對香港武俠小說史有多方面的貢獻。

首先，他創作了大批武俠小說，諸如：《少林遊俠傳》[10]、《花槍白頭保》[11]、《廣東十虎傳》[12]、《廣東十虎傳續集》[13]、《黃飛鴻傳》[14]、《白頭保別傳》[15]、《寶芝林群英大集會》[16]、《嶺海群雄》[17]、《諸天神佛》[18]、《八俠鬧清宮》、《少林豪俠傳》[19]、《少林五老傳》[20]、《少林群英會》[21]、《白玉峰三訪武當山》[22]、《黃飛鴻外史》[23]、《珠海魔王》、《雙虎一偎雞》、《醜婦鍾無豔》、《佛山洪勝館》、《洪家四傑》、《紅花亭演義：五祖舉義木楊城》[24]、《方世玉火燒玄妙觀》、《陸阿采義救華林寺》、《百二友大鬧廣州城》、《少林寺三探武當山》、《廣東十虎大鬧西山寺》、《廣東十虎血戰西炮臺》、《林世榮正傳》、《胡惠乾大鬧摩星嶺》、《龍虎會長沙》、《楊家太極拳》等。[25]

其次，他首倡「技擊小說」概念。據慕容羽軍所說：「許凱如（**念佛山人**）所開發的『技擊小說』的基本概念是依據當年學武之人的行徑來組織故事，傳述武技與社會信念來表達寄望學武之人來主持公道，剷除社會的不平。此一寫作路向，給學武人士帶到香港，特別是屬於武術家林世榮的得意弟子朱愚齋，以此一信念寫成了洪家大師級的人物紀實故事，使陸阿采、黃飛鴻、林世榮等洪家功夫影響遍及珠江三角洲的事蹟，能流傳下來……五十年代繼起以寫作『技擊』聞名的我是山人（陳劲）延續了此一原則——武技要有根源，招式需符拳理，行徑要分忠奸，動武必須誅惡。」[26]

再次，他首創了「口述實錄」的寫作方式，例如在《武術小說王》雜誌創刊號開始連載的長篇小說《少林豪俠傳》，即署名為「梁永亨口述、念佛山人筆記」，為武林掌故收集及武俠小說創作提供了一種新的寫作路徑。

最後，他不遺餘力地倡導保護「國術稗史」，促進武俠小說傳播。據朱愚齋所言：「友人許君凱如，介梁思先生行與余相識，言梁君素經營出版事業，近專刊武術軼事專書，彼於尊著久欲羅致刊行於世，使武技名家軼事，永傳不替，而尊著亦可免散佚不傳矣。」[27]

五、念佛山人的紀實作品

念佛山人的作品，以紀實性見長。他的武術紀實、武術家掌故作品最早開始於何時，尚不得而知。一九四七－一九四九年在廣州發表的《嶺海群英》系列，或可視為他的代表性作品。

從《武術小說王》雜誌創刊號（一九五一年）開始，念佛山人即有三個系列同時連載，一是《十八般武藝圖解》系列（署名許凱如），一是《名拳師小傳》系列（署名念佛山人），一是《少林豪俠傳》（署名為梁永亨口述、念佛山人筆記）。

其後，他還在《武術小說王》雜誌發表過很多類似作品，如《破排手》（第五卷第二期，總第五十期）、《南北英雄譜・張俊庭》（第七卷第一期，總第七十三期）、《三輾手・名家秘笈》（第八卷第二期，總第八十六期）、《羅漢曬屍・名家秘笈》（第九卷第五期，總第一〇一期）、《落地金錢》（第十一卷第十一期，總第一三一期）、《衝圍拳》（第十二卷第三期，總第一三五期）……等。

上述作品顯然並非全都是武俠小說。其中《十八般武藝圖解》與武術有關，但卻顯然不是小說。《名拳師小傳》系列是否可算作武俠小說？頗難定論。

進而，《武術小說王》雜誌停刊後，他還分別以許凱如和念佛山人為名，在《武術雜誌》上開設《數風流人物》專欄（時間大約在一九六〇年代末至一九七〇年代初），發表一系列武術界名人的專題報導。作品包括：《吳惠農談劉法孟》、《吳肇鐘與鄺本夫》、《北螳螂功臣黃漢勳》、《程君俠舞獅擅高青》、《吳家太極嫡傳吳公儀》、《東江老虎林耀桂》、《董虎嶺發揚楊派太極》、《詠春派宗師葉問》、《福建白鶴拳雄鄭文龍》、《八卦何與山東李》、《鄧芳掌門人何立天》、《楊景萱陳家太極傳港》、《吳大揆繼掌吳家太極門》、《柔功門宗師夏漢雄》、《韓星垣傳授心意站樁功》、《劈掛猴拳宗師耿德海》、《陳亦人發揚六合八法》、《關文經創辦新加坡鴻勝館》、《嚴字門宗師余道為》、《林世榮嫡侄林祖》、《湖北老拳師袁楚材》、《羅漢門宗師孫玉峰》、《技精南北的龍子祥》、《太極螳螂宗師趙竹溪》、《梁永亨創蛇貓鶴混形拳》、《內功拳名家李英昂》、《福建五祖拳雄阮來財》、《羅漢門嫡傳林少立》、《梁日慈的氣功與鐵沙掌》、《實用太極拳師鄭天雄》、《陳年柏混名鐵馬騮》等三十餘篇。

在武俠小說史上影響甚大的太極門吳公儀與白鶴門陳克夫在澳門比武，在《吳家太極嫡傳吳公儀》中有比較詳細的記述，至少有三點與流行說法不同。一是，這場比武雖有門派矛盾及個人意氣之爭，但卻是由澳門名流何賢主導、以慈善賽為名，替鏡湖醫院籌款，在新花園搭蓋擂臺舉行。二是，這場比武開始不久，吳公儀一拳讓陳克夫鼻子流血，但並不只是一回合，而是有兩回合，第二回合開始一分鐘之後，裁判才宣布結束。三是，裁判宣布結果，並未分出勝敗，而是宣布雙方平局，且為雙方當事人所接受，冰釋前嫌，其後雙方都舉行了慶功會。

上述作品能不能算是武俠小說？大有討論的餘地。從現代文類意義上說，上述作品是新聞紀實作品，是武術史口碑史料，但卻不是小說，所以不屬於小說史範疇。

從傳統文類角度看，此類武術名家掌故也是一種故事形式，傳統意義的小說包括此類稗官野史、傳說掌故。退一步說，也不一定要把念佛山人的此類作品歸入武俠小說中，而是作者對廣東、香港武術史、武術文化史的卓越貢獻。

念佛山人的紀實作品《少林豪俠傳》、《少林五老傳》等，則要另當別論，這兩部作品都是在《武術小說王》上連載，應該是武俠小說而非少林武術史。它們是小說，但這兩部小說的寫作方式卻與眾不同，作品署名為「梁永亨口述、念佛山人筆記」，表明它是採用口述實錄方式完成，此可以視為念佛山人開創的一種新穎的創作路徑——我是山人的《周龍五虎傳》（**周彪等人口述、我是山人筆記**）明顯是受這兩部作品的影響——遺憾的是，筆者無法看到《少林豪俠傳》和《少林五老傳》的全文，因而不能對這兩部作品展開討論。

六、念佛山人小說《八俠鬧清宮》

念佛山人不僅有紀實作品，也有純粹的小說創作。《八俠鬧清宮》[28]即是典型例證。本書講述滿清雍正皇帝與江南八俠的恩怨故事。雍正與八俠故事是武俠小說的經典題材，被很多小說家不斷書寫。《八俠鬧清宮》有幾個重要的不同點。

其一，本故事中康熙四皇子胤禛（書中寫作允禛）沒有出北京，也不曾到河南嵩山少林寺學武功。他只是一直生活在北京的一個皇子而已，當然此皇子與其他皇子不同，他更有前瞻性政治謀略，心機比其他皇子更為深沉。他要招聘武林奇人，並非自己親自去招聘，而是委派翰林張廷玉——這也是個真實歷史人物——請假回鄉探親，順道去招聘。張廷玉去山東、河南招聘武林奇人，即成了這個故事的重要線索之一，這一部分內容是其他書中少見的。

其二，本故事中的八俠，即了因、甘鳳池、白泰官、周潯、路民瞻、曹仁父、呂元、呂四娘等人，並非嚴格意義上的「江南八俠」，即他們並不都是活動在江南地帶，而是活動於不同的地域。書中的周潯早早來到北京，甘鳳池、路民瞻在山東活動，了因一直在河南圓通寺修行，而曹仁父則來自四川峨嵋。進而，本故事中的八俠也不是出自同一師門，每個人都有自己的師門，有些人相互認識，而有些人則並不相識，例如甘鳳池、白泰官就不認識更不熟悉曹仁父，是通過呂元才熟悉的。呂四娘與甘鳳池等人也不熟悉，很晚之後才結識的。

進而，這八位俠客也沒有全都成為胤禛的下屬，幫助胤禛的只有周潯、白泰官、路民瞻、甘鳳池等四人以及了因的弟子雲中雁、雲中鶴。其他四俠都沒有加入雍正陣營，而曹仁父從一開始就是雍正的對頭，呂元也從未支持過胤禛。進而，了因並沒有被張廷玉勸動，與其他的作品不同，本故事中的了因從未當過胤禛的幫凶，他只是派自己的弟子前往，希望自己的弟子有一個前程而已（書中是了因發明了「血滴子」殺人利器，交給了弟子雲中雁和雲中鶴）。最後，書中的八俠有各自不同的身分和立場，他們最後大鬧清宮、反對雍正，也各自有各自的原因和理由。

其三，歷史上的年羹堯從來都是雍正的心腹，許多小說都把年羹堯與雍正結識的時間提前到少林寺學藝時代。而本故事中則否，不但胤禛從未在少林寺學藝，年羹堯也未在少林寺學藝——年羹堯的父親年遐齡是湖廣巡撫，年羹堯到少林寺學藝的可能性顯然很小。更重要的是，年羹堯在本故事中基本上是一個正面形象，他治軍嚴格、忠誠正直，卻被雍正所嫉妒和防範。這就為後來年羹堯之死埋下了伏筆，也為呂元等人為年羹堯鳴不平、報仇埋下了伏筆。

其四，與同題材小說最大的不同，還是本書的寫法。嚴格地說，本書並不像是純粹的武俠小說，尤其不像念佛山人本人宣導並在香港流行一時的「技擊小說」，而更像是歷史傳奇。證據是，書中的武打場面很少，本故事共有三集，在第一集中，只有黑煞神胡升海與白泰官有過一場鬥劍——而且是鬥飛劍，即劍仙的路子，而非「拳勇」的路子即真實武功技擊的路子。在第二集中，也只有一場曹仁父與甘鳳池、白泰官在圓明園的比拼，這場打鬥也不很長，且沒有什麼特點。在第三集的最後高潮中，即了因、甘鳳池、呂四娘等「八俠一雄」（一雄是雲中雁的特稱）進皇宮、圓明園刺殺雍正的段落，書中也沒有出現打鬥的描寫，即使有御林軍圍攻甘鳳池等人的敘述，也只是一筆帶過而已。

書中的主要故事情節，主要是歷史人物的故事，例如胤禛與張廷玉的故事，以及胤禛與各位康熙皇子的故事，這些故事大多依據歷史事實作出推測與虛構。小說的「歷史感」遠遠超過了它的「武俠特色」，展現了另一種風貌。

本書缺點，一是語言有「作文腔」。例如呂元對雲中雁、雲中鶴兄弟說：

「……兩位這次到來，是攜備了血滴子，要想結果年大將軍性命的嗎？這是你的責任，我本來不該干預的，同時我們在年大將軍的麾下，也並不是有職守的人，不過我們現在都是個抱俠義肝腸的人，也不妨直著肝膽說話，年大將軍對於清室，並無過錯，而且可說有功，應不應得處死的罪過呢？以我們的立場來說，是應該研究一下的……」[29]

更大的問題是，故事不夠精彩，重點不突出，眉毛鬍子一把抓。例如山東兗州府富翁欺負窮漢故事，就顯得冗餘。本書重點當是胤禛與眾皇子爭權故事——他尋訪招聘武林奇人的目的正在於此——但卻寫得不多，胤禛招聘甘鳳池等人，其實沒有多大作用；「狡兔死、走狗烹」的結局也不那麼令人信服。

【注釋】

1 黃仲鳴：《一九五〇年代香港報刊的「粵港派」作家》，香港：《作家月刊》總第五十六期（二〇〇七年二月號），第四十三—五十二頁（引文見第五十頁）。

2 醉生：《華南小說家小史（五）‧王香琴》，載《粵江晚報》一九四三年十月廿七日第二版。（楊銳提供）。

3 以上作品都來自「民國故紙堆」（楊銳的微信公眾號）搜集整理錄入的電子版。

4 電影《女俠脫脫兒》，由凌雲編劇，黃堯導演，于素秋、鄧碧雲、張英才、石堅等主演，香港寶寶影業公司一九六四年出品。

5 我看的版本是十二頁的超薄書，約七千兩百字，無版權頁、無出版單位、無出版時間。從封面設計看，很像香港南中書報社出版的圖書樣式。

6 《鬼斧神弓》曾於一九五八年一月開始在香港《成報》上連載。我看的版本是香港長興書局版，共七集（每集七十頁左右），共四百五十八頁，無出版時間。

7 念佛山人於一九七二年逝世，訃告說他享年六十七歲，根據香港人通常有享壽積容虛三歲的傳統，推定念佛山人的實際年齡當為六十四周歲，由此推定其生年為一九〇八年。

8 當時被稱為「大羅天仙」的小品文作者有鄧羽公、嚴南方、鄧繼禹、黃佑、梁拔公、胡一言、鄭亭柱、黃深明、李雲谷、吳劍公、鄧楚衡、許凱如等。見慕容羽軍：《為文學作證：親歷香港文學史》第一五六頁。

9 香港《華僑日報》「本港新聞」：《報界前輩念佛山人許凱如仙遊》，一九七二年九月九日。（顧臻提供）

10 《少林遊俠傳》是已知念佛山人最早發表的武俠小說，在《廣東民聲日報》連載（一九四二年八月二日至一九四三年四月十一日），共連載一九一期。

11《花槍白頭保》於一九四二年十一月廿四日至一九四四年十二月廿三日在廣州《廣東迅報》連載（未完）。
12《廣東十虎傳》於一九四三年四月十二日至一九四三年十二月三十日在《廣東民聲日報》連載。
13《廣東十虎傳續集》於一九四四年一月三日至一九四五年一月三十日在《粵聲報》連載。
14《黃飛鴻傳》於一九四二年連載於《大光報晚刊》。
15《白頭保別傳》從一九四五年六月十四日起在《商業新聞》報上連載。
16《寶芝林群英大集會》從一九四五年七月三日起在《群聲日報》上連載。
17《嶺海群雄》於一九四七年三月十一日至一九四九年三月廿六日在《國華報》連載，這是個系列故事，包括《鄒家八卦棍》、《韋家虎尾腳》、《黎家左劍棍》、《蔡李佛家拳》、《佛山詠春拳》、《俠家拳》、《鐵線拳》等。
18《諸天神佛》於一九四九年三月三十日至五月十七日在《國華報》。
19《少林豪俠傳》於一九五一年三月廿四至一九五三年三月廿八日在香港《武術小說王》雜誌連載，署名為：梁永亨口述、念佛山人筆記。
20《少林五老傳》於一九五三年四月四日一九五五年五月七日在香港《武術小說王》雜誌連載，梁永亨口述、念佛山人筆記。
21《少林群英會》於一九五五年五月十四日至一九五六年三月廿四日在香港《武術小說王》雜誌連載，梁永亨口述、念佛山人筆記。
22《白玉峰三訪武當山》於一九五六年三月三十一日起在香港《武術雜誌》連載。
23《黃飛鴻外史》於一九四六年七月在香港《南風報》連載。
24《珠海魔王》等小說由香港祥記書局出版，出版時間不詳（顧臻推測為一九五二年之前）。
25 有關念佛山人作品資訊，是依據顧臻《念佛山人小說目錄》（草稿，二〇二一年十月一日．電子版）作出修訂，特此說明。

26 慕容羽軍：《為文學作證：親歷的香港文學史》第一五六頁，香港，普文社出版，二〇〇五年。從上述引文中看，念佛山人似乎在一九三〇年代早期即提出「技擊小說」概念，具體是什麼時候提出？以何種形式提出？見諸何種文獻？尚待進一步考證。

27 朱愚齋：《南海拳豪・序（壬辰秋）》，香港，南風出版社（祥記書局代理），無出版時間。

28 念佛山人的《八俠鬧清宮》於一九四九年五月廿六日至十月十六日在廣州《國華報》上連載（未完）。我看的版本是香港南風出版社出版（祥記書局代理）的一卷本（內含三集，每集分別為五十八、五十四、四十九頁），無出版時間。

29 念佛山人：《八俠鬧清宮》第三集第二頁，香港，南風出版社，無出版時間。

我是山人是香港武俠小說史上最重要的作家之一。

我是山人原名陳魯勁（一九一六—一九七四），別署陳勁，筆名魯勁、勁、勁翁、金華。廣東新會人。十六歲時到電話公司當學徒，期滿後當電話拉線工人。平時喜歡看閒書，並練習寫作，曾向《公評報》投稿，後在友人念佛山人推薦下，到《公評報》擔任校對，並開始寫稿。

廣州淪陷於日軍，報紙停刊，曾到西樵山雲泉山館避難，在鄉下教書三年。抗戰勝利後回廣州《廣東七十二行商報》。[1] 一九四七年在《廣東商報》上連載《三德和尚三探西禪寺》，[2] 同時在《華聲報》及《星報》上連載《佛山贊先生》，我是山人之名蜚聲粵港澳。

一九五一年，我是山人應邀擔任新創刊的《武術小說王》雜誌主編。後擔任香港《天下日報》總編輯，於一九七四年八月廿五日在香港逝世，終年五十八歲。

一、我是山人武俠小說概述

一九五六年十一月三十日的《香港時報》上刊登了一則我是山人著《洪門英烈

《洪門奇俠》四
《至善百粵流亡史》三[9]
《五枚七縱海幢寺》二
《方世玉打擂記》四[10]
《神腿莫清嬌大鬧清真觀》二
《神腿莫清嬌夜探武當山》一
《神腿莫清嬌三探峨嵋峰》二
《神腿莫清嬌三戰能仁寺》七
《至善三救洪熙官》二
《馮道德火燒長壽寺》一
《洪熙官東江殲五虎》十
《洪熙官大破藏春窟》四
《洪熙官與虎鶴雙形》四
《洪熙官三訪馬四嫂》二
《洪熙官三救黎伯符》十
《洪熙官成名史》三
《洪熙官別傳》四

《洪熙官大鬧峨嵋山》十二
《洪熙官三建少林寺》五
《洪熙官三破白蓮觀》十
《洪熙官血戰羅浮山》十三
《洪熙官五戰喇嘛僧》五
《洪熙官三戰周小紅》八[11]
《洪熙官三戰將軍府》六
《洪熙官三戰流花橋》四
《洪熙官苦戰五羊城》五
《洪熙官太行殲惡霸》六
《洪熙官西江爭雄記》五
《洪熙官三訪人骨寺》？
《洪熙官三角洲歷險記》五
《飛刀李鳳嬌》一
《八拳豪俠傳》三[12]
《黃飛鴻》一
《螳螂奇俠傳》四

《白玉峰三下江南》三
《蛇鶴爭雄》一
《橫掃禪山》一
《勇戰群雄》一
《威震香江》一
《五省刀王孫玉峰》三
《武當客義服少林僧》四
《鐵馬童千斤》？
《洪文定再鬧峨嵋山》三
《五梅三打梅花樁》三
《洪拳大師鐵橋三》三
《女英雄鄭一嫂》一
《爐風五劍客》？
《鶴拳王隱林》二
《周龍五虎傳》六
《雲山喋血記》（連載）
《洪門英烈傳》（連載）

《三萬里美人奇俠傳》（連載）

《荊山英雄傳》（連載）

《黑虎門蘇黑虎》（連載）[13]

《洪熙官一笑破奇案》（連載）

《蔡李佛大戰陳哞勝》（連載）

《蘇乞兒三闖王家園》（連載）

《白頭郎》（連載）

《梅花女俠》（連載）

《玉女屠龍記》（連載）

《洪熙官珠海平魔》（連載）

《無敵八卦棍》（連載）

《詠春三娘》（連載）

《蛇形手英雄傳》（連載）

《洪門英烈傳》（連載）

《棍王》（連載）

《五羊拳影錄》（連載）

《大力金剛》（連載）[14]

《苗氏雙英》（連載）
《海幢俠僧》（連載）
《少林玉面虎》（連載）
《虎癡黃麒英》（連載）
《鍾雄山與林世榮》（連載）
《紅梅僧三上五臺山》（連載）
《莫家英雄傳》（連載）
《李家拳南僧百粵記》（連載）
《峨嵋女劍俠》（連載）
《五虎吼佗域》（連載）

上述作品多數先在報紙或雜誌上連載，早期作品由廣州合群書報社出版，繼而絕大部分都由香港南風出版社出版，部分作品由香港祥記書局、陳湘記書店不斷再版。其中陳湘記書店版《洪熙官》系列還有多種版本，即祥記書局分集本—陳湘記書店合訂本—毅力（陳湘記）無插圖版單行本等多種版本，可證其小說不僅暢銷，而且長銷。

我是山人的武俠小說創作成績突出，首先是因為其創作資源豐富。一是其家鄉新會一帶向有習武風氣，作者祖父陳惠即是鄉村拳師，自有豐富的家族記憶和傳說資源。二是作者剛成年時就進入報界，耳聞過許多廣東武林前輩故事。[15] 三是在從事武俠小說創作後，專門採訪過諸多武術專業人士，例如《周龍五虎傳》即是採訪所得。四是廣泛搜集閱覽有關書籍，掌握大量武術知識資訊，融為自己的創作資源。

其次，作者有獨特的配方將所獲創作資源創造成小說成品。一是作家將其經驗見聞的嶺南傳統習俗、社會風情、人情物理融入其作品中，使得其小說中充滿閭里氣息、街頭智慧和生活肌理。二是作者善於且勤於思考，不僅思索拳理技藝（如他筆下的佛山贊先生就經常這樣做），更經常思索運用拳術技擊的人，例如他說至善禪師：「其儼然一代宗師，洵非偶然。然至善匪以武術傳世而已，亦為當代之高僧，述至善而類於一江湖武師，失其宗匠之地位，述至善而忘其為名山有德之僧，更認少林寺為武館矣。」[16]

慕容羽軍先生指出：「以寫作『技擊』聞名的我是山人（陳劲）延續了此一原則——武技要有根源，招式需符拳理，行徑要分忠奸，動武必須誅惡。」[17] 此說概括了我是山人小說的基本思路及寫作準則。

我是山人是「技擊小說流」的傑出代表，是廣東武林故事由「稗史」走向「技擊」，由「掌故」走向「小說」的創作領軍人物。

我是山人的創作，大體上可以分為三個階段。

第一個階段是廣州時期，即一九四七－一九四八年，以《佛山贊先生》系列為代

學藝，成名之後仍一直苦練不輟，且喜歡思索武功技擊的原理和方法。他武藝高強而從不自負，每次對敵都要先摸清對方武功路數；遭遇挫折則會學藝提升。隨著年齡的增長，不願無謂傷人致死，既是道德境界，也是生存智慧。

梁贊弟子豬肉貴，體肥力大、頭腦簡單、心直口快，酷愛武藝，尤其喜歡打鬥，個性牛精魯莽，容易惹事生非，優點是敢做敢當，所以兩次入獄。另一突出人物是找錢華，此人喜歡思索，心思細密，生性內斂而武藝高超。其氣質與梁贊近似，是梁贊當之無愧的大弟子，也是廣東武林的知名人物。第三個弟子流氓奇，人如其號，出場時有流氓特徵，受梁贊感化並拜師後，逐漸改邪歸正，心智與個性在找錢華和豬肉貴之間，比豬肉貴心細，又比找錢華粗豪。

書中其他人物，以佛山千總鄭金（大口金）形象最為鮮明，因是強盜出身，當官後仍保持綠林作風與氣質，愛恨分明，且敢做敢當，頗有英雄氣概。

作者掌握梁贊的掌故資訊不少，前半部分寫得敦實而簡潔；後幾個故事——包括豬肉貴在江門的故事、流氓奇在廣州的故事、最後與旗人衝突的故事——則很長。故事段落越寫越長，表明作者越寫越熟練，虛構越來越多。

作為武林技擊掌故，這部書很好看。作為小說則算不上佳作，作為梁贊的「正傳」，書中只講述了梁贊的武林生涯，卻少涉及梁贊的家庭生活：梁贊是否結過婚？是否有妻子兒女？這些最基本的家庭生活訊息，在書中也找不到。

《大鬧清虛觀》21

故事緊接《佛山贊先生（正傳）》，講述廣州總兵李起鳳花錢請湖南白鶴派武師李白鶴來佛山刺殺梁贊，李白鶴戰死，其妻羅季玉和衡山清虛觀住持開明道人來佛山為李白鶴報仇，以金錢鏢打傷梁贊，三個月後，梁贊師徒到湖南衡山清虛觀，三次打敗開明道人，故事結局出人意料。

看點之一，是梁贊的行為方式。一是在出診時落入對方陷阱而受傷，突出梁贊的醫道人心，是生活中人。二是梁贊被開明道人所傷，表明梁贊並非戰無不勝。三是提升武功後到衡山清虛觀，連續三次打敗開明道人，但卻沒有要他的命，其目的是要消除仇恨隱患。其人生目標，是在和平環境中傳授武功、懸壺濟世。

看點之二，是開明道人的弟子賣魚炳的行為。當師父和師兄勾結官府對付梁贊，他公開反對，且向梁贊師徒通風報信。賣魚炳性格牛精而心地單純、個性耿直，是所謂「幫理不幫親」。最後隨梁贊去廣東，當然是不得已。

看點之三，是流氓奇被俘，後被廖信家婢女阿香救助。這一情節出人意料，卻在情理之中：醜女阿香救人是為了逃離；流氓奇報恩娶阿香則有古俠之風。

看點之四，是小鎮武師廖信。此人是一方惡霸，卻也維護一方平安；欺軟怕硬而能見風使舵，是真實的生活中人。如實寫出而不貼道德標籤，值得稱讚。

《橫掃惠州城》22

本書故事，是由武館間的惡性競爭引起。花縣武師張明到佛山開武館，在流氓奇的婚禮上百般挑釁，固然是因為張明其人見識有限，看不懂詠春拳的奧妙；真正原因是他要揚名，為武館作免費廣告。張明被打敗，請來族叔張洪；張洪被打敗，又請來其老友周虎；周虎打死流氓奇，梁贊又殺了周虎、張洪，離開佛山到廣州。

豬肉貴、賣魚炳走江湖賣藝，又捲入惠州林敬武館與梁壽武館的惡性競爭之中。豬肉貴幫助梁壽打敗林敬，又打死林敬師兄關明，引出其師何堅打傷豬肉貴，且追蹤到廣州。故事的起因，仍是武館間惡性競爭。小說有小說生活基礎，涉及江湖的真相：真實的江湖如叢林世界，通行弱肉強食的叢林法則。

梁贊的行為及其意義也由此得到凸顯。他雖武功高強而不恃技欺人，張明挑釁，梁贊隱忍，是不想破壞流氓奇婚禮喜慶，更是不願無端得罪同行。張明和鬼頭六要暗殺找錢華、梁贊，梁贊得到消息，試圖避開，是不願激化矛盾衝突。直到周虎打死流氓奇，梁贊才忍無可忍，殺人報仇，實是被逼無奈。

本書最大看點當然是流氓奇之死。流氓奇是梁贊三大弟子之一，剛剛娶妻就遭受池魚之殃，令人震撼且悲憤。流氓奇固然是死於周虎之手，卻也是死於豬肉貴魯莽無知惹禍。惠州故事禍及在廣州的梁贊、找錢華，同樣是豬肉貴無知造孽。

本書有些古怪。書名《佛山贊先生橫掃惠州城》，而贊先生根本就沒有到惠州；豬肉貴、賣魚炳打敗何堅之子何維、打死關明，說不上是「橫掃惠州城」。進而，何堅、林敬到了廣州，跟蹤了賣魚炳，就戛然而止。欲知後事如何，必須看《大鬧城隍廟》。

《大鬧城隍廟》[23]

本書其實是兩個故事，前半部分是《橫掃惠州城》故事的尾聲，後半部分才是《大鬧城隍廟》，即佛山城內柵下鋪社區與觀音堂鋪社區武館械鬥，殃及賣魚炳，從而引起系列復仇故事。賣魚炳要梁贊替他報仇，梁贊主張隱忍，賣魚炳不能忍，採用老更七路「嫁禍江東之計」，將梁贊拖入復仇陷阱中。說梁贊之死源於賣魚炳，也不為過。賣魚炳當然並非故意害死梁贊，只是無法控制自己的憤怒情緒，又要爭回面子，不計後果，將師父綁上戰車，終於導致梁贊死於非命。

本書還有兩個看點。一是王陵道人，為二十兩黃金而做了大隻江的復仇工具，枉自送命。「人為財死、鳥為食亡」，出家人亦不能例外。二是清真觀的伙夫趙雄，想要出人頭地，結果自取其辱。暗殺梁贊而死於非命，與王陵道人異曲同工。

本書的問題，是梁贊被十三四歲的趙流偷襲致死，實在出人意料，且讓人難以接受。若是根據事實而寫，那麼書中的鋪墊顯然不足；此說若是作者虛構，則讓梁贊形

《三探峨嵋峰》緊接上一個故事。玄妙道人的師兄道一和尚率峨嵋弟子呂步雲來東莞刺殺莫清嬌，呂步雲發現莫清嬌為人正派，遂阻止道一傷人，進而與莫清嬌結為夫婦。呂步雲的師父鐵指道人憤怒下山，抓走了呂步雲。莫清嬌當然要奪回自己的新婚丈夫，於是有三探峨嵋峰故事。

這個故事的看點是其中充滿變數，除呂步雲這一最大變數外，還有崑崙派高手徐良幫助莫清嬌，而崆峒派閃電手王道人加入對立方（崆峒與崑崙兩派有過節），從而演變成少林、崑崙聯盟與武當、峨嵋、崆峒聯盟的武林衝突。最驚人的變數，是一心化解門派矛盾糾紛的青草師太竟被武當、峨嵋、崆峒聯盟打死。故事的最後，少林至善、武當馮道德、峨嵋白眉道人等領袖人物悉數登場，試圖化解糾紛，結局卻出人意料。本書的缺陷是，道一和尚明明早就被擊斃，但卻莫名其妙地在後面多次現身。

《三戰能仁寺》的最大特點，是莫清嬌不再是為自己復仇而戰，而是受邀幫忙、仗義救人、主持公道。起因是橫行粵北的大盜曹全（大王全）霸佔了能仁寺，寺僧宗海向西禪寺住持智能求援，智能不敵大王全，只好向莫清嬌夫婦求助。

故事分為兩大部分，第一部分是莫清嬌夫婦擊斃大王全、趕走牛化龍；第二部分是牛化龍、門坤山請來清風和尚再占能仁寺，繼而請來施宏卓、施宏標兄弟，繼而請來肇慶捕頭梁大任，最後又請來肇慶大盜哈雲禪師。而莫清嬌夫婦和智慧和尚一方，也陸續增加了武師陳暖、復仇者沈綠珠。雙方都增加人手，目的當然是要保證此一戰役的延續性和新鮮感。

本書的看點，首先當然是能仁寺之戰的連續打鬥。此外還有插敘的七個小故事。其中有兩段插敘故事與能仁寺之戰有一定的相關性，一是東莞太平墟莫氏家族與梁氏家族的衝突中，呂步雲代表莫氏家族打敗敵方武師陳暖，由於呂步雲以德服人，不僅最終化解了兩個宗族的矛盾，還使陳暖自願參與能仁寺之戰。

另一是肇慶惡霸武師梁振宗的師父梁大偉，恰是幫助清風霸佔能仁寺而後被沈綠珠擊斃的梁大任的堂弟，梁大偉臨終前，請師兄江天雷到廣州找莫清嬌、沈綠珠報仇。其他幾段插曲都與能仁寺之戰無關，但卻表現了莫清嬌、呂步雲、智能等人的俠行義舉，同時增加了現實社會風情，讓讀者感受到民間生活氣息。

另一看點，是莫清嬌不敵哈雲禪師，想請沈綠珠的師父慈慧師太幫忙，慈慧師太指點莫清嬌完善其「撲地撩陰腿」，說她能夠戰勝哈雲禪師。這段情節既說明當局者迷、旁觀者清；也暗示莫清嬌仍需指點，以便百尺竿頭更進一步；最重要的一點，則是慈慧師太的鼓勵大大增強了莫清嬌的自信心。

第三個看點，是不涉及門派矛盾，只講述正邪鬥爭，能仁寺中高手來自不同門派，而武當派江天雷的師弟何健生、師父黃華道人也都是明白事理之人。

第四個看點，是對莫清嬌夫婦的情感描寫，雖不過是故事情節中的寥寥幾筆，卻把這對夫婦相親相愛的情感點綴得很有情趣，相當動人。

四、洪熙官故事系列（上）

我是山人的武俠小說代表作，當推其洪熙官系列。

洪熙官故事系列是我是山人作品中最為宏大的故事系列，以《洪熙官》命名的故事就有二十餘部，若將《至善禪師三救洪熙官》等也算上，那就更多。

洪熙官系列中，最出色的當是《洪熙官大鬧峨嵋山》、《洪熙官三建少林寺》、《洪熙官三破白蓮觀》、《洪熙官血戰羅浮山》幾部。[24]

《洪熙官大鬧峨嵋山》的最大看點，是將尋常的武林復仇故事，寫出了「復仇史詩」味道，故事情節跌宕起伏，主人公浴血奮戰、百折不撓，震撼人心。

本書故事前因，是武當弟子高進忠隨滿清軍隊火燒少林寺，且將至善禪師的弟子胡惠乾、童千斤、方孝玉、方美玉等人打死，只有至善、洪熙官、方世玉、李翠屏等幾人倖存（《**三德和尚三探西禪寺**》）。他們當然要為死難戰友復仇。

復仇理由有三，一是民族鬥爭（**至善立志反清復明，洪熙官是朱明皇裔、胸前刺有「勿忘國恥」四個大字**），二是門派鬥爭（**少林與武當**），三是為生存而戰——高進忠、馮道德借滿清官軍力量，要對至善等人趕盡殺絕，至善、洪熙官、方世玉等人不得不隱姓埋名四處逃亡——復仇史詩的前半部其實是逃亡史詩——若不復仇即無法生存。民族鬥爭具有正當性，但卻未必真實；門派鬥爭或許真實，但卻未必感人；為生存而戰兼為死難者復仇，則正當性、真實性、感人性兼具。

這部書也是主人公洪熙官、洪文定兩代人的成長故事。書中寫到洪熙官從至善的弟子到少林派復仇集團的領導人，從單身漢成長為丈夫、父親，作者把握了洪熙官成長的幾個關鍵節點，有若干很好的細節描述。

在反滿抗清、門派鬥爭、復仇鬥爭等三大動機之外，洪熙官還有第四個動機，即生存鬥爭，亦即開設武館，傳播少林武功，培養事業接班人。在這一視野下，洪熙官之子洪文定的成長亦成書中重要景觀，洪文定的出生、幼童時期、少年時期等幾個重要階段，都有精細描述。關鍵是洪文定修煉鶴拳、胡惠乾之子胡彪修煉猴拳，最後兩人聯手擊斃了白眉道人。少林弟子復仇，經歷了至善禪師、洪熙官、洪文定三代——這也是本書作為「復仇者史詩」的原因之一。

書中還有不少看點，例如避世隱居的五枚師太專心修道，不介入至善與白眉兩位同門師兄的衝突，她的獨特立場為本書的三大衝突提供了中立的視點。而五枚師太的世外高人形象，也讓人充滿景仰與遐思。又如，書中還寫了雲中子與駱小娟的愛情故事。從初次見面到心有靈犀，到兩情相悅，到雲中子犧牲，都有相當準確生動的描述。只要想起雲中子的犧牲，就會黯然神傷。

《三建少林寺》與《三破白蓮觀》實是同一故事的上下集，[25]是《大鬧峨嵋山》的續書。續書通常不好寫，因為人物已定型，打鬥情節難免相似。

作者想出了新招。首先，是復仇者變成了復仇對象。即：洪熙官停止復仇，想過正常生活，而武當與峨嵋派弟子卻要報仇。第一輪是譚鳳兒（其父被少林派所殺）去請武當山的繼任掌門人慈雲道人下山，結果失敗。於是開始第二輪，即到峨嵋山去找高手幫助，找呂文英、呂寄塵等人下山復仇，結果仍然失敗。又開始第三輪，即到普陀山去找紅眉道人幫助，紅眉不願下山，其弟子瘦猴子方玉龍願意下山代人復仇，結果成了笑柄。

於是開始第四輪，方玉龍找來老友鐵扇子常德空幫他復仇。常德空也被殺，方玉龍又去找常德空的老友蕭道濟來展開第五輪復仇。蕭道濟也不濟，這才請出本書頭號反派主人公白蓮山白蓮觀白蓮道人領導復仇，於是展開第六輪、第七輪、第八輪……復仇，直到白蓮派精英喪失殆盡，白蓮道人被洪文定、胡彪擊斃，這個故事才宣告結束。

其次，在本書中，洪熙官與新任兩廣總督（旗人）榮壽合作，條件是官府取消通緝，洪熙官獲得合法身分安居廣州。洪熙官因此捲入兩廣總督與廣東將軍的權力鬥爭中，盡力保護榮壽，為榮壽脫險並重新掌權立下汗馬功勞。洪熙官放棄「反清復明」

之志，轉而與旗人高官合作，看起來似不可思議，若設身處地則不難理解，洪熙官這樣做不僅是為了生存與安全，更是為了傳播少林武功之需。值得注意的是，在榮壽重新掌權之後，洪熙官辭去軍中教練之職，再未與榮壽來往。

再次，由於渴望和平，洪熙官多次上當受騙，只要對方說願意和談，他就會信以為真，從而陷入敵方和平陷阱中。例如白蓮道人與紅蓮道人就曾導演過一場「和談騙局」，讓洪熙官信以為真，結果差點被白蓮、紅蓮兩道人消滅。另一次是廣州提督趙澤恩的師爺陳玉章再設「和平之計」，結果洪熙官等多人中箭受傷，陸阿采更被清兵俘獲，差點死於非命。洪熙官多次上當受騙，並非因為心智不足，而是因為他渴望和平，渴望正常生活。只不過，「人在江湖，身不由己」。

又次，洪熙官等人逃亡肇慶鼎湖山，生活經費困難，陸阿采、色空和尚主動回廣州募捐，而洪文定、胡彪、周人傑三位年輕人，則去附近市鎮賣藝籌款。武林人物同樣需要生活費，此事常被武俠小說家所忽略，而本書則有真確敘述。

最後，書中還有很多看點。例如，洪熙官的弟子關文炳的性格悲劇和人生悲劇，這個好色的紈褲子弟，因為好色而被敵方收買，進而因為好色而投奔敵方，最終因好色而死於非命。他的故事，是一整塊人文風景，雖只是個小角色，卻讓人印象深刻。

又如，洪文定在妻子李秋蘭死後的失常行為，也讓人震驚。洪文定新婚不久就遭

《方世玉正傳》[31]

方世玉打擂臺故事，源自晚清小說《萬年青》。鄧羽公的《至善禪師三遊南越記》中也有這個故事。我是山人的《方世玉正傳》是對這個故事的改編，即用熟練流暢的現代白話，重新書寫了廣為人知的方世玉、胡惠乾、黃坤故事，將前人「想當然」內容作「合理化」處理，使得故事更為生動可信。例如，方德續弦，新婚之夜既欣喜、又怕委屈了大姑娘苗翠花的心理和言語細節，突出了方德的善良本性。

又如，在杭州打擂臺，苗翠花與李小環鬥了三日三夜，始終平手，苗翠花提議罷手言和，李小環堅持要為丈夫報仇，相關細節，使得這兩個人物形象更突出。又如，李巴山來，苗翠花、方世玉不敢與同門長輩動手，去找至善、找五枚師太來，不僅讓苗翠花形象更突出，也使故事更曲折。

又如，五枚來杭州，三勸李巴山未果，最後五枚師太也沒有直接殺害李巴山，李巴山是「自取滅亡」。又如，李小環並非被方世玉或苗翠花打死，而是在其父親死後自殺身亡。這一安排，突出了李小環不報仇毋寧死的固執個性，也消減了方世玉、苗翠花的行為罪孽。最後，結尾乾脆而巧妙，寫五枚師太不請自來，為胡惠乾解圍，為方世玉婚配，讓小說回歸方世玉故事。

小說也有不足。例如，雷大鵬來廣州，只說為師兄弟報仇，而不提為父母報仇，明顯不合道理。又如，將胡惠乾、黃坤故事納入本書，有明顯拼湊痕跡。

《八拳豪俠傳》[32]

這是作者少有的非廣東武林故事。平江不肖生的《近代俠義英雄傳》中講述過八拳創始人言永福及其弟子羅大鶴故事。《八拳豪俠傳》對此作了演繹加工，交代了八拳的來歷、要點、傳承，並對三代八拳武師故事作穿插講述，以再傳弟子陳雅田的故事為開端，屬一般現在時；言永福的回憶，屬過去時；羅大鶴追蹤王大鈞的故事為主幹，則屬現在完成進行時。雖話分多頭，卻絲絲入扣。

書中主要人物形象也很有特點。言永福文武雙修，儒雅內斂，創新拳術，卻隱居鄉村教童子讀書；未婚妻慘死，竟終生不娶。其弟子羅大鶴，北至太行、南至大理，尋找王大鈞，只為替師報仇，不死不休。鄔雲俠與王大鈞、羅大鶴素不相識，卻主動料理二人的後事，還不遠千里兩處報喪，有古俠之風。

本書缺點，首先是時間模糊，言永福從未婚青年，十幾年後就成了年近六旬的老者，難以置信。其次是關於海川禪師，在回少林當方丈前一直在北京出入王公貴族之門，作者卻說他一直對滿清異族心懷不滿，那麼，他做了什麼？

《周龍五虎傳》[33]

本書內頁書名上方有「洪頭蔡尾實事小說」字樣，且有「周彪、呂柱石、陳萬祥三師口述，我是山人筆記」字樣。所謂「實事小說」，似近乎「紀實小說」或「非虛構寫作」；口述實錄，則近乎如今的「口述歷史」，這也是本書最大特色。

本書分為兩個部分，前半部是《周龍傳》，後半部則是《五虎傳》即周龍的弟弟周協、周彪、周海、周田等開設武館、傳播武術的故事。周龍故事相對完整清晰。從周龍學藝到下南洋，到在福軍擔任武術總教頭參與剿匪，到開設武館，直到英年早逝的經歷，主線分明，銜接有序，環環相扣。作為傳記算不上是精品，但它記錄了廣州現代史的一頁，有一定的檔案價值。

後半部講述周協、周彪、周海、周田及其弟子們開設二十多間武館經歷，如同故事集錦，每一個分館開設，都會引起當地武師的挑釁，都被周氏兄弟及其弟子打敗。更有意思的是後面幾段故事。一是周彪受聘擔任廣州紗綢行西行（勞工組織）武術教練，捲入勞資糾紛中，頗有時代意義。二是周田在抗日戰爭中為救同胞女性而將日軍軍曹長富吉川打昏，以及到悅城打擊漢奸單眼超故事。三是周彪在日軍侵佔廣州後，關閉武館，帶弟子走江湖賣藝的經歷。最後一段是周彪兄弟及其弟子到香港發展，成為香港武術文化史的一部分。

本書形式新穎，有史料價值，文學價值卻不高。

七、新潮衝擊下的《雲山喋血記》

梁羽生、金庸的新派武俠小說橫空出世，對我是山人等舊派武俠小說名家產生了一定的衝擊和影響，《雲山喋血記》[34]即是在新派刺激下的產物。

本書變化之一，是價值觀念及敘事視野的改變，不再拘泥於技擊掌故、江湖恩怨和市井風情，而是書寫少林弟子反清復明的奮鬥歷程。變化之二，是用流暢的現代白話文寫作，顯示了作者不凡的語文功力。

《雲山喋血記》講述黑頭陀即天然和尚及一幫少林寺弟子反清復明的鬥爭故事。其歷史背景是，康熙派大學士金雋為廣東巡撫，收買了尚之信麾下總兵王國棟，並帶大批武林高手來廣東，牽制尚之信，讓他無法與吳三桂聯合反清。本書所寫是撤三藩這一大棋局中的一塊小棋局：黑頭陀等少林寺弟子能否刺殺王國棟，是小棋局中的最大關鍵。

大學士金雋和平南王夫人萬福金門智，尉遲青率領崑崙派與黑頭陀率領的少林派鬥勇，故事一波三折，變化奇詭。尚之信首鼠兩端，繼而轉變立場，使得尚氏家族終於失敗，他本人亦兔死狗烹。黑頭陀仍堅持戰鬥，殺王國棟、殺崑崙諸人，最後刺殺元凶金雋。本書優點，首先是傳奇故事誘人。

最大亮點是刻畫了尚之信的形象。他是平南王世子，紈褲子弟，從小錦衣玉食，養成了自我中心、為所欲為、殘暴任性的個性。深入一層，則是缺乏主見、懦弱無能、首鼠兩端，沒有成人心智，更無領袖氣質，王子衣冠之下，實是長不大的巨嬰。他不理解母親，寧可相信金雋，正是由其低幼心智所決定，即選擇想當然的幻想，逃避真相壓力。其最後結局必然是繼承王位夢想落空，被康熙賜死。本書中尚之信的巨嬰形象，是作者我是山人最重大的藝術貢獻。

金浮生是書中故事的重大變數。他的故事令人震驚，且發人深省。師父派他追隨黑頭陀，幫助尚之信，當他得知自己的身世（父親是被尚之信所殺），便毫不猶豫地改變立場。師父景泰和尚對他曉以大義，他又反戈一擊，刺傷王國棟，他也被俘犧牲。此人一生極其短暫，「浮生」之名讓人感慨萬千。

此人命運多乖，父親金光智謀過人，卻因力圖自主而慘遭刖刑，變成跛金；又因向尚可喜建議廢長立次，而被尚之信所殺，讓其子金浮生成為孤兒。年輕幼稚的金浮生面臨的父子倫理、師門倫理、民族倫理的複雜矛盾衝突，遠遠超出了他的處理能力。他的命運，與其父異曲同工，即無法自主。

平南王麾下總兵李天植形象，也有可觀之處。此人對尚可喜、尚之信兩代主公近乎愚忠。他為尚之信殫精竭慮，奈何尚之信實是扶不起的劉阿斗。小說最後，他提前「弔唁」尚之信後，囑咐夫人準備後事，要把愚忠進行到底。即便有機會逃離，他堅持選擇留在家中，等待被捕、被殺，他的故事讓人感嘆。

本書的不足，是書中歷史年代存在問題，若乾脆含糊其辭倒也罷了，作者偏偏要寫出具體時間，如書中尉遲沖被殺，金雋為他題墓碑，說「康熙三年仲夏大學士金雋立石」[35]；後面又有康熙七年七月、康熙八年正月等記述，[36]問題是，平南王尚可喜逝世於康熙十五年（一六七六年），吳三桂登基稱帝是康熙十七年（一六七八年），尚之信被賜死的時間則在康熙十九年（一六八〇年）。

【注釋】

1 《廣東七十二行商報》於一九四五年十月一日復刊，於一九四七年三月三十一日結束。次日，即一九四七年四月一日《廣東商報》創刊，該報實為《廣東七十二行商報》之續。

2 《三德和尚三探西禪寺》於一九四七年七月十三日至一九四八年六月十八日在《廣東商報》上連載，共三百四十五期。

3 見《香港時報》一九五六年十一月三十日廣告，由顧臻先生提供。

4 鱸魚膾在《我是山人其人其書（草稿・上）》中說，我是山人在這兩份報紙上「隔三岔五」地發表短篇技擊掌故，見《鱸魚膾的博客》：https://blog.sina.com.cn/u/1355907247。

5 顧臻先生提醒：一九五〇年代，香港圖書市場上有「念佛山人著，我是山人編」及「毛聊生著，我是山人編」的作品，真正的作者是前者，後者只是編輯或推薦人。

6 我是山人的《黑虎門蘇黑虎》於一九六二年五月間在香港《華僑晚報》連載。此後仍有作品連載，見下文注釋。

7 這些作品都是在廣州的報紙上連載，初版由廣州合群書報社出版，後由香港南風出版社出版。書名後的數字為該作品的集數，如《三德和尚》為七集、《佛山贊先生》為十九集，下同，不注。

8 《血洗光孝寺》和《獨臂英雄》均由大成／民智書店出版，疑為我是山人的早期作品。

9 《至善百粵流亡史》我沒有見過，疑似《至善三下嶺南》（內頁書名為《至善禪師南遊記》）的異名，是否真確，待考。因此，暫沒有將《至善三下嶺南》列入目錄。

10 我看過一部《方世玉正傳》，或是《方世玉打擂記》的易名本。後面會有該書簡評。

11 香港陳湘記書店版《洪熙官三戰周小紅》的內頁書名是《周小紅三敗洪熙官》。

12 另有一書名《八拳振九州》，不知道是否《八拳豪俠傳》的易名書。

13 最後幾部書連載作品中，《洪門英烈傳》、《三萬里奇俠》在《香港時報》連載（時間為一九五六—一九五八年），《荊山英雄傳》和《黑虎門蘇黑虎》在香港《華僑晚報》連載（一九六〇—一九六二年間）——連載資訊由顧臻先生提供。

14 這些小說是在馬來西亞《大同日報》、《前鋒日報》、《美里日報》、《中國報》，泰國《星暹日報》以及越南《遠東日報》上的連載作品，連載時間為一九五九年到一九七〇年，其中《大力金剛》於一九七〇年十月三十日至十一月三十日在越南《遠東日報》連載，是已發現的最晚連載作品——連載資訊均由顧臻先生提供。

15 例如作者說，他早年經常聽程仕冠講述其叔叔程華等前輩武師故事。見《周龍五虎傳》（合訂本）第三集第九十一頁，香港，南風出版社。

16 我是山人：《至善三下嶺南．開篇話》合訂本第一頁，香港，南風出版社，偉記書局代理，無出版時間。

17 慕容羽軍：《為文學作證：親歷的香港文學史》第一五六頁，香港，普文社出版，二〇〇五年。

18 廣州合群書報社出版的《佛山贊先生（正傳）》各集頁碼不一致，前幾集每集四十頁，第七、八、九、十集每集二十—廿二頁，第十一—十七集則每集都只有十六頁，第十八—十九合集共三十一頁。

19 「技擊掌故」與「技擊小說」有兩大重要區別，一是前者屬於稗史，後者屬於小說；二是掌故可以隨意堆砌，而小說則講究整體結構設計與安排。

20 《我是山人啟事》，見我是山人：《佛山贊先生》第十輯最後一頁（合訂本第三冊第廿三頁），廣州，合群書報社，民國三十七年九月十五日。

21 我是山人：《佛山贊先生大鬧清虛觀》，一輯，五十頁，廣州，合群書報社，一九四九年七月。

22 我是山人：《佛山贊先生橫掃惠州城》，共一輯，五十六頁，廣州，合群書報社，一九四九年。

23 我是山人：《佛山贊先生大鬧城隍廟》，上下集，各三十九頁，共七十八頁，廣州，合群書報社，一九四九年。

24 根據香港《武術小說王》第二期（一九五一年三月三十一日出版）上的《洪熙官三破白蓮觀》及《洪熙官血戰羅浮山》的廣告看，這幾部書的寫作和出版時間，當在一九五〇年至一九五一年間。

25 香港陳湘記書店版也是將這兩部書合在一起出版，定名《洪熙官三建少林寺》，分上下集，上集即《三建少林寺》，下集即《三破白蓮庵》。

26 我是山人：《洪熙官三戰周小紅》第五輯，第廿七頁，香港，陳湘記書局發行，無出版時間。

27 出現這種情況，也可能是編輯的責任，因為按照早期單行本每集四十頁常規，六集頁碼用盡而故事尚未結束，編輯不得不將結局部分編入下一個故事中。

28 我是山人：《至善三下嶺南》，一名《至善禪師南遊記》，共四集，香港，南風出版社出版，無出版時間，顧臻指出，此書作者存疑。

29 我是山人：《至善三下嶺南．開篇話》第一頁，香港，南風出版社，偉記書局代理，無出版時間。

30 我看的版本是香港南風出版社出版、偉記書店代理的《火燒海幢寺》影印本，共一集（三回）。附有《花拳胡惠乾》（兩集）。

31 我看的版本是香港陳湘記書店版，共一冊（並非一集），一五六頁，無出版時間，顧臻指出，此書作者存疑。

32 我是山人：《八拳豪俠傳》，香港南風出版社出版，祥記書店代理，無出版時間。共三集。

33 我是山人：《周龍五虎傳》，六集合訂本，香港，南風出版社，無出版時間。書中有「周龍去世已三十年矣」一說，可推測本書寫作時間當在一九五五年前後（周龍逝世於民國十四年即一九二五年）

34 《雲山喋血記》於一九五六年八月至十一月在《香港時報》連載，我看的版本是香港南風出版社版的影印本，共一冊，二七八頁，作者署名：金華。

35 金華（我是山人）：《雲山喋血記》第九十八頁，香港，南風出版社。無出版時間。

36 金華（我是山人）：《雲山喋血記》第二五四頁，香港，南風出版社。無出版時間。

第五章

毛聊生的武俠小說創作

毛聊生，原名張本仁（一九二七——），原籍廣東，一九四〇年代末開始武俠小說創作，[1] 一九五一年初遷居香港，成為職業武俠小說作家，[2] 創作武俠小說四十餘種，其小說創作自成一格，是香港舊派武俠小說史上不可忽略的名家。

一九五九年以後，作者易名撰寫武俠小說，以「金鋒」之名再度打響，[3] 成為香港武俠小說史上的一段佳話。既然毛聊生和金鋒為同一人，按理當作同一章，但因毛聊生屬於舊派，而金鋒屬於新派，各有風貌，本書將分兩章加以討論。

一、毛聊生武俠小說概述

毛聊生曾多次聲明，他的作品均由香港南風出版社獨家出版（祥記書局代理），作品目錄如下：《大俠追雲客》、《北派青萍劍》、《白摩勒三戲夜明珠》、《奇俠癲道人》、《終南三怪俠》、《終南俠》、《鐵旗俠》、《大漠天山鵰》、《白骨骷髏俠》、《黑蜈蚣》、《七禽掌》、《銀燕子》、《金龍鞭》、《海上飛龍》、《小俠白猿猴》、《終南小劍俠》、《女俠粉蝶兒》、《離魂針》、《虎爪青鋒》、《虎穴峨嵋》、《塞外飛騎》、《秦嶺髯俠》、《涼山八俠》、《洞庭酒俠》、《龍江釣叟》、《綠野了——這一設計出人意料——兩人有了性關係。

書中說：「可是他的生平，別樣還可，對於情感方面，一向優柔寡斷。」[21]結果釀成了悲劇，在凌振海與袁靈姑的婚禮上，憤怒而絕望的燕雲珮襲擊凌振海不成，舉劍自殺，使得凌振海大受震撼，當即逃離，隨師父悟修出家，法號覺非。

書中符雙卿、袁靈姑、燕雲珮三人，都可以說是凌振海的「劍底香魂」——她們三個人都是凌振海曖昧情感及優柔個性的受害者、犧牲者。

《劍底香魂》最大看點，正是凌振海這位非典型俠客形象。此人正直、善良且勇敢；但也青澀、衝動而優柔寡斷。綜合其種種表現，不妨稱他為「青澀紈褲俠」。凌振海家境優裕，又是家中老小，使得他具有青澀、紈褲子弟的典型特點，證據是，他北上報仇，上路不久就累倒。畢竟是公子哥兒，沒有經歷過風霜勞累之苦，僅僅是走路就差點要了他的命。進而，在心理上也十分青澀，殺和珅只是一時衝動，從未想過自己是否有此能力，表明他的心智並不成熟。

凌振海沒有長大，而且始終也沒有長大。證據之一，是他沒有養活自己的能力，賣掉符雙卿的定情玉鐲換飯吃，即是具有象徵意義的典型細節。二是，在情感方面他同樣紈褲，同樣青澀。首先是沒有能力控制自己的欲望衝動，關鍵時刻總被自己的欲望衝動所控制，從而帶來嚴重後果。他與符雙卿發生性關係，徹底改變了符雙卿的命運，讓她受盡屈辱，而凌振海再見她時卻打她耳光，責備她不該做和珅小妾。年幼無知的燕雲珮投懷送抱，他又及時行樂，卻不想承擔責任，導致燕雲珮自殺身亡，他也只好削髮出家。

能夠控制性衝動是人生必修課，凌振海顯然不及格。之所以不及格，與其說因為青澀，不如說他紈褲。在情感方面，他之所愛當是符雙卿，但他卻把符雙卿的定情物賣掉，且把符雙卿的命也送掉。凌振海與燕雲珮發生性關係，固然是燕雲珮熱情主動，更大原因是袁靈姑對他不即不離、不冷不熱，讓他有失寵的不爽。

在與符雙卿、袁靈姑、燕雲珮的三段情感關係中，他沒有想為愛情、愛人做些什麼，卻重視他人對自己的態度。真相是，他不知道如何去愛，也不知道去承擔愛與婚姻的倫理義務，只是被性欲所控制。當燕雲珮自殺，釀成驚人大禍，凌振海只能像玩火的孩子那樣一走了之。

本書的不足，是有些情節經不住推敲。首先是參將凌德翰被和珅撤職，臨終前要三兒子凌振海去殺和珅報仇，這一設計就不怎麼合理。其次，龍門俠孟君傑的形象設計也有問題。書中龍門俠剛出場時，武功超群，俠氣沖天；後來卻是好色之徒，且投靠了和珅。問題是：他為什麼要投靠和珅？更大的問題是，他投靠和珅，既非為官，也非為財，甚至始終未與和珅碰面，為什麼要為和珅賣命？

本書的不足，一是噶爾丹起義的時間有誤。二是對路昭遠、莎車公主的情感描寫不足。三是以《女俠碧雲娘》為名，但碧雲娘自從來到新疆、見到雪濤、棲霞等長輩之後，就不再自主；其子路昭遠也由長輩支配，缺乏主體性。

七、《綠野英雌》

《綠野英雌》[24]講述龍江釣叟師徒領導海蘭縣白家屯、門家屯、姜家屯、葉家屯村民守望相助，反抗頭道溝匪幫故事。故事情節清晰而敘事簡潔，絕不拖泥帶水，沒有為打鬥而打鬥的敷衍鋪排。以生動筆觸，寫出了粗獷的東北風情。

本書最大看點，是四個村屯之間的複雜矛盾糾葛。白家屯主白雲彪深知居民與土匪難以共存，召集附近村屯首領商議剿匪，遭到了門家屯主大刀門炳的反對。表層原因是白家屯拒絕了門家屯少主門致章提親，兩屯間有了芥蒂；深層原因則是對土匪心懷恐懼、希望苟安，所以姜家屯主、葉家屯主也都附和門家屯主、反對剿匪。而白家屯內部多數長老也不同意剿匪，希望苟安。這反映了當時當地的真實社會心理。

另一方面，頭道溝土匪們則與門家屯「結盟」，殺了白雲彪、毀了白家屯，試圖將附近村屯改造為土匪據點，使得文明村屯迅速退化成了惡性競爭的原始部落。門家屯不僅拒絕接納白家屯的難民，反而對接納和幫助白家屯難民的韓家屯展開攻擊，試圖成為這個地方的「老大」。白華峰兄妹到二道溝尋訪伏虎道人——相當於尋找救世主——結果遇到了長白三彪，他們聽說塞北六龍在頭道溝落腳，不僅答應幫助白家屯、韓家屯聯盟抵禦門家屯、頭道溝的進攻，且還迅速請來了龍江釣叟師徒、虞氏雙鳳，形勢開始逆轉。這一故事具有人類學價值，生動再現了早期人類史的「部落競爭」情形。

小說的特點之二，是故事中不僅有武俠小說中常見的單打獨鬥，更多的卻是村屯民兵與土匪隊伍之間的群體戰爭，書中的韓家屯保衛戰、白家屯保衛戰、青衣河伏擊戰、頭道溝攻堅戰等幾場重要戰鬥，都寫得精準細緻而生動可觀。

看點之三，是書中出現了火槍。在白家屯保衛戰中，土匪的火器打死打傷數百村民，一度壓制得白家屯民兵無法動彈；而龍江釣叟去見虎林總兵安世傑，也是請求他提供盾牌與火藥，以便在武器彈藥方面不落下風。書中寫火槍的威力，卻沒有因為火器出現而削弱武功技擊的魅力。火器與拳腳打鬥並行，是可貴嘗試。

看點之四，是「宣傳戰」或「攻心戰」，即利用流言、口號、標語等等手段，打擊土匪士氣，真實而有趣。例如，龍江釣叟派人偷入山寨，將其「替天行道」的旗幟扯下，換上了「不日攻山，逃者免死」的白布黑字，讓山寨中的土匪人心惶惶。進而又派人將寫著「毀滅頭道溝山寨，為民除害」、「活捉塞北四龍」、「降者免死、抗者盡誅」等字樣的標語送到山寨附近張掛，進一步瓦解土匪的鬥志。懶道人試圖以其人之道還治其人之身，利用標語反擊龍江釣叟，但龍江釣叟在攻心戰方面也技高一籌，利用漫畫羞辱並激怒懶道人，迫使他匆忙率兵下山。

本書的不足，一是《綠野英雌》的「綠野」名副其實，「英雌」則名實不符。書中虞秀瓊、虞秀雯、白玉霜，雖有不俗表現，卻算不上是主要角色。二是情感描寫不足，白華峰與虞秀瓊的情感只是點到為止，虞秀雯與玉面彪羅君玉的關係甚至沒有任何鋪墊。

八、其他武俠小說簡述

《大俠追雲客》[25]

是毛聊生武俠小說處女作。共十二集：第一集《大俠追雲客正傳》，第二集《大戰豹頭人》，第三集《巧遇怪神乞》，第四集《三戲兩面魔》，第五集《血戰紅鬼谷》，第六集《雙掌定崆峒》，第七集《一劍定乾坤》，第八集《小蘋洲奪劍》，第九集《火燒連環塢》，第十集《單劍壓崑崙》，第十一集《大打蛛網擂》，第十二集《豹隱武當山》。是追雲客及其弟子黑摩勒、白摩勒行俠江湖的系列故事，筆法稚嫩，但打鬥很多，每段故事大體完整，頗受讀者追捧，兩年銷售數萬冊。

《北派青萍劍》26

講述董海公復仇故事，岳陽十魔殺了董海公師父天癡老人，賣蛋翁張嘯川推薦董海公再拜癲道人為師，學藝五年再下山找岳陽十魔報仇。先在洞庭湖大破十魔山寨，大魔黃能、二魔藍玉逃逸，董海公追擊，直到最後勝利。本書故事情節緊湊，結構完整，董海公、賣蛋翁張嘯川及天癡老人、醉俠甘瘋子、沈香紅等人形象讓人留下印象。

《七禽掌》27

是《大俠追雲客》和《白摩勒三戲夜明珠》的續書。講述追雲客的四弟子龍力子行俠江湖故事。由幾個段落串聯而成，第一段是消滅黑面閻王焦勇的蟠龍谷匪幫，第二段是對付芒山七煞及長江海沙幫，第三段是隨虞孝、蘇小妹夫婦殲滅海盜，第四段是回武當山擊斃金眼佛和方素容，追雲客逝世。符君毅、鄭素環個性生動可感，虞孝的妻子蘇小妹心智光彩照人。公孫嘯廬不願殺人，追雲客臨終前感化死敵，也很感人。遺憾的是龍力子及其「七禽掌」不很突出。

《白骨骷髏俠》[28]

講述雲南安樂村青年史麒、沈壽出山學藝，在岳陽城仗義除霸，在石龍山大破苗寨，並與俠隱黃衫客鍾常、大智禪師、靈丘道人等人一起追擊秦漁、大破紅螺寺故事。與史麒、沈壽同行的楊玉虎因人品不端、求師被拒、走入歧途，表現性格與命運的奇詭奧秘。安樂村前輩因躲避戰亂而離鄉背井、逃入深山的經歷令人唏噓。黃衫客深山鬥巨蟒獲得骷髏劍的場景則讓人驚奇。書中打鬥甚多，緊張刺激。遺憾的是史麒、沈壽的故事後被黃衫客等前輩喧賓奪主。

《女俠粉蝶兒》[29]

是毛聊生第一部以女俠為主人公的小說。講述淮陽派退休武師石振堂被叛徒劉耀和閻中六虎殺害，其弟子為師報仇故事。徐慧珠因家園被毀、父親被殺而拜石振堂為師，她女扮男裝化名林寒秋，引起重重誤會，甚至與師妹石紫鵑洞房花燭；在為師報仇的過程中，她機智過人，勇敢無畏，女俠粉蝶兒脫穎而出。粉蝶兒徐慧珠本人的家仇，則要在續集《離魂針》中最終揭曉。

《銀燕子》和《金龍鞭》[30]

是同一個故事的上下集。《銀燕子》講述衡山派林素梅被養子高涵青姦污，高涵青跟隨銀燕子投入天鳳幫，引起衡山派與天鳳幫的衝突，最後衡山派聯合官兵攻破天鳳幫老巢，天鳳幫主谷壽年等骨幹逃脫。《金龍鞭》講述天鳳幫主谷壽年走下神壇，改邪歸正；而銀燕子、高涵青則繼續為惡，自取滅亡。如前所述，這兩部小說抄襲和借鑒了白羽、鄭正因小說，即便銀燕子、高涵青、谷壽年形象具有可觀的文學價值，也不足為法。

《碧海雄風》[31]

講述賀劍峰、柴寒松等人率領龍口漁民與長山列島海盜鬥爭故事。韓大用率領海盜侵入長山列島，鳩占鵲巢，奴役島上漁民，罪行令人髮指；賀劍峰、柴寒松、楊二福等人復仇過程曲折而緊張。海上戰場讓人大開眼界，賀劍峰原名賀拾兒，其身世令人唏噓。賀劍峰尋訪生父擴大了故事視野，韓大用女兒韓素珠離家出走則深化了小說主題。海盜統治專制殘暴，漁民復仇與暴動，不僅具有剿匪、反霸、行俠性質，且有社會政治寓言價值。

寫作時間排列。

版）。上述書目的創作和出版時間順序不十分精確，因為南風出版社的書目並不是按寫作時間排列。

5 毛聊生：《滴血屠龍．序言》，香港，南風出版社（祥記書局代理），一九五二年。

6 毛聊生：《女俠碧雲娘．序言》，香港，南風出版社（祥記書局代理），一九五六年。

7 毛聊生：《女俠碧雲娘．卷首啟事》，香港，南風出版社（祥記書局代理），一九五六年。陳墨按：一九五四年新派武俠小說家梁羽生橫空出世，一九五五年金庸發表處女作《書劍恩仇錄》，是否對毛聊生有震撼性影響，以至於暫停創作？值得深入研究。

8 毛聊生：《劍底香魂．序文》，香港，南風出版社（祥記書局代理），一九五三年。

9 毛聊生：《洞庭酒俠（自序）》，香港，南風出版社（祥記書局代理），一九五六年。

10 葉洪生：《論劍：武俠小說談藝錄》第五十七頁，上海，學林出版社，一九九七年。

11 毛聊生：《七禽掌》第一集第廿三頁，香港，南風出版社（祥記書局代理），無出版時間。

12 毛聊生：《追雲客別傳：七禽掌》第三輯第三十二頁，香港，南風出版社（祥記書局代理），一九五一年。

13 毛聊生：《七禽掌．自序》，香港，南風出版社（祥記書局代理），一九五一年。

14 毛聊生：《女俠粉蝶兒．序言（一九五二）》，第一輯第二頁，香港，南風出版社，一九五二年。

15 《一碧寒光劍》中有一段情節，與民國武俠小說宮白羽名作《十二金錢鏢》中雲南獅林觀主一塵道長落入虛假採花案中毒蒺藜身亡及被楊華拯救、贈送寒光劍的情節十分相似，一塵道長、獅林觀等人名、觀名也都未改。判斷此書非毛聊生作品，而是他人偽作，原因是此書由大光明出版社初版，而非南風出版社。

16 見毛聊生：《洞庭酒俠．卷首啟事》，香港，南風出版社（祥記書局代理），一九五六年。

17 顧臻：《致陳墨》（二〇二一年三月廿八日電子郵件）。

18 鱸魚膾（趙躍利）的觀點，係顧臻二〇二二年三月廿六日寫給筆者的電子郵件中轉述。

19 本書於一九五二年由香港南風出版社出版，共八集，第一集有作者《序言》（壬辰冬，即一九五二年）。

20 《劍底香魂》共五集，寫於一九五三年春（序文後標注的時間）。

21 毛聊生：《劍底香魂》第五輯第三十一頁，香港，南風出版社（祥記書局代理），一九五三年。

22 《洞庭酒俠》共六集，寫於一九五四年（序文為證），一九五六年再版時又有《卷首啟事》。

23 《女俠碧雲娘》共有九集，寫於一九五四年（有甲午年序言為證），一九五六年再版。

24 《綠野英雌》共六集，是《龍江釣叟》的續集，寫作及出版時間不詳。

25 《大俠追雲客》的寫作和出版時間難以確定，在第二集第三十四回開頭，作者有一段插話，説在完成《大俠追雲客》正傳後即不想繼續寫，但因讀者追詢我是山人，要他繼續，所以在一年後再寫續集故事。見毛聊生：《大俠追雲客・大戰豹頭人》第二集第廿八頁，香港，合作書社，無出版時間。署「我是山人編」。

26 《北派青萍劍》寫於一九五一年，是毛聊生的第二部小説，曾在報紙上連載。主人公董海公之名或受武術家董海川（一七九七—一八八二）的啟發，但故事情節卻與董海川的經歷無關。

27 《七禽掌》寫於一九五一年，共五集，香港南風出版社出版。

28 《白骨骷髏俠》於一九五一年在《武術小説王》雜誌上連載。

29 《女俠粉蝶兒》寫於一九五二年，共五集，香港南風出版社出版。

30 《銀燕子》五集，寫於一九五二年末；《金龍鞭》五集，寫於一九五三年春。

31 《碧海雄風》寫於一九五四年，共九集，香港南風出版社出版。

32 《武林三雁》共六集，香港南風出版社出版，寫作時間不詳，推測是在一九五六年前後。

33 《七虎囚龍》共七集，香港南風出版社出版，寫作時間當在一九五六年以後。

34 《柳林雙傑》共七集，香港南風出版社出版，寫作時間當在一九五六年以後。

第六章

大圈地膽的武俠小說

大圈地膽是香港技擊小說的重要作家，創作高峰期當是一九四〇年代末至一九五〇年代後期。大圈地膽原名黃健，生平不詳。

大圈地膽小說《萬里俠蹤》封底的「大圈地膽著・武俠技擊小說」廣告，目錄中有四十六部作品（不含《萬里俠蹤》），即：

武術珍聞（全五冊）
南拳北腿（全四冊）
吳家太極（全八冊）
陳公信痛打蕭昆山（全一冊）
鷹爪震江湖（全兩冊）
鐵扒袁瑞洪（全兩冊）
王朗正傳（全四冊）
螳螂拳王大鬧北京城（全四冊）
十八羅漢手（全四冊）
猴拳大師三下江南（全四冊）
大刀王五別傳（全三冊）
大刀王五三戰賽尉遲（全兩冊）
神腿李半天（全四冊）

八卦棍宗師（全四冊）
虎爪蔡九儀（全五冊）
鐵臂楊天龍（全五冊）
嶺南雙傑（全六冊）
神拳胡立峰（全五冊）
南海棍王（全五冊）
黃面虎霍元甲（全五冊）
迷蹤鐵漢（全七冊）
霍家十虎（全二十冊）
鐵膽屠龍（全五冊）
黃飛鴻湖海成名記（全五冊）
莫振聲成名史（全十一冊）
嶺海群雄（全六冊）
武林爭雄傳（全九冊）
南嶺三雄（全六冊）
五虎下西川（全九冊）
爛頭何初傳（全一冊）

爛頭何正傳（全五冊）
爛頭何大戰白虎幫（全四冊）
爛頭何再傳（全六冊）
爛頭何技服劉山虎（全一冊）
爛頭何威震桂林城（全一冊）
爛頭何大鬧湘桂（一冊）
爛頭何初上武當山（全四冊）
爛頭何嶺海鬥群英（全十冊）
技擊叢談（全十冊）
飯籮工技服蘇鼠廉（全一冊）
鐵插手李友山（全六冊）
鐵掌金刀（全四冊，為李友山故事續集）
少林擒拿手大戰雲門寺（全一冊）
太極拳王熊巨川（全兩冊）
熊巨川浴血黑龍潭（全一冊）
熊巨川三救白泰官（全三冊）[1]

除武俠小説外，大圈地膽還寫間諜小説，見諸圖書廣告的有《省港間諜戰》、

二、《技擊叢談》（正、續集）

《技擊叢談》和《技擊叢談續集》是兩部短篇武俠故事集。書中每一回都是一個獨立的故事，回與回之間沒有聯繫，只是採用第一回、第二回、第三回……的形式而已。這兩部書可視為大圈地膽的武俠小說代表作之一，其最大特色，是以筆記形式講述晚清至民國間廣東武林人物故事，堪稱小說版《近代廣東武林人物志》，書中故事短小精煉，鄉土氣息濃郁，時代特徵明顯，紀實與傳奇兼備，可圈可點處甚多，是香港武俠小說史中不可忽視的重要作品。

《技擊叢談》包括十七個故事，即：周泰故事，陳恩故事，江猛彪故事，蔡繼勳故事，秦少傑故事，黃老漢故事，痛禪師故事，陳平故事，鍾雄山故事，徐金林故事，程鐵洪故事，孫家勇故事，洪繼英故事，張劍堂故事，柳元清故事，周雲龍故事，秦子良故事。[10]

《技擊叢談續集》包括二十二個故事，即：孫復仇故事，金畏三故事，石顯揚故事，秋山故事，高永壽故事，莫與雄故事，鐵指陳故事，鐵牛炳故事，蔡九儀故事，大口金故事，周喜功故事，羅雄故事，黑面堂故事，孫鐵龍故事，潘文勇故事，黃飛鴻故事，李鴻彪故事，黃虎故事，童洛波故事，蔡相謙故事，悟空僧故事，王曼青故事。

兩部故事集的主人公，絕大多數是廣東人，例如周泰是花縣人，陳恩是東莞人，江猛彪是清遠人，等等。書中的主人公來自廣東各地。但也有若干故事是外省人在廣東的故事，例如蔡繼動是襄陽人來廣東，秦少傑是中州人來廣東，徐金林是金陵人來廣東，秦子良是河北人，金畏三是福建人，等等。

《周泰故事》：其特點首先是具有真實感。周泰練武，是奉父親周和之命。周和讓周泰練武，是受到同鄉土豪惡霸武秀才洪日秀（**大力洪**）的欺侮，讓兒子練武以便保衛家庭財產不受侵犯，練武動機真實。其次，故事中有主人公成長情節。周泰打敗第一個師父鍾大葵，即自大自傲，卻仍非洪日秀敵手，嚴重受挫，墜入低谷。周泰試圖踢樹練功，誤入歧途；直到拜韓燕三為師才步入正軌。再次，周泰二次練武過程十分生動，韓燕三為他準備器械，講解步驟，讓人印象深刻。又次，韓燕三有高人風度，他是燕山派的開創者，並非職業拳師，非僅為稻粱謀。最後，小說的結局也出人意料，周泰報仇，並未與大力洪再次對打，而是大力洪裝死，周泰撫棺碎石，讓大力洪膽怯，從而主動交還田產，向周家求和，而周氏父子也答應和解——他們畢竟是鄉親，以和為貴，皆大歡喜。

《陳恩故事》，最大特點是具有傳奇性。陳恩是白泰官的弟子，白泰官、甘鳳池授他高超技藝。而蒙古族的葛都阿、阿木江則與秋山認同門、罷手訂交，表現出天下武林是一家的寬廣胸懷和非凡見識。相比之下，漢族拳師倒顯得心胸狹窄了。

三、《鐵插手李友山》

《鐵插手李友山》一書，開頭說：廣東武術五大家，洪、劉、蔡、李、莫，其中洪熙官、劉三眼、蔡九儀、莫清橋都是廣東人，唯獨李友山不是廣東人，而是江西南昌人來廣東發展。「然彼何時開派於粵，其技源頭始自何人，與乎李氏之一生英雄軼事，不惟文字鮮有記載，即詢諸習李家一派拳技者，亦語而不詳，只能道一鱗半爪。爰於武林前輩中，搜集此中資料，發而為文，以供之愛武術小說者，庶闡揚前人治武之堅貞，與乎行俠尚義之可敬。雖然，詞筆鈍拙，不足以形容武技之萬一，惟源有所本，不失為武術稗史也。」（第一集第一頁）[11]

本書保持了作者一貫的武林名人掌故的寫作方式。只不過，在李友山這部書中，作者加入了傳記寫作方法。說這部書是《李友山傳》也無不可，因為從這部小說開頭到這部小說結束，前後有十多年時間，完整地講述了李友山從江西南昌來到廣東南雄、繼而到廣州隱居授徒、仗義行俠經歷。

本書突出特點，是成功刻畫了主人公李友山的形象。

首先是他的俠義心腸和錚錚鐵骨。例如，見地痞欺侮外來賣藝女，即挺身而出，扶弱鋤強；得知被救者父親生病，他又慷慨贈銀。李友山與他們素不相識，如此行為，足見其俠心俠行。進而，巡撫公子派人說媒，李友山不願將自己的女兒嫁給紈褲子弟。巡撫公子派人搶親，李友山打退對方。隨後地痞和官府勾結，殺害三屍四命（**其中有孕婦**），嫁禍於李友山。李友山不得不離開故鄉，亡命江湖。在逃亡途中也俠性不改，見強盜搶劫商人，他仍救人於厄難，被救者韓文舉要拜他為師，他遂隨之到廣東南雄。

類似例子很多，如在廣州白雲山能仁寺裡，當義士馬登雲受到四名官府捕頭圍攻時，他不僅替馬登雲打退圍攻之敵，幫助對方找到隱居之地。又，武師沈應龍、沈慧玲父女在花縣芙蓉墟的黑店中遭受鷹爪圍攻，李友山挺身而出，幫助沈應龍父女脫險，他自己卻因此負傷中毒。

其次，是他謙遜平和且隱忍內斂。李友山武功不俗，但卻從不仗勢欺人，也不恃技傲人，在平日生活中完全看不出他是一個技藝高超的武師，看起來與一般市民沒有區別。在南昌是如此，在南雄、在廣州、在惠州、在新會時也都是如此。

在這部書中，李友山多次面臨矛盾衝突和打鬥，但幾乎沒有一次是他主動惹禍所本書講述的就是何世昌、周雄光二人的江湖經歷。廿四回書包含十六個故事，即：地頭蛇勒索事件、沙二少偷情事件、戲班霸凌事件、兵器入當事件、賣藝者吹牛被懲罰事件、戲班與觀眾衝突鬧劇、商人嫖妓惹禍故事、賣藥旗幟被盜事件、戲班武生內訌事件、搶花炮事件、伍聚元拜師惹糾紛、伍聚元拜訪譚安惹禍端、清遠淫僧案、金腳虎來訪事件、周雄光花艇豔遇、蔡強踢大牛斌武館事件等。

其中大部分故事是何世昌單獨經歷，小部分是周雄光單獨經歷，還有一部分故事是兩人共同經歷；有一部分故事是與主人公的利益和安危切身相關，有些故事則是別人求主人公解決問題，即被動捲入江湖衝突中。

本書故事發生於晚清到民國初年，地點大多是廣東（商人嫖妓惹禍故事發生在廣西蒼梧）。主人公何世昌、周雄光不僅武藝不俗，且樂於助人，更富有街頭智慧，他們的經歷和見聞呈現了人世悲歡及生存競爭的殘酷。在這一意義上說，本書堪稱清末民初廣東城鄉社會風情畫：所謂江湖正在城鄉社會市井間，書中有多個賣藝者故事、戲班故事、妓女故事、商人故事及武師踢館故事，故事中的角色諸如賣藝者、賣藥者、戲班演員、妓女、商人、武師等都是廣義的江湖中人。

賣藝者故事中，有賣藝者受地頭蛇勒索，如第一個故事，即是陳村地頭蛇蔡三因為何世昌沒有拜碼頭，而將其藥箱賣藝器械盜走，何世昌打敗了地頭蛇，但卻不做過分報復，即便蔡三找師兄周通來偷襲報復，何世昌也不予計較，這個故事充分體現了江湖中人的生存智慧。當然也有賣藝者吹牛（發布不實廣告），結果被當事人周雄光嚴懲，這又體現了賣藝者也有其市場規則。

戲班故事中，有內部霸凌，有與觀眾的衝突，也有因嫉妒而產生的內訌；妓女故事中，有從良後繼續偷情者，有受欺凌的妓女，也有馮美好這樣賣藝不賣身的奇女子；武師故事中，既有行俠仗義之人，也有欺詐富裕弟子者，還有踢館揚名以便擴張其品牌者，當然也有真正以武會友的風塵奇人。書中江湖謀生者，無論是道義中人還是情欲中人，是俠義英雄還是自私小人物，是勇者還是騙子，其人生百態，無不令人唏噓。

書中有兩個細節，為民初社會作了清晰的標注。一是在搶花炮事件中，出現了法院師爺陳紫山這一人物，「法院師爺」這一稱謂恐怕是民初社會轉型時期的特殊產物。陳紫山富有心計，在何世昌拒絕為什木行商人王福全搶花炮時，他讓王福全放出流言說請到了何世昌，花梨行武者領袖梁貓派人威脅何世昌，使得何世昌一氣之下答應王福全的聘請，並搶得頭炮。而這一切，都在陳紫山的算計中。

另一個細節，是在清遠飛來寺僧淫辱婦女案中，何世昌為老友找小妾而來到清遠飛來寺，發現該寺住持意誠確實誘騙並因禁了多名婦女供其淫樂，何世昌並沒有貿然抓捕住持意誠及其黨羽，而是到縣裡報案，讓縣裡派出兵丁捕快參與抓捕，弟子問他為什麼要這樣做，他說：私自殺人傷人，合理但不合法。此「合法性」觀念，應該是民國初年的新觀念與新氣象。此亦可見何世昌與時俱進。

本書不脫技擊小說窠臼，其中大部分故事都以技擊告終，甚至以技擊輸贏決定結果，在技擊故事間隙中，作者還儘量梳理各人武功特點及其來源，甚至插敘其武功前輩的傳奇小故事，為書中的江湖風景增添色彩與趣味。本書結構相對簡單，談不上結構設計與創新，只是一般性的故事串聯或故事堆積而已，其中的人物形象也相對簡單而固定，何世昌富有江湖經驗且寬容，周雄光則相對單純且耿介，所以周雄光最後贏得紅顏知己馮美好，而何世昌是否結婚生子則不得而知。何世昌的幾個弟子即盧超傑、譚汝三、王漢、鄭忠則從頭到尾都是龍套。

作為技擊小說，當年的讀者或許會對此津津樂道，但作為廣義的武俠小說，今天的讀者就不見得十分喜歡，甚至不見得習慣。其中雖有傳奇故事，但大部分故事都不過是簡單的街頭智慧，缺少人物性格、缺少結構藝術、缺少深層的主題思想，但其中的江湖景觀即社會風情，或許會成為社會學家、民俗學家和文化人類學家的珍貴資料。若把《嶺南雙傑》與《技擊叢談》結合起來看，則可以找到豐富的廣東近代社會史、生活史及民俗史的寶貴資訊。

【注釋】

1 見大圈地膽：《萬里俠蹤》封底圖書廣告「大圈地膽著．武俠技擊小說」目錄，香港，勝利出版社（馬錦記書局代理），無出版時間。

2 見大圈地膽：《太極拳王熊巨川浴血黑龍潭》封底廣告書目，香港，勝利圖書社，無出版時間。

3 勝利出版社版又分為勝利圖書社、勝利出版社兩種，目前尚不清楚這二者的關係。

4 大圈地膽：《太極拳王熊巨川．卷首語》，香港，勝利出版社（馬錦記書局代理），無出版時間。

5 大圈地膽：《迷蹤鐵漢．作者序》，香港，勝利出版社（馬錦記書局代理），無出版時間。

6 見大圈地膽：《迷蹤鐵漢》第二集封底廣告「武俠技擊小說叢書．大圈地膽著」書目，香港，勝利出版社，無出版時間。

7 見大圈地膽：《技擊叢談》第一集封底廣告目錄，香港，大圈出版社（馬錦記書局代理），無出版時間。

8 我看到的《呂龍山別傳》（內頁標題為《廣東呂龍山別傳》），共兩集，封面有「大圈地膽著，我係山人編」及「廣東史故武技打鬥博命小說」字樣（內頁有「武技打鬥小說叢書」字樣），沒有版權頁，不知道是哪家出版社出版的。我曾懷疑這部書是冒名盜版書——我是山人曾說過當時有不少書「偽冒山人之名，或編或校或著，恆河沙數，指不勝屈。」（一九五〇年十月五日：《神腿莫清嬌．山人自序》）——但書前有作者自序，標明「庚寅端午日序於香江」，自序像是大圈地膽風格。是或不是？待考。

9 本書封面內頁的書名是《螳螂聖手大鬧北京城》，共四集，香港，勝利圖書社，無出版時間。

10 《技擊叢談》有多種版本，包括勝利出版社版、大圈出版社版。封面有「武技打鬥小說叢書」字樣。勝利出版社版排版品質有問題，出現兩個第十五回，從而十七個故事，只有十六回。《續集》從第十七回開始。

11 我看的版本是香港勝利出版社版（馬錦記書局總代理），小薄本，封面有「少林技擊小説叢書」字樣，而內文首頁書名上方則標注為「長篇技擊小説」。

12 我看的版本是香港勝利出版社版（馬錦記書局代理），共六集、廿四回，每集四十頁，無出版時間。

第七章

武林散珠集萃（一）

「武林」不是指武術界，而是指武俠小說之林。

「散珠」是指流散的武俠小說作品。有幾種情況，有些作家（如禪山人）作品很多，但大部分無法找到；有些作家（如冷殘）的作品數目不詳，筆者看到的也有限；有些作家（如香雪海、白雲生、濠江不肖生等）作品很多，所見也不少，但成色有限；有些作家（如馬雲）寫作武俠小說本就不多，只有散珠。

武俠小說大家、名家當然重要，「散珠」卻也不能忽略。散珠的光芒同樣能輝映武俠小說史，即便珠光暗淡之作也有其生態學價值，讓我們看到當年香港武俠小說市場上流行過什麼、怎樣流行。

本章集萃的是香港舊派武俠小說的散珠。主要是一九四〇年代末至一九五〇年代的作家作品，但也包括一些發表年代更晚，但卻承繼舊派武俠小說風的作家作品。

一九五〇年代香港圖書市場法規不嚴，假冒偽劣、魚目混珠現象不在少數。本章中若有「魚目」混入，敬請讀者共同監督並指正。

一、禪山人及其《鐵掌毒琵琶》

禪山人，香港作家，生平不詳。

見諸廣告的作品有：《野俠游蹤》、《子午連環刀》、《少林三英傑》、《洪文定血戰小白猿》、《胡亞彪三戲白蟾女》、《周人傑血戰光孝寺》、《洪熙官秘傳》、《洪文定飛探白鶴山》、《洪文定七戰五鑾僧》、《洪文定三奪明珠劍》、《洪文定三擒胭脂虎》、《小拳王》、《鬼腳七三戰五仙門》、《方世玉三救慶雲庵》、《鬼俠血掌洪》、《少林三怪僧》、《怪眼鐵頭陀》、《胡惠乾大鬧萬花樓》、《北派白鶴手》、《佛山雷公保》、《南北派別爭雄傳》、《俠妓跛手紅》、《奇俠單眼佛》、《鐵漢鬧羊城》、《洪文定大破五毒教》、《洪文定武當爭霸戰》、《洪文定大戰盲仔峽》、《黃飛鴻三門穿山虎》、《黃飛鴻獨棍霸龍城》、《黃飛鴻大戰黑蜈蚣》、《黃飛鴻大鬧茶果嶺》、《黃飛鴻大破殺人黨》。從上述目錄看，禪山人的作品是舊派「正宗」，即國術稗史和技擊打鬥，他寫的最多的是洪文定故事。遺憾的是，他的作品不易找到。

白雲生、西樵山人小說大多署「白雲生著，禪山人編」、「西樵山人著，禪山人編」，不知禪山人是不是作家兼職業編輯，甚或是出版商？無論如何都可以證明，在當年技擊小說領域，「禪山人」這個品牌有一定的知名度和影響力。

禪山人的作品，我只見過一部《鐵掌毒琵琶》。[1]

小說看點是其故事情節。前段是海州萬勝鏢局總鏢頭鄧存志受邀擔任古董商保鏢，被王化通率人截殺，鄧存志受傷，銅冠客華雨風出手打敗匪徒，但鄧存志死於歸途中。繼而是萬勝鏢局保五十萬兩鹽銀前往江寧，途中被雲中豹搶劫，華雨風率人尋訪盜蹤，取獲鏢銀。其中穿插王化通為父兄報仇、鄧存志之子鄧寶文（鄧承志）師從銅冠客華雨風後為父親報仇，以及少林、武當門戶之爭——雲中豹陸金峰對華雨風的仇怨，串聯了起劫鏢、復仇、師門爭鬥線索。

作為典型的「技擊小說」，技擊打鬥是本書最大看點，例如銅冠客華雨風「一傘戲群凶」，將王化通的嘍囉全部點倒在地，就頗有看頭。

另一看點，是少林寺大覺禪師，此人武功超群而蒙昧固執，「大覺」名實不符。師侄李澄溪犯採花罪，他聽而不聞；弟子王化通做強盜且作惡多端，他視而不見。大覺禪師的蒙昧，無非囿於立場偏見，偏聽偏信，固執地認為自己人都好、別人都不對。大覺的蒙昧是人性的弱點，其故事發人深思。

本書缺陷是關鍵情節經不住推敲。例如，說陸金峰對華雨風的怨恨，源自三十年前同門學藝時受辱，但華雨風「縱橫江湖四十年」，早已離開了師門。

二、冷殘的武俠小說

冷殘，即馮冷殘，香港作家，生平不詳。

抗日戰爭勝利後不久，冷殘即開始寫作技擊小說，先後在香港《南風報》、《醒報》、《大羅天》兩日刊、《先聲報》、《溫柔鄉》兩日刊、《大華晚報》、《探海燈》新刊、《聲報》、《民聲報》、《新聲》兩日刊等十家報刊上發表。作者聲稱：「平素主張，發掘死人山墳——即將已經去世之英雄豪傑做主角——而無生人作證者，不寫；向壁虛構，無實故者，又不寫；只知個中梗概，便以渲染從事者，亦不寫。」[2]遺憾的是，冷殘寫過多少部小說，不得而知。

筆者只看到冷殘的《武林異丐》、《紅磡五虎將前傳：凌雲階無影腳踢黃飛鴻》、《紅磡五虎將：大鬧吳淞街》兩部書四個故事。[3]其中，《武林異丐》和《紅磡五虎將前傳》曾在報紙上連載，[4]《大鬧吳淞街》則是專門為出版社撰寫。《武林異丐》上冊講述香港武師簡達故事，下冊講述紐約大盜黃志嫦、香港工頭何大信故事。《紅磡五虎將前傳》講述武師凌雲階故事，《大鬧吳淞街》講述紅磡五虎將，即凌雲階的五個弟子麥耀堂、勞培、鄺祺添、鄺社、黃同的故事。

這幾部書的共同特點，一是故事寫實性，故事主人公都實有其人，《紅磡五虎將》兩冊書的封面還有凌雲階和五大弟子的合影照片為證；書中故事都有人證，如《武林異丐》中黃志嫦故事由何大信女兒阿英回憶並講述；而《紅磡五虎將》中也出現了鄺祺添證詞「當余（鄺祺添自稱）從彼學習技時，凌雲階師父嘗促我等出其不意……」5

二是在地性或當地性，小說中寫番禺、廣州、紐約，但都與香港有關，且大部分故事都發生在香港。

三是技擊模擬性，小說中有連番武打，且技擊招式看起來符合武術規則。

四是這些故事有共同的故事模式（紐約大盜黃志嫦故事例外）：某武館拳師嫉妒成名武師而找碴挑釁，結果死於非命，臨死前要弟子找其師兄為他報仇，其師兄接著挑戰成名武師，於是有一輪又一輪的武打。這些武館惡性競爭故事是否都真？技擊小說的讀者並不在乎。

冷殘的這幾部小說，故事有可讀性，文學價值不算高，民俗學價值卻不低。例如，《武林異丐》中那個拿三把刀強討乃至搶劫商鋪的乞丐「惡乞」，即現實中惡俗之一。《紅磡五虎將前傳》中凌雲階之所以要「腳踢」師父黃飛鴻，是因為黃飛鴻教他武功時沒有傾囊相授，即「教會徒弟，餓死師父」，黃飛鴻另有解釋，即留一手等到弟子遭遇挫折時再教，效果會更好；且無影腳之類殺傷力巨大的武功也不能輕易教徒。又如，《前傳》中的豆腐馨答應為師弟報仇，先要與師弟的弟子們簽訂契約，讓他們負擔鬥毆死傷的責任和費用。再如，《大鬧吳淞街》的開頭講述香港三合會／架勢堂逼人入會的種種勾當。

三、香雪海的武俠小說

香雪海，香港作家，生平不詳。

香雪海的作品有：《伏魔雷音劍》、《奇俠怪神乞》、《子午追雲劍》、《江湖野道人》、《靈山女劍俠：報父仇力戰野道人》（即《江湖野道人續集》）、《靈山女劍俠續集》、《靈山女劍俠續集大結局》、《矮俠屠龍谷》、《豪俠小霸王》、《豪俠小霸王續集》、《奇門五毒砂》、《玉女劍》、《衡山門四美》、《女俠小鶯兒：三戰九龍岩》、《女俠小鶯兒：會戰海棠峪》、《三女劍：小俠下山懲巨惡》等。

香雪海的創作路子近乎毛聊生，多寫非廣東武林的虛構傳奇故事。

《奇俠怪神乞》[6]

講述蔡子華、蔡耀忠父子復仇故事，仇人是福建英賢館主小霸王黃剛強及關東七煞。奇俠怪神乞蕭英良遊戲風塵懲惡揚善，不僅是一大看點，在開頭、中間、結尾出現，具有結構功能。書中有不少模仿、借鑒痕跡，例如蔡耀忠見悟蓮坐在柳枝上、在雲南紫竹林少林寺打木人巷、搬火銅爐等。好在故事情節有可看性。

《江湖野道人》[7]

講述野道人玉面魔羅明京的傳奇故事。此人父親羅光甫是明朝遺老，母親是一條美人魚：懷孕九年，子生母死。羅明京生而能言，淫欲極盛。其師則是人熊雜交。野道人來到海康縣作法祈雨，卻要強徵民女滿足其淫欲，引起當地官民憤慨，請鼎湖山慶雲寺悟明大師來，趕走野道人。縣長王守法人如其名；縣長姨太三娘不讓鬚眉，個性突出。海康士紳張維全——諧音「張維權」——英勇犧牲，為其女張杏花復仇埋下伏筆。

《靈山女劍俠》[8]

是《江湖野道人》續集，講述張杏花拜師學藝為父報仇故事。後段插入洪武與衡江三鳥間的恩怨衝突，張杏花幫助洪武的弟弟洪勝前往瀾滄江火雲峰找韓元沖報仇。書中再無神異現象，敘事語言中有粵語方言，技擊篇幅明顯增加。本書還有續集《靈山女劍俠：訪奇人雪山誅怪物》，[9] 講述張杏花率人殲滅韓天放等匪徒，滅雙頭怪蛇群，助小人國平叛、誅妖道，伏古屍故事。其中小人國故事係抄襲還珠樓主《蜀山劍俠傳》第一七六回的相關情節。[10]

《女俠小鶯兒》[11]

有兩部。一是《三戰九龍岩》上下集，講述九龍岩外來漁民與當地永樂船幫「打地盤」，雙方各邀高手參戰，結果是九龍岩漁戶慘勝。女俠小鶯兒由此找到殺父仇人，即江山幫舵主封子和的蹤跡，遂追蹤至富春江。二是《會戰海棠峪》上下集，講述窮神華萬虛率小鶯兒母女等前往封子和的新據點海棠峪，經過多番打鬥，小鶯兒擊斃封子和，華萬虛赦免了江山幫眾。九龍岩故事有現實性及文化人類學價值，最突出的人物形象是窮神華萬虛。不足是，小鶯兒在書中的作用有限，《會戰海棠峪》結尾少林寺方丈元一大師、法明、法空等人來得突兀。

《玉女劍：小俠下山懲巨惡》[12]

講述洛陽好漢霍鵬獲贈屠龍劍、誅虎劍、玉女劍，與當世英雄孟駿、焦豹結義的傳奇故事。是一部非典型武俠小說，技擊場面不多。最大看點是對世俗生活的描繪，如同民間社會風俗畫。襄陽珠寶店老闆祝華的後妻尤氏偷情，有《金瓶梅》味道。另一特點是多線敘事，打破了簡單的串珠式結構。書中焦豹形象，如黑旋風李逵的化身。缺點是道人諸葛徽身世不詳，預言沒有落地。

最後，有署名香雪海的小說《大俠單雨雲巧救廣東先生》，實是牟松庭小說《山東響馬傳》抄襲本，顧臻先生作了詳細比對。[13] 抄襲案事實清楚。問題是，這是香雪海本人所為，還是無良商家冒香雪海之名？難以判斷，只有存疑。[14]

四、白雲生的武俠小說

白雲生，香港作家，生平不詳。

已知白雲生武俠小說有：《神鞭隱形俠》、《峨嵋小羅漢》、《怪盜花錦繡》、《五嶽梅花劍》、《苗俠飛天猿》、《遊俠鐵麒麟》、《怪俠醉羅漢》、《奇門三女俠三破骷髏島》、《虎俠龍駒：毒梅花楊威猿愁谷》等。

上述作品大多署「白雲生著，禪山人編」。與禪山人小說不同，白雲生小說多寫廣東之外的武林傳奇，小說的基本配方是：技擊＋情色＋神異。

五、濠江不肖生的武俠小說

濠江不肖生，香港作家，生平不詳。

已知作品有：《大俠紅沙掌》、《怪俠鐵指環》、《奇俠瀟湘客》、《女俠怪尼姑》、《龍鳳雙俠》、《劍殲怪魔》、《鐵掌雄風》、《雲中客》、《兩俠爭雄》、《刀底英雄》、《青鋒楊威》、《蓋世英霸》、《刀門碧玉》、《俠女征塵》、《無敵金刀》、《寶劍七雄》、《雪嶺風雲》、《萬里飛龍》、《揚州三傑》、《神俠金鏢》、《魔窟梟雄》等。

濠江不肖生之名，當是追慕平江不肖生。其創作早期頗有自創風格的雄心與實踐，但在市場上卻不怎麼成功；一九五四年寫《雲中客》和《兩俠爭雄》，學會遊戲規則，才獲得成功。[20] 從此找到了敘述群體技擊故事的寫作路徑。

《奇俠瀟湘客》[21]

講述石金龍學藝復仇故事。第一次報仇失敗，所以再拜瀟湘客公孫毅為師（瀟湘客在書中只是曇花一現）。他的第二次復仇也沒有成功，原因之一是他陷入了與仇人秦大彪的女兒秦梅貞的熱戀中；原因之二是發現秦大彪的武功仍然比他高；更重要的原因之三，即主人公情感與理智、意志與行動乃至意識和潛意識的自相矛盾。故事表層如《羅密歐與茱麗葉》，深層則如《哈姆萊特》：「殺，還是不殺？這是一個問題！」這是別開生面的寫法，作者的人文追求可感。缺點是，作品語言稍嫌稚嫩，技巧也不熟練，敘事拖遝，節奏較慢，石金龍第一次拜師還有模仿痕跡，技擊橋段並不多，當年的武俠小說讀者很可能不耐其煩。[22]

《無敵金刀》[23]

是《俠女征塵》續集。繼續講述甘化（**甘瘋子**）、齊思遠、百了和尚等人與長白山派的武力衝突。分為兩大情節段落，第一大段是甘化、齊思遠面對官府通緝危機。第二大段是本書情節主幹即雙方約戰香壇寺。情節曲折，懸念不少，打鬥激烈，具有可看性。缺點是書中人物眾多，你方唱罷我登臺，很難抓住主要人物及故事情節的綱領。

《寶劍七雄》[24]

是《無敵金刀》的續書。講述甘化、齊思遠等人遠征茅山野馬嶺，找蕭剛取回碧玉西瓜，為自己洗刷罪名。故事獨立而完整，且此次戰役分為若干段落，戰鬥被細化，脈絡更加清晰。新看點是在戰鬥間隙，插入神異景觀，如破廟殭屍怪、火怪蛇和

十四、馬雲的武俠小說

馬雲，原名李世輝（一九三五——），廣東廉江人，成年後去香港。著有「鐵拐俠盜系列」一百七十餘種，「鬼故事系列」、「千門奇俠系列」、「太空科幻系列」以及其他類型小說多種。據《馬雲自傳》稱，其小說總數達三百餘部。[40]

馬雲有「黃飛鴻傳奇故事」（短篇集）兩冊，即《大鬧丁家莊》、《花地殲惡霸》。[41] 把馬雲小說置於老派武俠小說之林，是因為他延續了朱愚齋的路子，這些小說發表在《武俠世界》開設的「黃飛鴻真人真事」欄目中，作者說他寫黃飛鴻故事，是為老師朱愚齋代筆；[42] 又說是朱愚齋授意練筆。[43]

《大鬧丁家莊》中包括《莽梁寬決鬥西瓜園》、《還花炮土地廟起禍》、《還魂掌巧破三蛇陣》、《紅船客青樓陷重圍》、《無影腳竟惹不白冤》、《黃飛鴻義助富春樓》、《遊桂林生擒草上飛》、《失翡翠怒殲三大寇》、《尋龍骨大鬧丁家莊》、《護靈柩瞎婦逞雌威》、《甲骨文揭起尋金熱》等篇，其中第四、五篇，屬同一故事。

真人是實，真事則未必。在第一、二個故事間，插入黃飛鴻夫人錢包被偷，找小偷集團頭子追回一段，與作者本人的經歷如出一轍。[44] 其中《護靈柩瞎婦逞雌威》一篇值得稱道：一是運毒母女充滿神秘感，故事情節非常吸引人。二是劇情突然反轉，出人意表：黃飛鴻受騙上當情節，情節跌宕又合情合理。三是瞎婦母女販毒原因匪夷所思：她丈夫因吸毒而死，她販毒是要報復社會！

《花地殲惡霸》中收入九個故事：《馴逆子直搗九家村》、《洗塵宴珠江起風波》、《鐵指功難治無影腳》、《賀新年花地殲惡霸》、《元宵節瑞獅會金龍》、《觀競渡花艇起風雲》、《爭風水親家變冤家》、《遇老千豔福嘆難享》、《強出頭梁寬遭毀容》。其中《爭風水親家變冤家》，故事內容扎實，且有文化人類學價值。

當時香港粵語電影《黃飛鴻》系列已有數十部，馬雲的黃飛鴻故事成色，總體水準與那些出品速度驚人的電影相當。

馬雲還有一部武俠作品，即《金背鬼頭刀》。[45]講述司徒英傑拜洪熙官為師，學藝報仇故事。《金背鬼頭刀》的看點，一是以金背鬼頭刀為線索追查殺父仇人的下落。二是司徒英傑的同門師妹趙蘊蘭，和綽號花蝴蝶的廣州妹子杜小娟都喜歡他，讓他左右為難。其三，司徒英傑和趙蘊蘭趕到鐵鷹寨，仇人孫元霸已經出家為僧，新寨主是其弟孫元松。其四，司徒英傑和趙蘊蘭找到法名知圓的孫元霸，此人已改邪歸正，成了鄉民救星，且當年重傷司徒伯常，並非故意，而是中了王彪的借刀殺人之計。其五，王彪臨終前懺悔往事，說當年是被司徒伯常所傷，為面子而復仇，如今後悔不已，更拿起金背鬼頭刀抹了脖子。其六，主人公司徒英傑最終並沒有親手復仇，結局出人意料。

缺點是，書中司徒英傑在山中馴服賭徒黃阿錦一段，[46]似是黃飛鴻故事《馴逆子直搗九家村》的再演繹，只不過主人公從黃飛鴻變成了司徒英傑，陳二嬸變成了黃老伯，不孝賭徒陳成變成了不孝賭徒黃阿錦而已。進而，作者對武林傳統確實不怎麼熟悉，聽杜小娟不斷稱呼「司徒先生」，恍如在現代香港街頭。

馬雲回憶說：「之後師父又有新構思，著我寫另一套《金背鬼頭刀》……往後師父大概明白我對寫武俠小說並不熱衷，也不再勉強我了。」[47]這話說得實在，寫武俠小說確實不是馬雲的強項。

【注釋】

1 禪山人：《鐵掌毒琵琶》，共四集，香港，文傑出版社（周記書局代理），無出版時間。陳墨按：《鐵掌毒琵琶》是不是禪山人的作品？我有些懷疑，理由是：一、在禪山人作品廣告目錄中未見過這個書名；二、禪山人絕大多數作品都是寫廣東英雄，而這部作品的主人公卻並非廣東人，故事也與廣東無關。但我無法證實或證偽，只有存疑。

2 冷殘：《紅磡五虎將：大鬧吳淞街．著者自序》第一—二頁，香港，源源圖書社，無出版時間（一九五二年）。這篇序文寫於一九五二年十一月，作者說自己寫作技擊小說已有七、八年，推算出他開始武俠小說創作的時間為一九四五年末至一九四六年初。

3《紅磡五虎將前傳》和《大鬧吳淞街》是一部書兩個故事，《武林異丐》上下集各有一個故事。

4 這兩本書中每千字左右就有一個小標題，是報紙連載的明顯痕跡。

5 冷殘：《紅磡五虎將前傳：凌雲階無影腳踢黃飛鴻》第廿五頁，香港，源源圖書社（陳湘記書店代理），無出版時間。

6 香雪海：《奇俠怪神乞》，上下集，上集名《奇俠怪神乞：金家店戲弄活閻王》，下集名《奇俠怪神乞：小金剛血戰英賢館》，香港，合作書社，無出版時間。

7 香雪海：《江湖野道人》，上下集（下集名《江湖野道人：活羅漢仗義施絕技》），香港，源源出版社，無出版時間。

8 香雪海：《靈山女劍俠：報父仇力戰野道人》，上下集，香港新生圖書社，無出版時間。封面有「即《江湖野道人》續集」字樣。

9 香雪海：《靈山女劍俠；訪奇人雪山誅怪物》，上下集，香港，源源圖書社，無出版時間。封面有「靈山女劍俠續集大結局」字樣。

10 是顧臻告訴筆者的，特此說明。

11 香雪海：《女俠小鶯兒：三戰九龍岩》上下集和《女俠小鶯兒：會戰海棠峪》上下集，均由香港源源圖書社出版（陳湘記書店代理），無出版時間。

12 香雪海：《玉女劍：小俠下山懲巨惡》，共三集，香港，源源圖書社（陳湘記書店代理），無出版時間。

13 顧臻：《致陳墨》（二〇二一年一月十六日電子郵件）中詳細比對了書中情節及語句，幾乎完全一致。

14 有此懷疑，是因為在香雪海著作目錄中未見這部書名，且當時冒名出書之風甚烈（例如書商冒毛聊生之名出版北派五大家小說的抄襲之作）。但因沒有確切證據，既難證實，也難證偽。

15 白雲生：《五嶽梅花劍》，共四集，香港，金真出版社（鎮成書局總代理），無出版時間。

16 白雲生：《遊俠鐵麒麟》，共五集，香港，金真出版社（鎮成書局總代理），無出版時間。

17 白雲生：《怪俠醉羅漢》，香港，明燈出版社印行，一九五二年。

18 白雲生：《奇門三女俠：三破骷髏島》，香港，明燈出版社印行，一九五二年。
19 白雲生：《虎俠龍駒》，香港，新生圖書社，一九五三年。
20 見濠江不肖生：《寶劍七雄・跋》，第六集第三十七—三十八頁，香港，金真出版社，一九五五年。
21 濠江不肖生：《奇俠瀟湘客：報父仇萬里尋師》，正、續集共四集，無版權頁。
22 據書中及書末信息，石金龍復仇故事，有《女俠怪尼姑》和《龍鳳雙俠》等續集。
23 濠江不肖生：《無敵金刀》，共六集，香港，金真出版社（鎮成書局總代理），無出版時間。
24 濠江不肖生：《寶劍七雄》，共六集，香港，金真出版社（鎮成書局總代理），無出版時間。
25 濠江不肖生：《雪嶺風雲》，共六集，香港，金真出版社（鎮成書局總代理），無出版時間。
26 避秦樓主的上述小說均由香港馬錦記書局出版，無出版時間。
27 西樵山人：《小俠白摩勒再傳》，共六集；《小俠龍力子》，共三集，均由香港周記書社出版，無出版時間。其中《小俠白摩勒再傳》分正集、續集、大結局三部（各有上下集），正集副標題為《血戰柴花莊》，續集副標題為《龍力子大破五陽關》，大結局副標題為《龍力子三打八卦樁》；《小俠龍力子》也分為正集、續集大結局兩部，正集副標題為《大戰少林僧》，續集大結局副標題為《嵩山較技慶團圓》。
28 這則廣告見香雪海：《靈山女劍俠》上集第十一頁（正文內加括弧），香港，新生圖書社，無出版時間。
29 禪山人：《小俠白摩勒再傳續集：龍力子大破五陽關・序》第一頁，香港，周記書社，無出版時間。
30 見西樵山人：《小俠白摩勒再傳續集：龍力子大破五陽關》上集第四十頁、下集第四十頁。

31 白靈鳳：《龍虎亂江湖》，共六冊，香港，南風出版社出版，無出版時間。

32 高良叔：《鼎湖雙俠》，上下集，香港，中德出版社，無出版時間。

33 陸羽：《陰山雙劍》，十三集，一〇〇〇頁，香港，長虹出版社。無出版時間（推測是一九五九年之後）。

34 陸羽：《龍山劍魔》，共九集，六二八頁，香港，長虹出版社，無出版時間（推測為一九六〇年後）。

35 彈劍樓主：《紅船忠烈傳》，共兩集，香港，娛樂出版社，無出版時間。我看的是該書影印本，共一冊。本書曾在新加坡《夜燈》三日刊連載（一九五八年二—九月）。

36 彈劍樓主：《大刀王五．清宮戰喇嘛》，一冊，九十一頁，香港，環球圖書雜誌出版社，無出版時間。

37 李文在《蒼海遊龍．序》中說：「陳君自號『念慈樓主』，昔年亦曾以武俠小說見著海上。」香港，李祥記書社，無出版時間。

38 臺灣作家臥龍生曾用過「金童」作為筆名，但此金童非臥龍生。

39 金童：《無敵劍》，於一九六二年十一月十七日至一九六三年三月九日在香港《武俠世界》連載，署名諸葛丹，出版單行本時改名金童。共六集，廿四回，分上下冊，香港金剛出版社，無出版時間。

40 馬雲：《馬雲自傳．序》，第二頁，香港，青雲工作室，二〇一七年。

41 其中故事，連載於香港《武俠世界》第五三九—五五八期（一九六九年十二月二十日至一九七〇年五月二日）。

42 馬雲：《大鬧丁家莊》，第一頁，香港，武林出版社出版、環球出版社發行，出版年月不詳。

43 馬雲：《馬雲自傳》，第一四〇—一四二頁。

44 馬雲錢包被盜，朱愚齋幫助他找回事，見《馬雲自傳》，第一三一—一三五頁。
45 我看的版本，是香港長興書局出版發行，共五集（冊），每集四回，共二十回。
46 馬雲：《金背鬼頭刀》第二集，第一七〇—一八〇頁。
47 馬雲：《馬雲自傳》，第一四二頁，香港，青雲工作室，二〇一七年。

第八章

牟松庭的武俠小說創作

牟松庭，原名邵元成，字慎之（一九一八—一九九七），常用筆名高旅。江蘇常熟人。畢業於江蘇測量訓練所，後到吳縣土地局任測量技術員。一九三六年以《五月廿一日的蘇州》一文入選茅盾主編的《中國之一日》。抗戰期間，他先後在江蘇《興化日報》、湖南《新化日報》、上海《譯報》、桂林《力報》、湖南和重慶《中央日報》、廣西《柳州日報》等報社擔任記者、編輯、戰地特派員。

一九五〇年，應香港《文匯報》社長張稚琴、總編聶紺弩邀請到香港工作，先後擔任《文匯報》主筆、資料室主任、副刊部主任。

邵慎之多才多藝。一九五〇至一九九七年間，發表了大量文史隨筆及雜文，用了數十個筆名，如高旅、符崇離、酒家、佳天、大聲公、上海佬、章彤、魯班門、今史氏、童生、尚方、黎民、于幹、萬弓、韋納、石策、浮葉等。作為詩人，寫作了大量舊體詩，王存誠教授整理編輯的《高旅詩詞》中收錄了一千兩百多首。[1]

作為翻譯家，曾翻譯法文名著，有都德的《磨坊文札》、莫洛亞的《風土志》、加謬的《異鄉人》和《瘟疫》及薩特的《髒手》等。作為小說家，出版過短篇小說集《補鞋匠傳奇》、《彩鳳》，另有《困》（原名《孔夫子與我》）、《杜秋娘》、《玉葉冠》、《金屑酒》、《武德頌》、《巨像高雲北雁飛》、《天塹夕陽紅》、《罨颯公主》、《火燒銅雀台》、《山陰公主》、《海盜王朝》、《石虎狗》、《李鐵槍傳奇》、《最後的金粉王朝》、《氣吞萬里如虎》、《元宮爭豔記》等數十部長篇歷史小說。

本章討論的重點，是邵慎之以牟松庭等筆名發表過的幾部武俠小說。即：

1、《山東響馬全傳》，於一九五三年一月一日至一九五五年十二月三十一日在《香港商報》連載，[2]單行本改名《山東響馬傳》，初版由香港三育圖書文具公司出版（一九五六—一九五八年），共十五集。

2、《張文祥刺馬》，於一九五四年九月一日至一九五五年三月十七日在香港《大公報》連載（署名柳敬軒），[3]單行本由香港集文出版社出版（上中下，一九五七）；臺灣育幼圖書有限公司版改名《刺馬》（一冊，一九八一年八月版，署名南湘野叟）。

3、《青紅幫大演義》，於一九五六年一月一日至一九五六年十二月三十一日在《香港商報》上連載，單行本改名《紅花亭豪俠傳》，初版由香港集文出版社出版；臺灣金蘭文化出版社版改名《洪門英烈傳》。[4]

4、《關西刀客傳》，於一九五七年一月一日至一九五七年十二月三十一日在香港《文匯報》連載，單行本六集，由香港集文出版社、偉青書店出版（一九五七—一九五八）。[5]

一、《山東響馬傳》

主人公單雨雲的故事及形象並非作者首創。俠盜單雨雲的故事，早在民間流傳，晚清廣東名報人陳聽香編撰粵劇《山東響馬》，即以單雨雲為主人公，其中有一段故事，正是單雨雲大破長明寺、搭救廣東商人黃兆倫。

一九二七年，單雨雲的名字又出現在中國電影銀幕上，友聯影片公司出品、徐碧波分幕（編劇）、錢雪帆和葉仁甫導演的影片《山東響馬》（又名《俠盜單雨雲》），內容與粵劇近似。《山東響馬傳》中的單雨雲，可謂《山東響馬》的升級版，單雨雲由一個普通的俠盜響馬，變身為以山東響馬為班底的抗清組織的軍事政治領袖。

小說開頭，扼要交代了響馬的由來和規矩，山東響馬共分五路，各有盟主，東路盟主神彈子伍天雄，南路盟主黑流星于振魁，西路盟主陰司秀才鄒清毅，北路盟主小孟嘗牟少川，中路盟主穿山虎金應泰。接著寫一年一度的山東綠林泰山比武大會，由此展開山東響馬的傳奇畫卷。

在比武開始之前，穿插一段響馬劫鏢故事：中路盟主青山卸石寨寨主金應泰，劫奪濟南魏家老鏢局的鏢，卻被紫荊山陳長發、趙桂英夫婦攔阻，遂合夥分贓。

這段故事一舉多得。一是寫響馬劫鏢，揭示響馬生存景觀。二是寫鏢局討鏢，表現鏢局與響馬間奇妙的共生關係。三是細敘響馬規矩，即不得越界作案、比武期間不得劫鏢，金應泰違犯了這兩條，此事如何了結？造成懸念。四是這段插敘，讓泰山比武開場及低級別比武作暗場處理，節省篇幅。五是為主人公單雨雲登場亮相造勢。

比武大會上，西路盟主鄒清毅的弟子方人傑在比武中違規施放暗器，鄒清毅非但不責罰弟子，反而說伍天雄判罰不公，導致伍天雄與鄒清毅較量。方人傑再次施放暗器，被單雨雲抓個正著，避免了東、西兩路響馬大規模流血衝突。進而，他將破壞綠林規矩的金應泰和陳長發夫婦抓了，提交給綠林大會審判。單雨雲的亮相，可謂一鳴驚人。他維護公正、團結綠林的行為，給人留下深刻印象。

繼而，群雄得二時還楊繩祖提供消息，商討劫取泰安州十幾萬稅銀。如何劫取稅銀？多數人想要硬搶，單雨雲提議巧取，結果兵不血刃取得稅銀。這段故事，頗似《水滸傳》中的「智取生辰綱」。所不同者，巧取的過程並未實寫，因而更加神秘莫測。這段故事，讓單雨雲形象更加深入人心。

劫奪稅銀後，單雨雲發現奸細，追蹤至青雲寺並身陷其中，發現這是一處藏汙納垢的淫窟，寺主與清廷官府關係密切。脫身後，即率人破寺，消滅淫僧。這段故事頗似文康《兒女英雄傳》中何玉鳳大破能仁寺。

由於群雄劫奪稅銀、在青雲寺擊潰清軍，泰安州知州下令抓捕伍天雄。為拯救伍天雄，單雨雲身先士卒，出生入死，率領群雄大鬧泰安州，迫使泰安官員棄城而逃。此一役，標誌著聚義群雄公開反抗清廷官府，正式建立紫荊山根據地，也確立了單雨雲作為領導者的地位。

此後筆鋒一轉，開始描繪更為壯闊的山東響馬畫卷。其後是臨清州故事、東平湖水寨故事、濟州反清鄉故事、大鬧濟南府故事、青州故事、登州故事、蓬萊寨抗清兵故事、日照故事、沂水故事、莒州故事、膠州故事，最後是紫荊山抗擊清兵故事。故事發生地遍及山東全境。故事的主角則各有其人，臨清州故事的主角是單雨雲的發小曲魁明、曲魁照兄弟；東平湖水寨故事的主角是于振魁；蓬萊寨故事的主角是寨主伍天雄；日照故事的主角是從江蘇海州來的蔡標、陶林林以及從蒙古來的孫五房，而紫荊山抗擊清兵的領袖則是小孟嘗牟少川。

這些故事情節，並非全都是響馬與清朝官府間的衝突，而是由更為複雜的矛盾線索組成。例如臨清故事是曲氏兄弟與黃家莊的衝突引起，黃氏兄弟是紅槍會主常金坤的弟子，由此引發洪門／安清幫與紅槍會的衝突。紅槍會主本是洪門中人，卻背離洪門，投靠清廷，讓紅槍會變成了欺壓良善、助紂為虐的武裝。

臨清故事的後半部分，是單雨雲等與臨清「四毒黨」之間的衝突。所謂「四毒黨」，是指崔雍如、王省齋等四個包稅攬訟的惡勢力代表。響馬英雄不僅與官府對抗，也保持俠義本色，鋤奸除霸，打擊地方惡勢力。東平湖水寨故事，則是除霸故事、復仇故事、黑吃黑故事錯綜交雜。小說所寫，涉及官府、市井、綠林、江湖等多個空間及其邊緣或交叉地帶，其故事線索錯綜複雜。

這些故事的結構，並非同一主人公的單線串珠，亦非不同人物和故事的簡單羅列，而是通過正反兩面人物編織成一個網狀整體。主人公單雨雲出現在多個故事中，自不必說。臨清故事的線索，是由泰安州快班卯首謝忠發牽出，而臨清碼頭的曲氏兄弟，則早在介紹單雨雲時已經提及。早為大家熟悉的南路盟主于振魁，出現在東平湖水寨故事中。

書中的反面人物，如泰安州的孫鐵臂、青雲寺的了覺和尚、鄒清毅的弟子方人傑、跛腳道人朱亮等等，都出現在多個故事中。如此，由熟人牽線搭橋，進入新地點、新故事，讀者不會感到陌生。小說開頭，泰山比武已經介紹了五路盟主及其他重要人物；小說結尾，則是各路響馬英雄馳援紫荊山，各地英雄人物再度聚集一堂，首尾相顧，即構成小說整體結構。

書中人物眾多，作者雖不以刻畫人物性格為首要目標，但在講述故事的過程中，卻也注意分辨人物身分與個性的不同。首先，並非所有的山東響馬或洪門中人都是英雄好漢，如參與泰山比武的方人傑就以不正當手段爭勝，反映其品行不端，最終投降清廷做了鷹犬，是必然結局。再如紅槍會主常金坤，是非不分，助紂為虐。日照祁開勝在洪門中地位不低，為人卻品格低下，自恃武功趾高氣揚，為非作歹惡霸一方。

其次，與之相對應的是，官府人物也不是千人一面，泰安知州張益望昏庸糊塗，山東巡撫張曜機靈而膽小；臨清知州裕祿（八旗子弟）牛氣哄哄；青州知州岳裕國卻有意結交綠林，試圖化綠林豪傑為國家棟梁，迂腐中不失中正善良，最終被群雄賺上了紫荊山。

再次，江湖敗類也各有面目。孫鐵臂混吃混喝，脫不了賣大力丸者本色，不知天高地厚；了覺投靠官府，一心為師弟了凡報仇，卻也有其人生目標；朱亮野心勃勃，企圖在山東揚名立萬，心思歹毒，不擇手段。

最後，在正面人物之中，頗多李逵式人物，但金應泰、趙板斧、鄧達等人的莽撞程度，畢竟有段位高低之分。

《山東響馬傳》寫得出色，不僅因其情節曲折而故事精彩，且因其細節豐實且生動鮮活。山東響馬多為洪門弟子及安清幫中人物。作者對洪門歷史及幫會文化顯然做過扎實功課，對其規範風俗十分瞭解，因此書中所寫，無不實在真切。

例如：「桌上供的是四爐香，第一爐仁義香，供的是春秋時的羊角哀、左伯桃，第二爐忠義香，供的是三國時劉關張桃園三義，第三爐俠義香，供的是梁山泊一百零八位好漢，第四爐香只得半把香，叫做有仁無義香，供的是秦瓊、單雄信。洪門中凡有儀式，就要點上這四爐香。」[6]

進而，作者對江湖人物的「社會方言」，即江湖黑話也非常熟悉，寫山東響馬及江湖人物自然得心應手，例如：

矮子把十串大錢都扣在一起，放在身邊，然後捋起袖子，露出那隻瘦骨崚嶒的手臂來，對那小丑道：「喂！朋友，你把『羅漢子』挺好，『金剛子』站好，『櫻桃子』閉好，『才條子』咬好，俺的『雞爪子』到，『踢土子』起，便要請你栽筋斗，並非俺要『鬨霸』你，不要說俺先不關照，不夠交情，卻圖這一千文財喜。」

那小丑道：「好說好說，你既是個『裡大輿』，也不用多『開剪子』。」

曲魁明等人聽他說出一大串園裡人的「春點」來，倒都大吃一驚。原來「羅漢子」是肚子，「金剛子」是腿子，「櫻桃子」是嘴，「才條子」是牙齒，「雞爪子」是手，「踢土子」是腳，「鬨霸」是毆打，「裡大輿」是行家，「開剪子」是說話。[7]

洪門歷史習俗和江湖黑話隱語可以從其他書中學得，或不宜用作衡量小說好壞的確切標準。《山東響馬傳》真正讓人大開眼界的，是對江湖及民間市井人物心理、行為及言語的生動呈現。如寫野豬渡稅卡中的標兵：這一日蔡標和曲秀蘭、趙桂英三人來到渡口，見「對岸有一排十幾間平屋，旗桿上飄一面旗，不明字樣，兩岸好生寂靜，並無行人來往。蔡標隔河叫渡。半晌才踅出幾個標兵來，問來人可是客商，可有貨物。蔡標答道：『咱們正是行商客人，到曹州買賣，卻沒有貨物。』標兵們一聽，便撐過三隻渡船來，道：『既是客商，自有錢財，咱們當兵吃糧的人辛苦，在此保護行商，也不要你們多打賞，每人給一兩銀子便罷。』三人聽這廝好大口氣，卻不與爭，只道：『你渡了時便給錢。』那標兵道：『給錢便渡，不給便罷。』蔡標沒法，只得先給。標兵們見蔡標有錢，心中歡喜，一船恰裝載一人一騎，船到對岸……」

這些官府標兵如此霸道，並非本性邪惡，而是因為「在卡哨上做個標兵，有糧無餉，給標營中上司剋扣去了，平時都靠勒索些錢財，半欺半討，卡哨上稅官收了正項，他們便吃些水腳錢過活。如今有這大客商手闊，如何不願效力？當下在村子裡出了二錢五分銀子，半買半搶，買了兩隻雞鴨，十餘個雞蛋，提著回渡船上來……」[8]

由此可聯想到社會生態。從這一角度說，《山東響馬傳》既是武俠歷史傳奇，也是人間與江湖的風俗畫。

《山東響馬傳》對江湖市井人物心理、行為、言語的呈現十分生動到位。這裡再舉一例。小說第十回，泰安州快班高疙瘩仗義參與拯救伍天雄，恰好他姐夫趙六兒是州牢獄卒，便從曾濟寬那裡取了五十兩銀子，搭上其妻子的金簪一起給姐夫，要他裡應外合。說妥之後，趙六兒立即送銀子回家。書中寫道：

「……趙六兒一路走一路想，心眼裡喜出來，到了家裡，他渾家見趙六兒那高興的樣兒，卻發作起來，罵道：『你這死囚囊子，甚事今日這般興致？日日在牢裡和囚犯混在一起，愈混愈窮，有甚高興，便是老娘不耐你這等模樣。』

原來這女人是高疙瘩的親姐，小名翠花……（趙六兒）見婦人又來發作，忙陪笑道：『好媳婦，你休要氣苦，你且來瞧，俺這包袱中藏的是什麼？』

那婦人把牙一呲道：『誰稀罕你來，你只是慣使小意兒，端午節才過，你卻包幾個粽子回來，合是老娘晦氣嫁得你這個賺不得錢，見不得人的死囚囊子。』

趙六兒卻急了，又笑著道：『姐姐你氣苦作什？你且來看，包著的到底是甚東西？那時你再罵俺未遲。』

那婦人果真過來把包袱提了，覺得沉重，便打開來看，見是白花花的大錠銀子，頓時變了臉色，從眼角一直笑到嘴邊，把嘴都咧了，道聲：『啊呀！』便伸手去取那金簪，又舉起那大錠元寶來瞧。說道：『六兒，你這銀子是從哪裡得來的？』

趙六兒見婦人歡喜，心眼裡格外樂了，便道：『翠花，這番俺定是發個小財了。俺早說那李鐵嘴算命算得準。你且取飯與我吃，卻慢慢同你說知。』[9]

這一段對話，把一對市井夫妻的嘴臉刻畫得入木三分，其生動性直追《金瓶梅》。本書不足之處，一是沿襲《水滸傳》遺風，不談男女愛情。單雨雲與曲秀蘭從小相識，算得上青梅竹馬，成年後重逢於江湖，看得出互有好感，卻沒有相互表達。舅舅曾濟寬作主，讓單雨雲和曲秀蘭成婚，單雨雲卻要曲秀蘭專心練武，只能訂婚。此後兩年，曲秀蘭隨單雨雲練武，書中從未說及兩人的感情。因此，曲秀蘭被鄒清毅殺害，單雨雲神思恍惚、心智失常，讀者難以感同身受。

另一不足，是單雨雲的雄心壯志及其領導才幹缺乏實際支撐，相反，當劉銘傳率三萬清軍圍剿紫荊山洪門義軍之際，身為義軍統帥的單雨雲，竟離開指揮崗位，去追殺叛變的鄒清毅。單雨雲最後不知所終，亦未免有虎頭蛇尾之嫌。

二、《張文祥刺馬》

張文祥刺殺馬新貽，是「清末四大奇案」之一。官方審訊檔案中的結論難以讓人信服，因而有諸多猜想與傳聞。一九一四年丁悟癡的文言小說《刺馬記》，一九一六年蔡東藩的白話文小說《清史演義》，一九二二年平江不肖生的武俠小說《江湖奇俠傳》等書，就提供了這一奇案的不同傳奇故事版本。

牟松庭的《張文祥刺馬》綜合了前人猜想與創作，將故事推陳出新。這是一部非典型性武俠小說，沒有說及武術門派，也無武林爭端，只講述張文祥隨捻軍轉戰南北、繼而發展洪門事業，書中出現的僧格林沁、曾國藩、左宗棠、馬新貽、賴文光、張總愚、張文祥等，全都是歷史人物，似更接近歷史傳奇。小說核心線索是洪門故事，洪門屬於江湖，似實還虛，似虛又實，正是牟松庭武俠小說的重要特點。

本書的重要成就，是通過藝術虛構，賦予張文祥刺殺馬新貽以合理性及充分的心理動機。張文祥是職業革命者、捻軍將領、洪門兄弟，始終以反清復明作為奮鬥目標。他要刺殺馬新貽，是因為馬新貽勾搭結義兄弟曹二虎的妻子，又設計謀害了曹二虎，違背結義兄弟倫理，更違背了洪門法規——馬新貽曾正式加入洪門——從而須按洪門法規處罰。進而，馬新貽殘害同門，是死心塌地為異族政權賣命，不僅違背了洪門規範，更破壞了反清復明大業。張文祥是大龍頭，有權按洪門法規執法。

更重要的是其心理動機，張文祥冒「通敵」罵名，在馬新貽麾下做山字營統領。這樣做究竟有沒有意義？有沒有前途？張文祥毫無把握。山字營被調走，張文祥空虛、失落乃至絕望情緒堆積，刺殺馬新貽成了疏解鬱悶情緒的唯一發洩口。值得注意的是，在安慶、杭州兩次刺殺行動失敗之後，張文祥曾一度改變行動計畫，要去找西捻軍統帥張總愚，假如西捻軍的反抗事業發展順利，張文祥多半會隨捻軍征戰，擱置刺殺馬新貽計畫。問題是，張總愚戰死，西捻軍徹底失敗，張文祥的理想徹底成空，重啟刺殺計畫，實是絕望的掙扎。

作為小說，本書故事情節算不上精彩，喜歡驚險刺激的讀者或許不會給這部書打出高分。但若靜心細讀，亦不難發現這部書的突出特點。

其一，作者對洪門歷史十分熟悉，信手拈來，無不準確生動。例如寫到陳賓鴻與曹二虎第一次見面時的對話，首先問「有占無占？」（即問真是在洪門中嗎？）再問「外十字占哪一字？內八字占哪一字？」作者解釋說，洪門幫會之中，先分為仁、義、禮、智、信五旗，亦即五堂。後又分十旗，亦即十堂，分為威、德、福、志、宣、松、柏、一、枝、梅十字，叫作外十字。內八字是孝、悌、忠、信、禮、義、廉、恥，排出入幫兄弟的輩次。進而，問「老哥打哪裡來？」回答是「打崑崙山來」，意思是洪門正宗；問「老哥向哪裡去？」回答「向木陽城而去」，表示反清復明。作者又解釋說，這些問答，是初次交結必要的手續，以便彼此明瞭底細，確切證明是同志弟兄，方可吐出真心實話。[10]

又，在張文祥、曹二虎、石錦標與馬新貽結拜金蘭兄弟時，作者在敘述結拜儀式及過程的同時，還引證下面這首詩（第七十九—八十頁）：

人王腰下兩堆沙（金）
東門頭上草生花（蘭）
絲線穿針十一口（結）
羔羊美酒是我家（義）

是所謂「有詩為證」，無知者無法引證。

又如，「上四排哥子犯了戒，自己挖坑自己埋；中四排哥子犯了戒，三刀六眼自動開；下四排哥子犯了戒，金槍紅棍兩分開。」及「輕則紅棍要領教，重則安刀自己剽；上五排犯罪親身跳，下六排犯罪插三刀……」（第二四〇—二四一頁）這些通俗的句子，符合社會底層幫會成員的文化水準。若非熟悉，無法寫出。

其二，小說中刻畫出若干人物形象，頗為可觀。

例如曹二虎，這一人物形象簡單而鮮明，即頭腦簡單，毫無機心，想當英雄，魯莽衝動。此人與《水滸傳》中黑旋風李逵近似，未必是模仿前人，多半是從實際生活中來。開頭曹二虎就耐不住悶，只想上戰場拼殺，聽張文祥、石錦標商量刺殺馬新貽，便不顧軍紀，立即率人出發。

此人頭腦簡單，完全不解風情，妻子紅杏出牆，曹二虎並非完全沒有責任。馬新貽讓他去壽州領軍需，陳廷富提醒他謹防陷阱，他根本不以為然；陳廷富暗示馬新貽與其妻有染，他更惱羞成怒，與陳廷富大打出手。曹二虎最後落入陷阱被殺，讀者同情他的遭遇，為他的命運感嘆唏噓。但曹二虎、李逵這類人，固然是英雄，卻也是心智不全。

再如孫福全，他是洪門三排兄弟，地位原比張文祥更高。所以，他是張文祥的競爭對手，也是最好的參照對象。

孫福全與張文祥的矛盾衝突，起因是孫福全屬下將老鴉集土豪家人全都殺害，張文祥認為不該殺老弱婦孺。對張文祥的思想觀念，孫福全不理解、不理會、不執行。孫福全的優點是愛恨分明，對馬新貽從無好感，當張文祥投奔馬新貽，在安慶開金龍山堂，孫福全以為張文祥投降了清廷、背叛了洪門，就公開挑戰張文祥。張文祥拿出賴文光發放的信札權杖，他仍不願與他為伍。孫福全是堅持武裝反抗滿清的代表，當張文祥被朝廷凌遲處死，洪門兄弟都投奔了孫福全，小說結局是孫福全率部攻入巢縣城。問題是：孫福全這樣的革命者，能創造出怎樣的未來？

再說張文祥。作為小說的主人公，對反清革命事業十分認真投入，且十分忠誠，且比曹二虎、孫福全、石錦標、唐龍等人站得更高、看得更遠。證據之一，是他反對孫福全對土豪家婦孺濫施殺戮，確保反清大業獲得民心支持。證據之二，是當武裝反抗受阻，他毫不猶豫地接受賴文光指派，暫時脫離武裝部隊，到民間去發展洪門事業，確保反清復明事業不會隨武裝反抗失敗而終結。為此，他不惜個人名聲，公然投入滿清官府陣營，做了安徽布政使馬新貽麾下的山字營統領。

他並非想當官，更非謀取個人富貴，只想借結義兄弟當官的便利條件，努力發展壯大洪門組織，播撒革命的種子，寄希望於未來。正因如此，在安慶期間，始終沒將妻兒接到身邊。不幸的是，無論張文祥怎樣忠誠、怎樣努力，都無法扭轉捻軍武裝反抗的頹勢，且再也看不到前途和希望，從而失去繼續革命的動力，只得選擇最簡單的方式即刺殺馬新貽，並因此而結束自己的人生。作為反抗清庭的革命者，張文祥形象未被神化，也沒有被妖魔化，顯得真實而可貴。

其三，書中細節描寫準確傳神，語言簡練而寓意深長。

例如，曹二虎與妻子孫氏別後重逢，小別勝新婚，妻子想和他親熱，但醉酒的曹二虎極不耐煩，拉開孫氏的手，說自己要喝水，等孫氏拿水來，他卻睡著了。書中說：「孫氏把眼定在燭火上，看了一會兒，又看了曹二虎一眼，他的鼾聲正響，便輕聲嘆了口氣，悄悄上床睡了。」（第五十七頁）孫氏的輕輕一嘆，餘韻十分悠遠。不僅寫出了孫氏對曹二虎的失望，也鋪墊了日後孫氏面對馬新貽時會那麼熱切，為馬孫偷情的關鍵情節作了鋪墊，言辭簡樸，寄意深長。

又如，曹二虎被殺，頭顱被木匣子裝著，在壽州城頭示眾，「張文祥看著那城頭上的木匣子，一語不發，看天上陰沉沉的，似雨不雨的樣子，格外淒慘。」（第二一三頁）短短一行字，以景語當作情語，把張文祥的悲憤與傷痛寫得淋漓盡致，讓人神傷。又如，在聽到賴文光及其東路捻軍覆滅消息，張文祥充滿悲愴，「便是張文祥自己也是東奔西走，一事無成，只落得形單影隻，在長江輪上，頻撫絲鬢，看滿天霜月，心中也自抑鬱。」（第二六三頁）

又如，張文祥、孫天彪刺殺馬新貽前的一次夜行：「張文祥在前，孫天彪在後，穿過一條長街，路上好生清冷，並無行人，彷彿這不是個曾經聚得六朝王氣的名城，卻似荒涼寂寞的古戰場，不說人聲，連狗吠都沒有，其時南京的荒涼，由此也就可想而知。」（第二八四頁）這段話，不僅在如實寫景，亦不僅是寫主人公張文祥對金陵荒蕪如古戰場的慨嘆，事實上也寫出了作者對戰後人間的悲憫與同情。書中類似「閒筆」頗有不少，只要細看，隨時會心弦震動。

獄，仍正氣凜然。五個人五段故事，相互交叉重疊，表現各自個性風貌，亦因他們拜服洪英，間接襯托出洪英卓爾不凡。

與尋常武俠故事不同的是，作者有歷史之眼，洪英等人目光所及，便是明王朝的末日氣象，官場腐敗黑暗，官員欺壓善良，吏紳相互勾結，百姓難以謀生，遂至造反作亂。書中快駒張的經歷，就是典型例證。

由快駒張的「劇盜」身分，道及當時十三家七十二營好漢，看似閒筆，實描繪了明末社會的大勢和氛圍。書中跳過了李自成進京、滿清政府入關等重大歷史情節，也避開了史可法在揚州抗清及清軍「揚州十日」大屠殺的歷史，因其都被正史所載；更沉澱在洪英師徒的心中，體現於他們的行為。反清復明是他們的念想，並成為洪門傳統。

與尋常武俠故事的另一不同，是書中有多場戰爭景觀。洪英協助快駒張對抗明朝官兵，既是情勢所迫，也是內心憤懣抑鬱所必然，官的腐敗、匪的殘酷、民的無奈，盡在此戰前後背景中。此次牛刀小試，為三汊河抗擊清軍大戰役做了扎實的鋪墊。三汊河之戰血流漂杵，死傷狼藉，但漢人民眾前赴後繼不畏犧牲的英勇景象，讓人血脈賁張。雖因軍力懸殊而歸於失敗，洪英亦與世長辭，但這場戰役仍堪稱洪英及其洪門精神的不朽豐碑。

更大的戰役，是由陳近南、萬雲龍、蔡德英等人領導的襄陽戰役，把洪門英烈的傳奇故事推向高潮。其後蘇洪光等轉戰大巴山，屢戰屢敗，屢敗屢戰，雖不能勝，而洪門英烈精神長存。

書中有許多場景段落與細節，值得仔細玩味。牟松庭知識廣博，徐州仵作鄧三蒸骨驗傷，作者順手寫出一串驗傷口訣，如「屍身爛壞水沖淨，沖去蛆汙看打痕，有傷貼骨蟲不食，刀齊木緊見分明。」等等。[12]看似掉書袋，實為一處伏筆。

後來滿清入關，鄧三不願為滿人之奴，帶著祖傳仵作筆記南下，要保護這一份法醫經驗遺產，如此人格及專業精神，讓人肅然起敬。史可法部將吳烈戰死在揚州，其子吳廷賁保護母親流亡廣東惠州，其母在書中只露面一次，說話幾番，很快就自縊而死，遺書讓兒子隨蔡德英去勤王事。吳廷賁武功高強，兼通醫術，是勤王保國的上佳人才，但他事母至孝，不願離開母親。母親遂自縊，斷絕兒子的後顧之憂，[13]雖然連名字也沒有留下，但這位偉大母親的自我犧牲，足以光照千古。

更值得玩味的是，朱洪竹在贛州王母渡稱王，在一個只有十多戶人家的小山村裡安身，鄒傑和李賢相把持朝政，作威作福，如腐敗明朝的滑稽翻版。蔡德英等人明明見識了這個小朝廷腐敗惡劣，見到朱洪竹時，仍長跪流淚，並表示願為其肝腦塗地。其原因，乃是「這裡的弟兄，都不是清人的裝束，朱洪竹更是明人衣冠。蔡德英諸人，萬里奔波……如今赫然有個朱明子孫，峨冠博帶，南面而坐，如何不感動？」[14]

得更大的個人利益。他也曾是義和團的一分子，那是典型的投機。

楊龍珠是楊開泰的養女，此人之所以值得一說，首先是她雖生長於土豪之家，但卻不失善良本性，發現父親對李昌俊等人陽奉陰違，自會竭力勸諫。被父親楊開泰囚禁，又被李昌俊、吳春牛等人解救，投入義民的陣營中，固然是她的善良天性的必然結果，但也要承受背叛養父家庭的痛苦。楊龍珠與吳春牛的相愛過程，是這部小說中比較亮眼的情節線索。

除上述幾人，小說中的馬天龍、程三連、札達多、吳春牛等人物也能給人留下一些印象。只不過，總體而言，這部書是以講故事為主，在刻畫人物形象、描寫人際感情方面，都算不上特別出色。主人公李昌俊與馬曼嬌的愛情，始終停留在民族鴻溝邊沿，馬天龍要揭開馬曼嬌的身世時，馬曼嬌卻已傷重不治。馬曼嬌與祁斯美是雙胞胎，長相酷似，讓人難分彼此，兩人由對立轉為同道，是小說中的一個重要設計。

遺憾的是，作者對祁斯美與馬曼嬌的親生父母未作具體交代，對這兩人的個性差異也沒有作深度開掘和展示。小說結尾說，李昌俊與祁斯美喜結良緣，此前卻未作應有的鋪墊。僅僅因為祁斯美與馬曼嬌長相一樣，李昌俊就會愛她、娶她？《關西刀客傳》中的情感故事，雖然比《山東響馬傳》中的情感描寫更多也更細，但比同時連載作品如梁羽生的《七劍下天山》、金庸的《射鵰英雄傳》等作品相比，在情感描寫方面，明顯要遜色不少。

五、牟松庭小說的歷史地位

牟松庭的第一部武俠小說《山東響馬傳》，比梁羽生的第一部武俠小說《龍虎鬥京華》（**一九五四年一月二十日開始連載**）要早一年多時間。這就有一個問題：為什麼人們認為香港「新派武俠小說」的開山鼻祖是梁羽生，而不是牟松庭？

一九五六年十月五日，《新晚報》刊載梁羽生的文章《談「新派武俠小說」》，首次使用「新派武俠小說」這一概念。一九六六年，應羅孚之約，梁羽生化名佟碩之，在《海光文藝》創刊號上發表文章《新派武俠小說兩大名家：金庸梁羽生合論》（**連載至第三期**），都沒有涉及牟松庭的武俠小說。

大陸讀者知曉「新派武俠小說」這個概念，多是從柳蘇的文章《俠影下的梁羽生》開始。文章中說：「一九五二年，香港有一場著名的拳師比武……這一打，也就打出了從五十年代開風氣，直到八十年代仍然流風餘韻不絕的海外新派武俠小說的天下。」[16]作者這樣說，是因為香港《新晚報》利用了此次拳師比武的轟動效應，在比武後幾天即推出梁羽生的武俠小說《龍虎鬥京華》。如果此事果真發生在一九五二年一月，意味著梁羽生小說比牟松庭小說發表的時間更早，誰是新派武俠小說開山鼻祖也就不成問題。

可惜作者記憶有誤，這場比武及梁羽生的《龍虎鬥京華》其實都發生在一九五四年。文章中說梁羽生小說創作比金庸早三年，也同樣是記憶有誤（**其實只早一年**）。值得注意的是，作者在後來的文章如《兩次武俠的因緣》中作了訂正，[17] 但其他文章中仍堅持新武俠開先河者是梁羽生，而非牟松庭：「高旅也寫過武俠小說，他在一九五二年創刊的《香港商報》上，以牟松庭的筆名寫過《山東響馬傳》之類好幾篇，雖然後來梁羽生、金庸在《商報》寫的武俠小說引起了人們對武俠小說的興趣，他們的作品被認為為武俠小說開闢了新的天地，被稱為是新派武俠小說，但高旅那些卻沒有被列入這新派之內。」[18]

牟松庭小說為什麼沒有被列入「新派」之內？是什麼人、因為什麼理由將牟松庭小說從「新派」中排除？這是個值得專門研究的課題。

牟松庭的武俠小說被忽略，有幾個可以想到的原因。

其一，是《山東響馬全傳》在《香港商報》上連載，這份報紙剛剛創刊，覆蓋面有限，不似面向廣大市民的《新晚報》的覆蓋面那麼大。

其二，《山東響馬傳》沒有《龍虎鬥京華》那樣的轟動效應，前者只是一部武俠小說而已，後者則是在一場轟動香港、澳門社會的比武之後、市民餘興未消之際乘機行銷，口碑及影響力自然被極度放大，成為一個社會事件的組成部分。

其三，梁羽生、金庸的武俠小說不斷出新，梁羽生繼《龍虎鬥京華》、《草莽龍蛇傳》之後又推出《七劍下天山》、《塞外奇俠傳》、《白髮魔女傳》等，金庸繼《書劍恩仇錄》、《碧血劍》之後推出《射鵰英雄傳》、《神鵰俠侶》等，形成新派武俠小說的耀眼光環。牟松庭的幾部小說無法與《七劍下天山》、《射鵰英雄傳》相比，很容易被梁羽生、金庸的光環所遮蔽。

其四，牟松庭的武俠小說，筆法傳統，語言古樸，看起來確實不太「新派」。

牟松庭小說是不是新派武俠小說？這取決於如何界定「新派」。而實際上，人們談論新派即為新派命名時，很可能只是即興印象式概括，未必有嚴格的學術性界定。假如將新思想、新觀念、新技法、新文體、新形式等列為「新派」的界定標準，那麼梁羽生、金庸小說也並非符合上述全部條件，因為他們最初都是採用章回小說體制，那顯然是舊文體，而非新文體。將梁羽生視為新派代筆人物，只不過是因為梁羽生小說是按照新的——左派的——思想價值觀書寫歷史傳奇故事。而牟松庭在《山東響馬傳》的《自序》中說：

「數十年來，世紀末之風遍洋場，作者多捨寫實而尚奇幻，荒誕神怪，每下愈況，間有佳作，反成遺珠，思之未嘗不擲筆三嘆……每聞父老娓娓談江湖俠聞，會黨秘密，擊節悲歌，輒涕泗滂沱，不能自已，乃有《山東響馬全傳》之作，欲盡網羅放矢之意，嘆無變化腐朽之功，篤志寫實，乃慚乏方。」[19]

這表明，作者不滿舊式武俠小說的奇幻怪誕之風，立志要創新武俠故事。《山東響馬傳》並非山東響馬攔路搶劫故事集錦，也非一般劫富濟貧的俠客奇聞，而是寫一批身在綠林、心繫洪門的響馬好漢，對抗官府、反清復明的英雄傳奇。這一思想主題，實與新興左派價值觀吻合。

在香港武俠小說史上，《山東響馬傳》實為一座意義重大里程碑，為香港武俠小說帶來了新景觀和新氣象。具體說，其一，是改變了武俠小說的寫法，顛覆了此前香港「技擊小說」傳統，以其多姿多彩的武俠歷史傳奇故事，讓人耳目一新。

其二，是打破了香港武俠小說的地域文化局限，開創了香港國語文化圈武俠小說創作與傳播的先河，繼承並發揚了中國武俠小說的優秀傳統，拓展了香港武俠小說的想像空間，同時滿足了香港國語文化圈和粵語文化圈讀者的娛樂之需，並標注香港武俠小說的新天地。

其三，是以純正而高質的漢語白話，為香港武俠小說語言注入新的生機。

其四，《山東響馬傳》刊登在新創刊的《香港商報》上，改變了香港大報不刊登武俠小說的慣習。此前，香港武俠小說多刊載在粵語文化圈的「小報」上，難登大雅之堂，《香港商報》及《山東響馬傳》開了嚴肅報紙刊載武俠小說的先河，《新晚報》、《大公報》、《文匯報》、《華僑日報》等大報刊載武俠小說，不過是步其後塵。

武俠小說的新與舊，只是一個相對性概念。比新與舊更重要的，應該是小說本身的藝術品質。《山東響馬傳》故事情節曲折，人物形象鮮明，細節精粹豐富，語言別致生動，堪稱小說佳作。其藝術成就，實高於梁羽生小說處女作《龍虎鬥京華》，與金庸小說處女作《書劍恩仇錄》相比亦不遑多讓。論小說語言的生動質感，梁羽生、金庸的早期小說，顯然無法與《山東響馬傳》相比。

總之，即便牟松庭小說的名氣與影響不如梁羽生、金庸，以至於被「新派」論者所忽略，但這並不影響牟松庭及其《山東響馬傳》等作品在香港武俠小說史上的重要地位。

【注釋】

1 羅孚：《高旅和聶紺弩》，載羅孚：《文苑繽紛》第三一六頁，北京，中央編譯出版社，二〇一一年。

2 一說是《香港商報》創刊時，即一九五二年十月十一日，小說就開始連載，待考。

3 高旅在《點火者的平實話——關於武俠小說》（載《語文園地》一九八六年第六期第十一—十二頁）中說，《張文祥刺馬》寫於《山東響馬傳》之前。實則，《張文祥刺馬》刊載於後。本文未採作者此說，特此說明。

4 《青紅幫大演義》、《紅花亭豪俠傳》、《洪門英烈傳》這三個書名，一個比一個好。《青紅幫大演義》像是野史小說書名，《紅花亭豪俠傳》更像武俠小說書名，而《洪門英烈傳》則既像武俠書名且同時概括了小說主題內容。假定這三個書名都經過作者同意，《洪門英烈傳》應作為本書確定書名。

5 本書共有十七集。我看到的版本是香港長虹出版社出版的，小三十二開本，共十七集，六四七頁。

6 牟松庭：《山東響馬傳》第一集，第四十九頁。

7 牟松庭：《山東響馬傳》第二集，第三三六頁。

8 牟松庭：《山東響馬傳》第八集，第一九一五、一九一九頁。

9 牟松庭：《山東響馬傳》第二集，第三三六—三三七頁。

10 我看的版本，是臺灣育幼圖書有限公司《刺馬》一九八一年八月版，署名：南湘野叟。引文見第十一—十二頁。以下引文為同一版本，只標注頁碼，不再注釋版本訊息。

11 牟松庭：《洪門英烈傳》下冊，第七七一頁，臺北，金蘭文化出版社，一九八一年。

12 牟松庭：《洪門英烈傳》上冊，第一六二—一六三頁。

13 吳母故事，見《洪門英烈傳》下冊，第四五二—四五四頁。

14 牟松庭：《洪門英烈傳》下冊，第四八一頁。

15 牟松庭：《洪門英烈傳》下冊，第七二六頁。

16 柳蘇：《俠影下的梁羽生》，載《讀書》一九八八年第三期。引者按：柳蘇即羅孚。

17 羅孚：《兩次武俠的因緣》，載羅孚：《文苑繽紛》第三十五—四十一頁（寫作時間為一九九五年十二月），北京，中央編譯出版社，二〇一一年。

18 羅孚：《高旅和聶紺弩》，載羅孚：《文苑繽紛》第三二二頁，北京，中央編譯出版社，二〇一一年。

19 牟松庭：《山東響馬傳》第一頁，香港，三育圖書文具公司，一九五六年。

第九章

梁羽生的武俠小說創作（上）

梁羽生，原名陳文統（一九二四—二〇〇九），廣西蒙山人，自幼熟讀古文，喜歡寫詩填詞作對聯。桂林中學高中畢業，一九四五年九月隨在蒙山避難的簡又文先生一家到廣州，入嶺南大學化學系，後轉入經濟系。一九四九年六月提前畢業，入香港《大公報》任英文電訊編譯。一九四九年底改任副刊助理編輯，一九五〇年八月，被任命為《大公報》社評委員會成員，成為該報最年輕的社評委員。

梁羽生博學多才，在報紙上開設多個專欄，寫過大量專欄文章，結集出版過：

《史話一千年》（一九五四，署名梁慧如）
《婚姻與家庭》（一九五五，署名馮浣如）
《文藝雜談》（一九五五，署名馮瑜寧）
《穗港棋王會戰紀詳》（一九五五，署名陳魯，與王蘭友合著）
《人生與友誼》（一九五五，署名馮浣如）
《中國歷史新話》（一九五六，署名梁慧如）
《三劍樓隨筆》（一九五七，與金庸、百劍堂主合著）
《李夫人的信》（一九五八，署名馮浣如）
《古今漫話》（一九六九，署名梁慧如）
《人生的探秘》（一九七二，署名馮浣如）
《古今名聯談趣》（一九八四）

《筆・劍・書》(一九八五)
《筆不花》(一九八六)
《名聯談趣》(一九九三)
《筆花六照》(一九九九)
《筆花六照》(增訂版,二〇〇八)
《名聯觀止》(增訂版,二〇〇八)
《梁羽生散文》(二〇〇八)
《統覽孤懷——梁羽生詩詞、對聯選輯》
《梁羽生閒說〈金瓶梅〉》(二〇〇九)
《梁羽生散文集》(二〇一五)

一九五四年一月十七日,吳公儀與陳克夫國術表演暨紅伶義唱籌款大會在澳門開幕,《大公報》子報《新晚報》上發表署名梁羽生的文章《太極拳一頁秘史》,是「梁羽生」之名第一次出現。一月十八日,《新晚報》總編輯羅孚說服陳文統創作武俠小說;一月十九日,《新晚報》頭版刊載《本報增刊武俠小說》廣告;一月二十日,署名梁羽生的武俠小說《龍虎鬥京華》開始在《新晚報》上連載。

自此,梁羽生共有三十五部武俠小說在報紙上連載,持續三十年時間。具體如下。

《龍虎鬥京華》，新晚報，一九五四年一月二十日—一九五四年八月二日。
《草莽龍蛇傳》，新晚報，一九五四年八月十一日—一九五五年二月五日。
《七劍下天山》，大公報，一九五五年二月十五日—一九五七年三月三十一日。
《塞外奇俠傳》，週末報，一九五五年八月十八日—一九五七年二月廿三日。
《江湖三女俠》，大公報，一九五七年四月八日—一九五八年十二月十日。
《白髮魔女傳》，新晚報，一九五七年八月五日—一九五八年九月八日。
《萍蹤俠影錄》，大公報，一九五九年一月一日—一九六〇年二月十六日。
《冰川天女傳》，新晚報，一九五九年八月六日—一九六〇年十二月十八日。
《還劍奇情錄》，香港商報，一九六一年二月十七日—一九六一年六月廿二日。
《散花女俠》，大公報，一九六〇年二月廿三日—一九六一年六月廿二日。
《冰魄寒光劍》，武俠與歷史，一九六一年三月一日—一九六一年九月廿九日。
《女帝奇英傳》，香港商報，一九六一年七月一日—一九六二年八月六日。
《聯劍風雲錄》，大公報，一九六一年七月三日—一九六二年十一月廿五日。
《雲海玉弓緣》，新晚報，一九六一年十月十二日—一九六三年八月九日。
《大唐游俠傳》，大公報，一九六三年一月一日—一九六四年六月十四日。
《冰河洗劍錄》，新晚報，一九六三年八月廿四日—一九六五年八月廿二日。
《龍鳳寶釵緣》，大公報，一九六四年六月廿五日—一九六六年五月十五日。

《挑燈看劍錄》，香港商報，一九六四年七月一日—一九六八年六月廿三日（又名《狂俠・天驕・魔女》）。

《風雷震九州》，新晚報，一九六五年九月廿二日—一九六七年九月廿八日。

《慧劍心魔》，大公報，一九六六年五月廿三日—一九六八年三月十四日。

《飛鳳潛龍》，正午報，一九六六年十一月—？

《俠骨丹心》，新晚報，一九六七年十月五日—一九六九年六月二十日。

《瀚海雄風》，大公報，一九六八年三月十五日—一九七〇年一月廿一日。

《鳴鏑風雲錄》，香港商報，一九六八年六月廿四日—一九七二年五月十九日。

《彈鋏歌》，新晚報，一九六九年七月一日—一九七二年二月四日（又名《遊劍江湖》）。

《風雲雷電》，大公報，一九七〇年二月九日—一九七二年九月十五日。

《折戟沉沙錄》，新晚報，一九七二年二月十六日—一九七五年一月十三日（又名《牧野流星》）。

《廣陵劍》，香港商報，一九七二年六月三日—一九七六年七月三十一日。

《武林三絕》，大公報，一九七二年七月一日—一九七六年八月十六日。

《絕塞傳烽錄》，新晚報，一九七五年二月十二日—一九七八年四月十日（含《彈指驚雷》）。

《劍網塵絲》，大公報，一九七六年九月一日—一九八〇年一月廿六日（含《幻劍靈旗》）。
《武林天驕》，香港商報，一九七八年五月二日—一九八二年三月九日。
《武當一劍》，大公報，一九八〇年五月九日—一九八三年八月二日。

一、梁羽生小說的特色與成就

梁羽生的新派武俠小說，以其稔熟的文學陳述與新鮮的人民史觀，正義的俠道精神與悲憫的人道情懷，豪邁的英雄氣概與浪漫的愛情氣息，精巧的文化展示與親切的故國氤氳，優美的語言風格及豐沛的詩情畫意，已成全球億萬華人讀者共同想像的精神文化家園。以下分別說。

一、歷史框架與人民史觀

梁羽生小說最突出的特點，是在內容上，以真實歷史為綱，以虛構傳奇為目，人間恩愛情仇交織其間，構成其小說敘事的基本框架。具體說，即他的小說敘事情節，

量的文學吸引力及其歷史文化精神潛移默化作用，不少海外華僑家長選用梁羽生小說作為子弟們的文、史教科書，並非偶然。

二、俠義支柱與人物形象

梁先生小說的另一特色，是對俠義精神的執著追求，即把俠義精神主題及其俠士英雄形象作為其小說敘事建構的支柱棟梁。即在敘事中，以俠義為綱，以武打為目，以俠義人物的性格與命運展現為核心，講述精彩的傳奇故事。梁先生堅持以俠為主，以武為輔，認為武是一種手段，俠是一種目的，正確的選擇應該是通過武力的手段達到俠義的目的。極端的說法是：「寧可無武，不可無俠」。

對此，有人喜歡，有人不喜歡。欣賞者認為梁先生的小說創作堪稱武俠文學的正路，其筆下張丹楓式儒雅多才的道德典範堪稱武俠文化精神的正格。質疑或反對者則認為梁先生不僅「正統」，而且「保守」，因而只能算是武俠世界中的「舊派」，以至於跟不上時代風尚的發展及讀者口味的變化。

如何看梁先生堅守俠道精神的觀念與實踐，是正確解讀其作品的一大關鍵。

首先要瞭解的是，梁先生提出其武俠小說必須「以俠為主，以武為輔」，否則「寧可無武，不可無俠」，有特定的歷史文化背景。在武俠小說創作與欣賞的實際歷史進程中，前人已由「俠義小說」向「武俠小說」（置「武」於「俠」之前，俠已退居「二線」矣）轉變，而今又有由「武俠小說」向「武打小說」（這回連「俠影」也不見了）轉變的大趨勢。進而，在武俠小說主人公形象的價值取向方面，有較為明顯的「俠氣漸消，邪氣漸漲」的趨勢。在這一背景下，梁先生提出堅守武俠小說的正道價值，並號召遵守武俠小說的精神規範，是要避免武俠小說墮入娛樂至上，即迎合讀者低級趣味的泥淵，希望力挽狂瀾並撥亂反正。

實際上梁先生對俠義的理解，已經超越了古典的內涵。他曾說：「什麼叫做俠？這有許多不同的見解。我的看法是，俠就是正義的行為。什麼叫做正義的行為呢？這也有很多看法，我認為對大多數人有利的就是正義的行為。」（見梁羽生：《從文藝觀點看武俠小說》）梁羽生小說中的俠，是「為大多數人的利益的」，即為國家，為民族，為千百萬人民百姓而奉獻和犧牲的「俠之大者」，如《塞外奇俠傳》中幫助回疆少數民族抗暴應戰的大俠楊雲聰；《七劍下天山》中繼承師兄反滿抗清遺志、幫助人民大眾匡扶大義的凌未風；《萍蹤俠影》中捐棄私家仇怨而以大局為重、慷慨赴國之難、解民之危的大俠張丹楓……梁羽生心中與筆下的俠義正道，其中明顯包涵了現代意義上的人道精神。

將俠義精神列為小說寫作的第一目標，進而在武俠小說中宣揚服務大眾的人道精神，顯然值得尊重。當然，在技術的層面上，將人道精神及其俠義人格理想轉化為小說的敘事主人公——俠士形象通常是理想道德人格——很容易讓人想到概念化、公式化的隱患。這也正是梁羽生小說中的一個複雜的問題。

不能說梁羽生的小說中沒有概念化的傾向，但若以為梁羽生的小說總是「千部一腔、千人一面」，那又會大錯而特錯。梁羽生先生的小說在人物形象塑造方面，雖說是以道義為綱，卻又以個性特色為目，最典型的俠義主人公並非簡單的能文能武能俠的概念，且具有能哭能歌的人性風流。具體說，其中至少有以下三點值得注意。

一是在類型人物群體中，注意突出人物的個性氣質。梁羽生堅持俠義理想，堅持道德人格的模式，同時又盡可能地寫出不同人物的鮮明個性及其生動形象，讓主人公們在追求大義目標的過程中，盡可能有機會表現出各自不同的身分、教養、個性、氣質。具體將人物置於複雜的矛盾衝突中，使他們有不同的經歷、閱歷及表現個性的機遇。如《江湖三女俠》中的三位主人公形象，呂四娘、馮瑛、馮琳，雖然並肩江湖，並列於俠榜，但其個性氣質卻大不相同。呂四娘具有天然的領袖氣質，果決而又剛毅，熱烈而又深沉；馮瑛溫婉含蓄、落落大方；馮琳則是天真活潑、調皮搗蛋，略帶二分邪氣。

二是在堅持主流的前提下注意對人物「邊緣性」的描寫。梁先生雖謹守俠義，卻不墨守成規。若以為梁羽生小說的主人公完全是儒家典範、道德楷模，那顯然是錯讀或誤解。例如《白髮魔女傳》中白髮魔女練霓裳既天真純潔，又我行我素，還心狠手辣；既情深情癡，又爽朗豪邁，還偏激固執。這一人物的自然本性（**野性**）、社會本性（魔頭）與心靈品質（俠氣）自然而又巧妙地結合的在一起。《雲海玉弓緣》中的金世遺的形象與一般意義上的俠士的形象差得更遠。此人偏激任性，憤世嫉俗，我行我素，亦正亦邪，讀梁羽生小說者無不印象深刻。

三是在理想人格及道德模式中盡可能地寫出真實的人性。梁羽生小說中雖然善惡分明，但除了道德判斷，作者並未忘卻人性的特徵奧妙。這使梁羽生小說中的「正」與「邪」也就不似前人所寫的那樣呆板和一成不變。《白髮魔女傳》中的武當四老雖出身名門且為人基本正派，但在練霓裳看來卻「言語無味，面目可憎」，其原因就在於他們的性格、心理上的重大缺陷，或固步自封、或狹隘自私、或氣勢凌人，而其中以白石道人的形象尤為典型。

三、情感建構與人性內涵

梁羽生小說情感描寫的特徵，是他堅持武俠言情的正格，堅持「發乎情，止乎禮」的傳統道德文化規範，溫柔敦厚，美麗清雅。草草看過，似不過簡單的男歡女愛，並無多少與眾不同處。但若深入一層，則應能看到梁羽生小說的情感建構中，實包含了獨立的女性天地、繁複的情感世界、隱曲的心靈空間。更加難能可貴處，是所有的空間之中都充溢著人性的氣息，及人道精神內涵。

先說獨立的女性天地。梁羽生寫《白髮魔女傳》、《江湖三女俠》、《散花女

友」的實用政治原則，都應暫時擱置分歧，尋求相互合作。但李思永、凌未風卻不管這些，見到漢奸吳三桂就摟不住火，當場斥責，讓他難堪，結果從談判代表、座上客變成階下囚。

這一結果難免讓人納悶，既然如此，何必來找吳三桂？若把它當作童話，就沒有問題了：李思永、凌未風是愛恨分明之人，對引領清兵入關的大漢奸吳三桂無法忍受，無法合作是必然。在童話層面上看，只有對吳三桂毫不妥協，才能證明凌未風、李思永等人的英雄氣概。

按小說標準看，《七劍下天山》的結構缺乏整體性，主人公們始終在作江湖浪遊，且是走到哪算哪，看不出他們的實際目標。進而，甚至很難說得清究竟誰是這部小說的主人公？這就難怪，電影人數次把小說搬上銀幕，總是無法獲得成功。一部作品的主人公都不明確，如何能變成精彩的電影故事？只有在童話層面上，書中的人物和故事才能被欣賞點讚。

即便如此，書中仍然有些漏洞。例如，大內侍衛到劍閣山谷抓捕石天成，說他是「反賊」。問題是，石天成從未做過任何與造反有關之事，而是始終陷於個人情仇之中，一心一意地找師兄桂天瀾的麻煩，直到桂天瀾被他打死，他自己身負重傷。清廷侍衛怎麼會把他當作「反賊」？

三、《白髮魔女傳》

《白髮魔女傳》是梁羽生的第六部小說，也是其最著名的小說之一，曾多次被改編成電影和電視連續劇。《白髮魔女傳》是梁羽生小說創作的一記奇招，它是一個悲劇作品，俠士悲劇、情感悲劇、歷史悲劇交織在一起，成為一幅奇異的悲劇圖畫，在梁羽生的小說中也不多見。

《白髮魔女傳》最突出的藝術特點與成就，是它情節結構的藝術。

按說，這部小說的主人公只是一位江湖草莽中的綠林女霸主，而小說主題則只是一個悲劇愛情故事。但在梁羽生筆下，不僅江湖場景十分壯闊，寫到了武林中各層次人物，也寫到了當時川、陝等地各路「反王」，反映了明末農民起義風起雲湧且又魚龍混雜的真實歷史場景。與此同時，小說還寫到宮廷鬥爭，以及遼東抗敵的軍國大事。如此使得《白髮魔女傳》這一說俠言情的小說，有了一種波瀾壯闊、深切悲沉的歷史背景，且有相當鮮活的歷史感。

小說的結構之巧，在於它以人物關係及其「放射線」組成一個結構整體。主人公練霓裳生長於草莽之間，與朝廷江山沒有什麼關係，但她的戀人卓一航的祖父、父親都在朝廷為官，這一條關係線索就由江湖綠林通往宮廷江山。因為卓一航的父親戶部侍郎卓繼賢被朝中奸黨所害，影響了卓一航的命運，由此寫到朝廷之事就理所當然。

其二，練霓裳的同門師兄——她師公霍天都的弟子——岳鳴珂（**此人也是卓一航的好友**）乃是遼東經略熊廷弼麾下參將，這一條線索當然就將遼東國防與朝廷動向串聯在一起。

其三，練霓裳的盟友王嘉胤之子王照希的岳父，又是北京皇宮中做太子侍衛，這又直接將小說的敘事視點轉向皇宮之中。

其四，練霓裳本人是綠林強盜，是與朝廷對立對抗的，或剿滅或招安，總是要直接或間接地與朝廷大局發生矛盾衝突（**這一點可以說是小說的正面即主要線索，練霓裳的月明寨最終果然被官兵所攻破**）。

其五，岳鳴珂在熊廷弼遇害之後，托卓一航將熊廷弼所著的《遼東論》轉交給可托之人，也就是新的朝廷柱石，這又將江湖與江山聯繫起來。最後，練霓裳等將這部書交給原遼東督師府的一個小僉事袁崇煥，使他最終成為繼熊廷弼之後的又一遼東國防大帥。

上述人物關係，正是小說結構經脈，這些人物的命運也由此而休戚相關。因為他們不論在朝還是在野，為官或是為盜，都是生活在同一歷史時代、同一種社會結構整體之中。西北內亂不平，東北外患不去，無論內外正反，都與朝廷政策密切相關。皇帝及朝廷大臣都要為此負主要責任。所以，寫到皇宮朝廷，實為追根溯源，探討歷史真相，挖掘人物命運悲劇的最深刻的背景原因。這樣的敘事結構，無疑使我們的視野大為開闊，使作者的創作有更為自由馳騁的廣闊天地，從而使武俠小說因這一廣闊歷史背景而提升其藝術品位。

其次，《白髮魔女傳》的突出特徵與成就，在於它創作了諸多生動鮮明的人物形象。諸如：練霓裳、卓一航、岳鳴珂、鐵飛龍、王照希、熊廷弼、朱由校（皇帝）、慕容沖……等不同階層的人物性格。

玉羅刹練霓裳的名字取得美，人也長得美，但她的性格卻是充滿野性——因她自幼被父母拋棄，被母狼餵養成人，是一個地道的「狼孩」，自必具有野性。她的身世經歷，是其個性基礎。進而，她師傅凌霜華也是一位個性極強的女性，因與丈夫霍天都爭強鬥勝，不惜離開丈夫二十年，立志要創造出可以與丈夫的武功威力相當的武功。

有其師必有其徒，練霓裳受師父的影響，潛移默化，自然會養成任性好強的個性，這是她性格的核心因素。進而，師父去世後，練霓裳落草為寇，做了綠林女霸主，人稱玉羅刹，讓人聞名喪膽。練霓裳性格的第三層，即對環境的適應與拓展能力。總之，練霓裳的個性，是在特定環境中生長而成。

小說對這一人物的表現，非常細膩且精彩。與不同的人物相處，她會表現出性格的不同側面。與卓一航相處，她表現出溫柔自制；與岳鳴珂相處，她顯現的是任性刁蠻；與熊廷弼相處，她爽朗直率；與鐵飛龍相處，她又單純嬌憨；與綠林同道相處，她霸道殘暴；與武當派長老相處，她潑辣任性（被對方當作是邪氣）……總之，她的言行與性格，如同自由自在的生命之流，誰也說不清到底是什麼。她的性格光彩，無人能及。她的痛苦與孤寂，也同樣無人能比。越是如此要強，對痛苦就愈敏感，孤寂感也會愈深。

練霓裳的形象，是《白髮魔女傳》中最成功的藝術形象，也是梁羽生小說最為成功的藝術形象之一。

卓一航不是一般公子哥兒，更不是尋常紈褲子弟，不僅文武雙全，藝業驚人，而且俠義正直、胸懷坦蕩。但他畢竟是官家子弟，且是家裡獨苗，又是武當派掌門弟子，在這樣的環境中長大，會有自覺的責任感，同時又有不自覺的優越感，在家族或門派責任感和個人情感發生矛盾衝突時，他又暴露出內心猶疑與怯弱。在普通情境下的優雅大度，在超強壓力或兩難選擇中，其個性弱點則暴露無遺。小說中的卓一航形象，是最具文化內涵的藝術典型。

岳鳴珂是另外一種人，出身於草莽，投身於軍隊，為的並不是個人飛黃騰達及光宗耀祖，而是因為師父的囑托、俠客的抱負和平民的職責。他比卓一航少一分文秀，卻多出三分豪邁。正因如此，他才會與鐵珊瑚謹守江湖義氣和兄妹情誼，不主動朝情愛方向努力。在玉羅剎為他說媒時，他的表現也是怕觸動內心情弦的習慣與固執，直到鐵珊瑚死後，才感到失去伊人的遺憾和悲傷。

小說中，鐵飛龍豪邁任性，穆九娘重情卻失義，都寫得有分寸精準。王照希灑脫又嫉妒，熊廷弼正直而爽朗，也都活靈活現。武當五老中，除紫陽道長德高望重、心胸開闊（不幸早逝）外，其他四位即黃葉、紅雲、青蓑、白石，雖本性不惡，但卻傲慢自大且盛氣凌人，均十分生動傳神：一層是名門大派的優越感，加上名門長老的身分榮耀；一層是囿於門戶之見，眼界不寬，胸懷不廣，說好是視門派榮譽高於一切，說壞則是蒙昧自大而愚蠢無知。

在這四位長老中，黃葉道長的老成，紅雲道長的火爆，青蓑道長的偏激，白石道長的私心算計等等，也都寫得非常細緻，各如其面。白石道長想將自己的女兒嫁給掌門弟子卓一航，其心理及行為，在小說中有非常充分的表現。

此外，小說中大內高手慕容沖的立場轉變，也是值得玩味。

總之，《白髮魔女傳》的人物，無論主次，都得到了作者的精心描繪。尤其是小說中的正面英雄人物形象，不僅個性突出，而且人情味十足，少有理想化與概念化痕跡，在梁羽生小說中特別突出，也特別難得。

再次，《白髮魔女傳》的另一成就，是其中愛情故事的悲劇性呈現。

首先是練霓裳與卓一航的愛情悲劇，寫得曲折而生動；兩位主人公的情感心理，也展示得突出而充分。練霓裳與卓一航相愛，有真實可靠的心理依據。

練霓裳出身孤苦、落難草莽、身在綠林，與卓一航生活在完全不同的世界中。也正因此，卓一航文秀儒雅的身分氣質，對練霓裳有超乎尋常的吸引力。她渴望的不僅是這個人，而是渴望得到這個世界。所愛是其所缺，既是她愛上卓一航的衝動之源，也是這一愛情悲劇結局的根本原因。

卓一航對練霓裳的愛，則是對她美麗、聰慧、尤其是她靈動不拘的個性氣質——這也正是他所缺少的——的本能愛慕。男女間相互愛慕，是此一個性對彼一個性的愛慕和遐想，也是此一種人生對另一種人生的愛慕和遐想，還是此一人生世界對彼一人生世界的愛慕和遐想。

練霓裳與卓一航愛情悲劇，有社會因素、命運因素，更有個性因素。在社會身分方面，他們缺乏必要的平等基礎，在講究門當戶對的古代社會中，這是愛情悲劇的主要成因。卓一航是官宦人家的公子，而練霓裳則是綠林女強盜，從階級觀點看，不但分歧而且對立。練霓裳一出場就搶劫了卓一航祖父，將老人家嚇得半死，不可能不影響到她與卓一航關係的發展。

進而，卓一航是武當派的掌門弟子，而練霓裳是綠林霸主、黑道、邪派，與白道正派名門水火不相容。如此身分對立，已經註定他們的愛情無法樂觀。更何況還有命運撥弄，玉羅剎搶劫了卓一航祖父卓仲廉，此其一。玉羅剎大大得罪了武當五老，還將幾人打傷，此其二。白石老道選卓一航作女婿，且得到其他長老默許，此其三。白石道長聯合官軍滅了練霓裳的明月寨，雙方仇怨越積越深，此其四。如此機緣或命運，讓人感慨唏噓。

然而，卓一航與練霓裳的愛情悲劇，根本原因卻是他們的個性衝突，即性格決定命運。不同的性格，正是命運的主要組成因素。他們相愛相慕，是對人生「彼岸」的憧憬，即對另一種人生的追求。問題是，人又怎麼能夠擺脫自己的環境影響，隨心所欲地進入非自己所屬的另一個世界？環境造就個性，練霓裳主動、自尊、要強，與卓一航被動、猶疑、怯弱，在不同的心理層次上都是對立的。

花前月下的絮語、情深無限的盟誓，實無法掩蓋個性對立與衝突。所以，當練霓裳最後一次上武當山求愛，卓一航下意識地幫師叔打退練霓裳的進攻，對練霓裳的心靈傷害遠甚於其身體傷痛。最後，卓一航毅然前往天山尋找練霓裳，即使沒有何綠華引起的誤會，練霓裳既已滿頭白髮，心如死灰，又豈能重修舊好？

在《白髮魔女傳》中，白髮魔女練霓裳與卓一航的愛情悲劇，被表現得生動細膩、深刻感人。他們的初遇、再見、分離、再分離……愛情交往全過程，都有如詩歌般美麗且傷感，充滿了無奈。如卓一航所寫小令《雙調憶江南》所言：

「秋夜冷，獨自對殘燈，啼笑非非誰識我，坐行夢夢盡緣君，何所慰消沉。

風卷雨，雨復卷濃心，心似欲隨風雨去，茫茫大海任浮沉，無愛亦無憎。」

如此深情的哀怨，優美的悲傷，在小說中處處可見。

當然，最震撼的還是練霓裳一夜白頭的情節——「白髮魔女」之名由此而得——多少文字也抵不過這一無聲的場景。作者沒有按照武俠小說常規，人為地製造大團圓結局，讓愛情悲劇貫徹到底，小說的藝術審美價值被大大提升。

小說中還涉及到霍天都與凌霜華，鐵飛龍與穆九娘，岳鳴珂與鐵珊瑚等愛情與婚姻悲劇故事。這些人的故事，也具有很高的藝術價值，值得欣賞品味。

四、《萍蹤俠影錄》

《萍蹤俠影錄》是梁羽生小說的代表作，也是作者本人最滿意的作品。

小說的突出成就，是以張丹楓與雲蕾兩個人物為經，以土木堡之變為緯，編織出一幅充滿家國情仇張力的歷史傳奇畫卷。小說結構外鬆內緊、重點突出，複雜而有序，多條線索交織重疊，散而不亂。故事精彩，人物鮮明，堪稱佳作。

主人公張丹楓是張士誠的後人，其父張宗周逃到了蒙古，當上了右丞相，一是為了活命，擺脫朱明王朝的追殺；二是為了復仇，要從朱明皇帝手中奪回江山，重振張士誠後周王朝的基業。張丹楓入關之際，正是朱明王朝的危難之時，內部君昏臣亂，奸宦當政；外部瓦剌雄兵陳邊，虎視眈眈。

張丹楓要報家國之仇、推翻朱明王朝、復辟張氏政權，此其時也。但張丹楓的最終選擇卻是：與追殺他的江湖英雄化敵為友；進而在土木堡幫助朱明王朝抗敵禦侮；進而將原本為滅明復國用的千萬珍寶獻給明朝做軍餉；進而與明朝大臣于謙裡應外合，逼也先認清形勢，讓瓦剌太師放還明朝皇帝，並與明朝簽訂和平條約。張丹楓這麼做，內違背父親，外資助仇敵，超越了世俗恩仇及傳統價值觀。原因是他有更高層次的民族認同，同時也寄寓了作者民族主義、愛國主義、人道主義思想精神。

小說是在兩重矛盾衝突中表現張丹楓的性格。一方面，他是復仇者，另一面，他又是雲家復仇的對象。張丹楓長相英俊、風度瀟灑、文武全才，穿白袍、騎白馬，隻身單騎，飲酒吟詩，能歌能哭，亦俠亦狂，超凡脫俗。偏偏遇到仇家美女雲蕾，愛不得、恨不得、打不得、避不得，矛盾重重，難以抉擇，於是焦慮、痛苦、忍辱、期待、佯狂，只為情癡只為真，於是乎孤獨無奈的張丹楓，與志向遠大的張丹楓合二為一，形成生動可信的形象。張丹楓狂喜歌哭，任性自然，活潑機智，熱情爽朗，談吐幽默，充滿奔放的生命活力，風采迷人。

小說中的雲蕾形象，是單純、善良、美麗、聰慧且具有正義感，當然也有頑皮小性子。第一次出場時，她年方七歲，特點是單純善良，幼稚無知，怕見血、不願殺人，覺得爺爺雲靖充滿仇恨與殺氣的臉色十分可怕。爺爺留給她的那張羊皮血書，成了她的噩夢及痛苦根源。十年之後，她再次登場，突出特點是美麗如花而又單純可愛。在花叢中出場，人面鮮花彩蝶，相得益彰。再後來，救假裝自殺的軍官方慶，表現了雲蕾見義勇為而心懷慈悲，同時也表現她缺乏江湖人生經驗，落入周健與周山民父子算計而不自知。與張丹楓相遇，動俠念救公子、打抱不平當保鏢，反被張丹楓調侃戲弄，益發表現雲蕾的單純、正直、可愛。

再後來到石英莊上，被迫與石翠鳳比武訂親，在迫不得已的窘迫中，居然一廂情願地想要移花接木，表現了名門少女的俏皮幽默。久歷人世風霜，熟悉江湖人事，雲蕾逐漸成熟，但單純善良的本性始終未改，在任何時候，她都不喜歡傷害。面對張丹楓這位可喜可憎、可愛可氣的仇家，雲蕾心理微瀾及其言行舉止，更曲盡了她的個性及其微妙心思。雲蕾只有十七歲，正是花蕾初綻之年，以「蕾」命名，可見作者審美態度和藝術用心。

小說中其他人物形象刻畫頗有成就，其刻畫方式有以下幾點特色。

一是，小說中有不少人物有著江山、江湖兩重身分。張丹楓是瓦剌丞相張宗周之子，更是張士誠嫡孫；同時又是江湖俠士。雲蕾是明臣雲靖的孫女，又是江湖高人玄機逸士的徒孫。周健是雁門關總兵，卻做了土匪寨主。雲重本是江湖新秀，卻考取明朝武狀元。張風府是大內第一高手，卻是出身武林。石英雖是獨腳大盜，卻也是張士誠麾下石將軍的後人。張宗周麾下的澹台將軍，是綠林大盜上官天野的首徒。連太湖邊的村夫、村婦，原也是非凡人物……如此等等，江山原與江湖通，同一世界，雙重身分，活動更加自如，寫起來也更加靈活多變。

二是，書中人物的善惡分野，取決於個人選擇。綠林中固然有沙無忌父子等賣國求榮的敗類，也有金刀寨主等一心報國的英雄。官府中既有奸宦王振，亦有忠臣于謙。明宮廷大內三大高手中，既有張風府這樣有俠氣的英雄，樊忠這樣以身報國的烈士，也有貫仲那樣賣友求榮的奸小。蒙古瓦剌部中，也先與阿刺不一樣，脫不花與其父也先更不同。老魔頭上官天野，最後也醒悟前非，這一切，說明人之善惡由自抉而成，甚至在人的一念之間。世間刻板印象，未必真實。

三是，寫人物心態的發展變化。例如張宗周，他與明王朝有不共戴天之仇，因而做了瓦剌丞相，於是迫害明朝使臣雲靖。而雲靖的不屈、兒子張丹楓的選擇令他心靈震動，加之年紀漸大而故國情深，心理上逐漸有所轉變，最後選擇以死謝罪，令人信服。雲澄、雲重、雲蕾等人對張氏父子的態度轉變，書中寫得層次分明，雲重對張丹楓從仇恨到接納，寫得曲折而可信。玄機逸士、上官天野、蕭韻蘭三位武林絕頂高手的轉變，石翠鳳對周山民的情感由敵意到愛意，周山民對雲蕾由愛慕到尊重，澹台鏡明對雲重由鄙夷譏誚到傾心相愛等等，無不在情節發展中自然而然地發展轉變，並在發展轉變中突出或豐富其人物個性。

四是，作者有意打破人們的「定見」，衝擊人們的刻板印象，寫出人物性格的真實，創造出驚奇審美效果。老魔頭上官天野的真相揭示及態度轉變，出乎意料，卻在情理之中，並無生硬或突兀之處。基於刻板印象的成見，只不過是因為不瞭解，或人云亦云罷了。明朝英宗皇帝，原以為是個大昏君、糊塗蟲，後來發現他也有聰明機警的一面；原以為他是軟蛋，後來發現他雖並不剛硬，卻也能識大體，甚而還能硬起頭皮撐一下大明天子的門面。赴張宗周家前後的那段描寫，堪稱妙絕。瓦剌太師也先形象雖然寫得不多，但也超出了人們料想，對他的女兒，對張丹楓，對明朝英宗皇帝，表現出不同的情感側面，無不超乎成見。

五是，梁羽生善於在行為細節中寫人，且善於在同一場景中寫出人的不同性格。對往瓦剌殺張宗周十年不歸的謝天華（**張丹楓的師父**），同門師兄弟潮音和尚、葉盈盈、董岳三人的表現截然不同：潮音魯莽，所以不容對方解釋就要與他拼命；葉盈盈心細，設法提前與謝天華見面問個清楚再說；董岳智慧知人，對謝天華信任有加，知他如此必有理由，不必問也不會產生誤會。再如石英的女兒石翠鳳比武招親，韓大海、林道安、沙無忌三位候選人，一憨直，一陰鷙，一殘暴，在一場小小的比武中表露分明。

梁羽生小說的語言之美，回目聯語、詩詞吟誦、敘事語言，都可證明。小說回目對聯是梁氏小說一絕，可以單獨欣賞。如楔子的回目「牧馬役胡邊，孤臣血盡；揚鞭歸故國，俠士心傷」。第五回回目：「名士戲人間，亦狂亦俠；奇行邁俗流，能哭能歌」等等。都有獨立審美價值，值得欣賞品味。

進而這部書不僅有開篇詞、結尾詞，還有張丹楓等人時常吟唱前人詩詞名作，加上作者對這些詩詞的詮釋，將讀者引入美妙詩境之中。

敘事語言典雅古樸又朗朗上口，更是難得的漢語言文字佳品。如小說開頭：

> 清寒吹角，雁門關外，朔風怒捲黃昏。
>
> 這時乃是明代正統（明英宗年號）三年，距離明太祖朱元璋死後，還不到四十年。蒙古的勢力，又死灰復燃，在西北興起，其中尤以瓦剌部最為強大，逐年內侵，至正統年間，已到了雁門關外百里之地，這百里之地，遂成了明與瓦剌的緩衝地帶，也是無人地帶。西風肅殺，黃沙與落葉齊飛，落日昏黃，馬鈴與胡笳並起。在這「無人地帶」之間，這時卻有一輛驢車，從峽谷的山道上疾馳而過。
>
> 驢車後緊跟著一騎駿馬，馬上的騎客是一個身材健碩的中年漢子，背負箭囊，腰懸長劍，不時地回頭顧盼。朔風越捲越烈，風中隱隱傳來了胡馬嘶

鳴與金戈交擊之聲，陡然間，只聽得一聲淒厲的長叫，馬蹄歷亂之聲漸遠漸寂，車中一個白髮蒼蒼的老者，捲起車簾，顫聲問道：

「是澄兒在叫我麼？是不是他遇難了？謝俠士，你不必再顧這了，你去接應他們吧，我到這兒，死已瞑目！」

這一段開頭，寫史、寫地、寫景、寫人，簡潔有力，如詩如畫。

本書敘事語言中，寫對話、寫心理、寫吟詩、寫武打、寫千軍萬馬、寫獨影孤芳、寫塞北大漠、寫江南煙雨、寫朝廷儀式、寫江湖聚會，都有相應言語。

這部小說當然也有不足，例如，謝天華赴瓦剌刺殺張宗周，非但沒有殺人，反而成了張宗周之子張丹楓的師父，為什麼要這麼做？書中沒有說明，讓人遺憾。

五、《雲海玉弓緣》

《雲海玉弓緣》是梁羽生小說的一個異數。首先，作者一貫堅持「不可無俠」的寫作主張，但在這部小說中，正派人物如邙山派掌門人曹錦兒，狹隘、愚蠢、自私、頑固，並沒有給人留下什麼好印象。其次，小說的歷史背景是在滿清統治的盛世，但民族衝突痕跡卻被淡化，故事主線是復仇，屬於純粹江湖恩怨。再次，復仇的對象固然是邪惡之徒，而復仇主人公厲勝男也是個邪氣十足的人物，沒有俠氣可言，就更是一個異數了。又次，小說的男主人公金世遺，人稱「毒手瘋丐」，又毒手，又瘋癲，顯然是從邪路上來，同樣是梁羽生小說的異數。

金世遺的故事是從《冰川天女傳》開始的。他是毒龍尊者的弟子，因小時候受人欺侮，滿懷怨憤，學成武功之後，故意裝作痲瘋病模樣戲弄世人，尤其喜歡找武林名人比武挑戰，以打敗並戲弄武功高手取樂，發洩自己和師門的怨氣。金世遺這個名字，即可見其「今世之遺」（**也可說是遺棄今世**）的孤憤。因受冰川天女感化，金世遺才回歸正途，不再故意與世人為敵。

《雲海玉弓緣》中，藏靈上要金世遺和他一起去尋找已失傳三百年之久的喬北溟武功秘笈，能將正邪兩派融會貫通，練成一種非邪非正，而又超出邪正兩派之上的內功，從而成為一位古往今來無人能及的大宗師。（**第四回**）尋找武功秘笈，是這小說的核心情節之一。金世遺確立了新的目標，努力找到武功秘笈，練成絕世武功。

實際上，書中所說的那種「非邪非正，而又超出正邪兩派之上的內功」，正是對金世遺的人生目標及其個性本質的隱喻。人類本來就是一半是天使、一半是魔鬼，金世遺的形象魅力正在於天使與魔鬼同在的巨大張力，與梁羽生筆下的正派俠

竟是幸還是不幸，實在難以一言蔽之。無論如何，人類的情愛心理的奧秘，是潛藏於意識之下的非理性世界中，連主人公自己也未必能夠意識到。那麼，我們用簡單的理性尺度去衡量它們，顯然只能是管窺蠡測，難以究其竟。

如若換一副眼光看谷之華與厲勝男，或許會有不同看法。

谷之華為人正派，厲勝男邪氣襲人，明顯而無疑問。問題是，谷之華的形象，有如道德理性的化身，從小受正派教育，被正派價值觀鑄造的「超我」所支配，這在她同生父孟神通的關係中有充分的表現。她面對生父，不是以女兒身分出現，而是以一個俠義衛道士的身分出現；對生身父親的勸諫，並非從親子關係出發曉之以情，依據道德法則曉之以理。這種行為固然可敬可佩，卻未必可親可愛，只見超我如是，自我如何？自我何在？均不得而知。

厲勝男每一件事都是為自己打算，言行舉止，無不受自私自利動機支配，這被視為邪氣或妖異。找孟神通復仇，或許情有可原；但找天山派掌門人唐曉瀾比武，顯然難以讓人產生好感，只能說這是自我膨脹或是心理變態。對金世遺的情感，也是極其自私，挖空心思要得到金世遺，無所不用其極。

一開始，她知道李沁梅要找金世遺、金世遺也要找李沁梅，她卻兩面欺騙，讓他們見不到面。進而想方設法迫使金世遺陪她出海尋寶，迫他在荒島上與她拜堂成親，明明是權宜之計，卻對谷之華說自己是金世遺的妻子，使谷之華對金世遺產生嚴重誤解。最後，她又故意將谷之華毒害，迫使金世遺來找她尋求解藥，而她竟又以解藥為交換條件，要脅金世遺在她臨死前再次與她舉行婚禮……無不證明厲勝男徹頭徹尾的自私自利。

然而，如若暫時擱置道德評價，看看厲勝男的身世經歷，對她或許會產生同情憐憫之心。她處處爭強鬥勝，其實是一種可憐的病態。進而，她對金世遺的愛情心理，就不但只是同情她、憐憫她，而且會理解她、諒解她，甚至會欽佩她。她是自私自利，為了獲得金世遺而不惜一切代價，包括不惜自殘、不惜冒險、不惜讓金世遺產生反感。為了挽留金世遺，不讓金世遺去照顧受傷的谷之華，她用殘酷手段自傷兩三條經脈，這一行為固然透著邪氣，但也未嘗不是為了愛情而表現出大智大勇。說到底，她不過一切為了復仇，又一切為了愛情罷了。

她的諸多行為雖然過分，其實也有一定分寸，找唐曉瀾比武而非拼命，表明她對唐曉瀾與對孟神通有所區別。她對谷之華下毒，卻並沒有真想殺死情敵谷之華。她的種種行為，不過是由縱情任性、偏執狂熱的性格所決定。她不是惡魔，只是一種扭曲的個性。如果說谷之華是超我光芒掩蓋了自我，厲勝男則是本我魔力排斥了超我，孰是孰非？孰可愛孰不可愛？是一個極大的難題。作者對谷之華充滿敬意，而對厲勝男充滿同情，讓金世遺在理性上選擇谷之華，而在厲勝男死後才意識到她與他的真愛，這一處理方式，正是小說最了不起的特點。

李沁梅、谷之華、厲勝男對金世遺的情感，共同塑造了金世遺的形象。尤其是谷之華和厲勝男，處於正派與邪氣的兩個極端，激化了金世遺理性與情感的深刻矛盾，考驗了金世遺的性格張力，且拓展了金世遺的精神空間，造就了亦正亦邪、非正非邪的金世遺。對谷之華與厲勝男的抉擇，充分表現了金世遺的性格特徵。他天性落拓不羈、任性狂放，有「毒手瘋丐」外號，有憤世嫉俗且百無禁忌的前科，選擇谷之華，表現了他改邪歸正的決心。

厲勝男像是他的影子，他要擺脫這個影子，擺脫曾經的自我，擺脫曾經的生活方式。對谷之華的追求，表明他在理性上的自覺；因為他已知覺，像厲勝男那樣徹底的「非理性」，並不可取，那正是舊日金世遺的人生路徑。所以，金世遺承認他對厲勝男的愛，承認與厲勝男的夫妻關係，也要等到厲勝男死後。

小說《雲海玉弓緣》最精彩的部分，正是描寫金世遺在谷之華與厲勝男這兩位女性、兩種人格、兩種人生理想、兩種價值觀和兩種生活方式的選擇，及選擇過程中的痛苦、矛盾與掙扎。金世遺的形象，是孤獨者的形象，同時也正是充滿矛盾的人性真實形象。谷之華象徵天使，厲勝男象徵魔鬼，而金世遺這個「人」則在天使與魔鬼之間做痛苦的兩難抉擇。這是這部小說的形而上思想主題，也是這部小說最大藝術成就所在。

六、《大唐游俠傳》

《大唐游俠傳》突出特點，是它的壯闊歷史畫卷及豐富的人文景觀。

小說以唐玄宗時代「安史之亂」為歷史背景，寫到了皇帝、皇妃、宮廷衛士、朝臣、藩鎮高官，也寫到了綠林好漢、江湖遊俠在國家興亡之際的行為表現。書中唐玄宗與楊貴妃、楊貴妃與安祿山、楊貴妃與李白等歷史人物的關係，及馬嵬驛之變，李白與賀知章、張旭等當朝名士飲酒縱談的場面，都十分傳神，如歷史小說般真實。寫綠林中的霸主之爭，黑道間家族之仇，更是活靈活現，入木三分。

小說巧妙地將虛構人物與歷史人物聯繫在一起。如大俠段珪璋與安祿山有舊怨，大俠南霽雲本身就是名將郭子儀手下的布衣猛士。書中綠林人物又與讀者熟知的隋末「十八路反王」聯繫起來，如竇家五虎即是當年反王之一竇建德的後人；王伯通、王龍客父子則正是當年王世充的後代。竇、王兩家後人落草為寇，成了強盜世家，不僅合情合理，且為王伯通父子再次造反埋下伏筆。小說中侍衛將軍秦襄、尉遲北、宇文通等人，亦是讀者熟知的唐初名將秦瓊、尉遲恭、宇文慶等人的後代。讀此書，像看《隋唐演義》續傳。

更值得注意的是，小說還將唐人傳奇中人物，如空空兒，也「化」入小說中，凸顯唐代人文景觀。在歷史與傳奇故事之中展示生動的人文風俗畫卷。

小說寫了段珪璋、南霽雲兩位遊俠的故事。他們最後在睢陽圍城之役中雙雙為國捐軀，顯示了「俠之大者」的形象本質。大俠段珪璋和南霽雲是二十年來江湖中最著名的兩位遊俠。段珪璋已做了隱士，而南霽雲則是郭子儀將軍麾下的布衣戰士。小說敘事重點，並非兩人行俠傳奇，而是普通的人生遭遇。

段珪璋故事的重點，是他兒子段克邪被空空兒盜走，段珪璋的表現與凡夫、凡父並無不同，這一人物可親可近。南霽雲故事的重點，是與女俠夏凌霜間的愛情波折，兒女情長卻不英雄氣短。段珪璋和南霽雲的形象，在日常生活景觀中逐漸深入人心。

小說《大唐游俠傳》的另一突出成就，是善用對比方法，刻畫不同人物的性格特徵。身分相近的人物通過對比設計，襯托出人物性格的不同。

第一組對比是段珪璋與南霽雲，他倆是小說的主人公。除上述段珪璋突出「父性」，而南霽雲突出兒女之情外，段珪璋長於劍術，南霽雲長於用刀；段珪璋性格比較內向，如綿裡藏針，江湖經驗也更加豐富；而南霽雲則相對外向，性格豪邁，英雄之氣逼人。段珪璋多幾分文采風流，而南霽雲多幾分草莽豪氣。

第二組人物是段珪璋夫人竇紅線和史逸如夫人盧氏，前者出身強盜世家，而又嫁給了當世大俠，多幾分豪邁，性格爽朗、熱烈、火爆；盧氏夫人出身河東大族，是書香門第富貴之家中長大，嫁給了當朝進士史逸如，所以蕙質蘭心，內向堅韌，而且有政治眼光，見過大世面，也經得起大風大浪。竇紅線在段珪璋戰死之後，自殺殉夫；而史夫人在丈夫被安祿山害死之後，自殘其面寄居在薛嵩將軍府中十多年，臥薪嚐膽，苦心孤詣，做「地下工作」，在安祿山屬下夫人群裡影響極大，最終還出謀劃策，讓安祿山死於非命，從而報了丈夫的大仇。這位盧夫人形象是真正的巾幗丈夫，是鬚眉男子所不能及。

第三組對比，是空空兒和精精兒。這是一對武功奇高的師兄弟，而且都有些恃技欺人，任性而為，有不可否認的邪氣。但空空兒雖傲卻不壞，雖邪但不惡，而他的師弟精精兒就完全不同了。他是傲而且壞，邪而且惡，正是他將師兄拖下水，偏偏空空兒兄弟情深，且有護短習慣，所以看起來這對師兄弟完全是同流合污。但是在關鍵時刻，他們的不同還是充分地顯示出來，當精精兒要去刺殺唐玄宗時，空空兒前往阻止，並將精精兒帶走，以免造成更大的禍亂。這對師兄弟形象，是小說中最有特色和光彩的藝術形象。

第四組對比人物，是薛嵩將軍與聶鋒將軍，他們倆都是先在唐朝為官，後受安祿山節制，在安史之亂中當了叛亂者的幫凶，最後又投降唐朝、戴罪立功。這兩人還是同鄉、且有親戚關係。但他們的性格卻有鮮明差異。薛嵩是由正途出身，官當得大，野心也相對較大，俠氣則相對較小。所以在盧氏夫人落難之際，他乘人之危，想將盧夫人占為己有，直至盧夫人自毀容貌才作罷。

相比之下，聶鋒因從小有仗義江湖、行俠流浪的夢想，後雖成為將軍，但保留了更多的江湖俠氣，從一開始在段珪璋闖安祿山行館時就在暗中留了一手，放段珪璋逃走。對盧夫人及鐵摩勒的態度，也與薛嵩大不一樣。這兩位將軍的形象，是小說中寫得比較成功的藝術形象。不好不壞，有功有過，亦正亦邪，有官氣也有人性。作者沒有用簡單的道德標準來苛求這兩個人，所以他們顯得相對真實。

第五組人物是秦襄、尉遲北、宇文通三個侍衛，他們的身分相似，地位相近，但性格頗為不同。其中秦襄最為大度，也最有義氣，名滿朝野，頗似其祖先秦瓊。而尉遲北則火爆豪邁，剛正不阿，忠肝義膽，一如乃祖尉遲恭。也許這兩個人物正是按照乃祖的形象複製出來的。他們與一般江湖人物又不同，因為他們的身分不同，是在朝為官，又是忠良後代，所以雖無官氣卻有傲氣，有俠義之心，更有對皇帝的忠心，不似江湖人物那樣自由自在、落拓不羈。宇文通與秦襄、尉遲北兩人相比，多了幾分文秀也多了幾分野心，少了幾分豪氣也少了幾分忠誠，是一個私心較重、野心較大而心機較多的狡詐人物。所以，在陰謀叛亂且刺殺皇帝計畫敗露之後，能隨機應變，化凶為吉，反而因此立功。

第六組人物是竇氏五虎與王家父子的對比。他們都是隋末造反者的後代，都是強盜世家，且都是綠林盟主。作為黑道人物，殘酷霸道程度相差不多。但竇氏五虎只想在綠林稱霸，而王氏父子竟要依附安祿山打天下，因而成為安史之亂的打手和幫凶。這就使得王氏家族的綠林地位和性質發生了根本性變化。他們違背了綠林的基本原則，成了黑道中的黑道，邪魔中的邪魔。

進而，王伯通與王龍客父子，以及王龍客與王燕羽兄妹，一家兩代人也是性格各異。小說一開始，王燕羽成了屠殺竇氏五虎的劊子手，但她只是一個工具，並沒有個人野心，所以能保持較為客觀的態度和較為清醒的理性。她不願成為父兄的幫凶，能預見父兄的結局，但始終為父兄安危擔心、努力勸諫，終成了向善典型。王伯通臨死之前也悔恨不已，因而自殺解仇。王龍客卻年輕氣盛，野心膨脹，以至於完全陷入癲狂的爭權禍亂之中，直到他罪惡生命的盡頭。

此人所以如此，部分原因是父親的影響，部分原因則是其本性，還有一部分是他心愛的姑娘成了南霽雲的妻子，從而妒恨不已，矢志報復。與之形成對比的是，他妹妹愛鐵摩勒，也是一廂情願，鐵摩勒成了韓芷芬的丈夫，王燕羽雖然失望傷心，但並沒有因妒生怨，更沒有因愛成仇。王龍客與王燕羽的情形大致相似，由於性格氣質不同、心胸品格不同，所以作出完全不同的選擇，也有完全不同的人生結局。

小說中還有一些人物，如瘋丐衛越、酒丐車遲、俠丐皇甫嵩和他的弟弟皇甫華（這對兄弟一正一反，雖然相貌完全一樣，但心性卻天差地遠）等人物，也有鮮明的可比性。小說中的其他人物如女俠夏凌霜、小俠鐵摩勒等人的形象刻畫，也都相當成功。限於篇幅，不能一一分析舉證。

最後，這部小說的敘事語言，一改梁羽生小說追求美雅的風格形式，變為古樸簡練，少了詩文秀氣，而多了民間江湖的氣息。讀起來，感覺到作者減少了對形式表層的美感追求，而多了把握並表現神氣意蘊的「內力」。

小說開頭，也破例沒有開場詩詞，而是開門見山地寫道：

「恭喜恭喜，新年大吉！」

這一天正是大唐天寶七年的新年初一。

離長安六十里外的一個山村，有一家人家，主人姓史，名逸如，曾在開元二十二年中過進士，卻不願在朝為官，未到中年便回鄉隱居，鄉人敬他是個飽學君子，一早便來給他拜年……

似這樣平淡樸實，不緊不慢，娓娓道來的開頭，在梁羽生小說中相當少見。最讓人嘆服的是小說最後對睢陽圍城戰爭場面的描寫，張巡、雷萬春、段珪璋、南霽雲等人在千軍萬馬的戰場上拼搏戰鬥，直至最後犧牲的壯烈場景，在作者樸實而有力度的敘述中，讓人血脈賁張，進而熱淚盈眶。梁羽生小說的敘事語言，至此已達一個新的境界。

七、《龍鳳寶釵緣》

《龍鳳寶釵緣》是《大唐游俠傳》的續作，敘述段珪璋的兒子段克邪和史逸如的女兒史若梅的愛情，以及鐵摩勒等人的俠義故事。

從《大唐游俠傳》到《龍鳳寶釵緣》，頗似金庸小說從《射鵰英雄傳》到《神鵰俠侶》，儘管是前傳與後傳，小說主題卻由俠義轉為言情。

早在《大唐游俠傳》的開頭，就已埋下了《龍鳳寶釵緣》故事的伏筆。長安城外六十里的山村中，唐天寶七年新年，段夫人生子克邪，史夫人生女若梅，段珪璋和史逸如為剛出生的兒女定下親事。段珪璋拿出一對龍鳳寶釵，分別交給男女雙方，作為訂婚之禮。這對龍鳳寶釵，就成了他們日後相認的憑證。

到《龍鳳寶釵緣》開頭，已經人事全非。段克邪之父段珪璋在睢陽戰死，他母親自殺殉夫，段克邪被南霽雲夫人撫養成人，已經十六歲。而史夫人帶著女兒若梅寄居在安祿山部將薛嵩府上，史若梅被薛嵩收為養女，改名薛紅線，其生母成了「盧媽」，且盧夫人在聽到安祿山被殺後欣喜若狂，忘了告訴女兒身分真相就自殺殉夫了。如今薛嵩因投誠反正，仍在唐朝為官，做了潞州節度使，薛紅線（史若梅）也就由養女變成親女，不許任何人向她透露其身分真相。

龍鳳寶釵之緣，如今面臨極大困難和種種波折。小說《龍鳳寶釵緣》也正是要借段克邪與史若梅愛情關係的波折，展開更為廣闊的歷史畫卷。

具體說，段克邪拿著龍釵來尋史若梅，遇到第一道難題，是薛紅線已經被薛嵩另許他人，對象是當年安祿山的護軍統領、如今唐王朝魏博節度使田承嗣的兒子。這是一樁典型的政治婚姻，薛嵩把薛紅線當成了聯姻求和的政治工具。

唐朝的節度使，是一方軍政大員，割地而據，猶如古代諸侯王。各節度使之間，亦相互征戰吞併，明目張膽地侵權擴張。魏博節度使田承嗣的軍事實力遠過於潞州節度使薛嵩，而田承嗣的三千「外宅男」（相當於今天的特種部隊）無人能敵。田承嗣想要吞併潞州的野心，也是路人皆知。所以薛嵩想出一個絕招，讓養女薛紅線去和田家公子聯姻，仿照漢代的王昭君，唐太宗時的文成公主。

小說寫到這一情節，不僅是給段克邪與史若梅的婚事設置障礙，而且是要展示當時的政治歷史風貌，揭示政治婚姻的緣由，同時刻畫薛嵩形象。

薛嵩不是壞人，但也算不上是好人，對史若梅有養育之恩，卻是為自己打算。官場政治的利害關係，才是他思考問題的第一要點，在軍事上他無法與田承嗣相比，只能在政治與外交上想辦法，江湖俠義之類價值於他毫無影響。因此，我們在讀《龍鳳寶釵緣》的序幕，看到段、史姻緣的第一重波折時，看到的已遠遠超出了情愛故事本身。段、史的愛情故事，包含了社會歷史、政治文化等豐富內容。段、史姻緣的第二重波折，是兩個年輕主人公的性格衝突。史若梅對自己身世一無所知，以為自己就是節度使薛嵩的女兒薛紅線。這是她與段克邪性格衝突的基礎，她是無知，而段克邪卻以為她是有意（**悔婚**），小誤會釀成大問題。

第二層次，是他倆的身分、地位懸殊，史若梅是節度使的千金，段克邪則是流浪江湖的孤兒。近朱者赤、近墨者黑，史若梅的小姐脾性已經養成，既任性、又驕縱，自尊心強，虛榮心也不小。第一次見段克邪闖進後院，她不但罵他是「小賊」，而且罵他父親為「老賊」，還要將他「拿下」。段克邪偏偏也是驕傲的小公雞。所以，兩人的交往變成了交鋒，結果兩敗俱傷。

第三層次，那時候他們還只有十六歲，正處在成長青春期，容易意氣用事，格外敏感多疑，脆弱而又不承認脆弱，甚至拼命掩飾脆弱。在這一年齡階段，無事尚且生非，何況乎有事？他們之間不僅有性格衝突，且各人的自我衝突也接連不斷。史若梅追趕段克邪至田承嗣府上，將田承嗣的兒子抓住，本是為了幫助段克邪脫險，而段克邪卻誤以為史若梅和田公子是「手拉手站在一起」，惹得段克邪又妒又忌又悲傷。似這樣的情況隨時都可能發生，原因就在於他們年輕氣盛而又自以為是。

為了充分展現男女主人公的性格衝突及其自我矛盾，小說中故意安排呂鴻春、呂鴻秋兄妹及獨孤宇、獨孤瑩兄妹「擾亂視線」，本來是呂氏兄妹和獨孤兄妹相互配對，但在塵埃落定之前，故意讓呂鴻秋與段克邪在一起，而讓獨孤兄妹與史若梅親近，在男女主人公之間造成更多隔閡和矛盾。在這一過程中，他們的心理也有變化，相互間亦情感萌生——妒忌心往往是情動於心的標誌。

段克邪與史若梅的愛情故事，只是這部小說的序幕或引線。在他們先後投身江湖時，就已不再是單純性格衝突或誤會隔閡故事，甚至也不僅僅是愛情故事，而是與他們的人生背景、江湖天地、社會矛盾和歷史命運結合在一起了。從一個角度看，小說是在廣闊社會歷史背景下講述段克邪、史若梅的愛情故事；從另一個角度看，也可以說小說是借段克邪、史若梅的愛情線索來反映廣闊而豐富的江山——江湖社會人文風景。

除段克邪、史若梅的愛情故事外，小說還敘述了一系列悲喜成敗的愛情故事。諸如獨孤宇與呂鴻秋、呂鴻春與獨孤瑩的故事，空空兒與辛芷姑的故事，宇文虹霓與楚平原的故事，還有聶隱娘與方辟符的愛情與婚姻，史朝英對段克邪的癡戀，史朝英與牟世傑的政治婚姻……所有這些故事線索，組成小說的情節內容。

要點之一，是安史之亂餘緒不斷，史思明之亂繼安祿山之亂被平息之後，史思明的兒子史朝義、女兒史朝英等餘孽尚存，野心不死，再次組織力量從事叛亂。要點之二，是避往扶桑的虯髯客之後代牟世傑受其叔牟滄浪指使，回祖籍「逐鹿中原」，想乘機推翻李唐王朝、建立牟氏帝國。短短幾年中，牟世傑邀功買好，俠名遠播，交結死黨，奪得綠林盟主之位，並試圖以此為基本班底，圖謀大唐江山。

如果說《龍鳳寶釵緣》有情感與事業兩條敘事主線，愛情主人公是段克邪和史若梅，「事業」主人公則是牟世傑和史朝英。作者巧妙地將段克邪、史若梅的愛情線索與牟世傑、史朝英謀反叛亂的故事情節結構在一起。第一環節，是聶隱娘愛上了牟世傑，讓史若梅見牟世傑。第二環節，是段克邪受邀參加綠林大會，幫助表哥鐵摩勒召集大會並競選盟主，牟世傑有備而來。第三環節，是史朝英對段克邪一往情深，引起史若梅誤解。最後，史朝英還掌控著段克邪，直到她生下孩子、自殺身亡，才讓段克邪恢復功力、與史若梅喜結良緣。

史朝英與牟世傑志同道合，氣味相投，所以他們走到一起，相互吸引，結成夫妻（既是政治聯盟，也是事業夥伴）並共同奮鬥、艱苦創業，這是必然的。小說對這兩個人物形象塑造也非常成功。且與段克邪、史若梅形象形成鮮明對比：段克邪與史若梅的人生目標是茫然無定的，不似牟世傑與史朝英那樣有著明確的目標。段克邪和史若梅相對意志薄弱，不若牟世傑那樣堅毅，也不如史朝英那樣堅韌。

史朝英與段克邪的情感關係，小說中也寫得層次分明，內容豐富而感覺真實。她之所以要離開段克邪而委身於牟世傑，是因為她看到段克邪對史若梅一往情深，不可逆轉，對她自己沒有多少情分可言，甚至只有厭憎。而更主要的則是她發現段克邪壓根兒就沒有（她所希望的）雄心壯志，不想圖謀霸業大舉，也沒有圖謀江湖及江山霸業的意志和才幹。當然，牟世傑與史朝英的「事業」，是罪惡的事業。他們的追求會造成社會動亂、生靈塗炭，一將功成萬骨枯；且他們為達目的不擇手段，不僅收羅江湖邪道惡徒，還不顧民族大義、聯合回紇勢力，讓人無法接受。

與《大唐游俠傳》一樣，《龍鳳寶釵緣》也將唐人傳奇作品中的人物「化」入小說之中，將「紅線盜盒」的傳奇故事，變成了史若梅（薛紅線）的行為，嫁接得天衣無縫。而牟世傑其人，又溯源到唐人傳奇中最著名的虯髯客。空空兒、鐵摩勒等等，則一如既往地出現在這部小說中。

《龍鳳寶釵緣》對《大唐游俠傳》中的一些人物形象，也作了進一步深化塑造。如空空兒在這部小說中不僅終於有了情感對象，而且有了人生歸宿。空空兒改邪歸正，是鐵摩勒、段克邪等人影響的結果，也是他性格發展的必然趨勢。在這部書中，聶鋒將軍也終於與薛嵩分道揚鑣，並告別官場，這也是他性格發展的自然結局，看不出人為設計的痕跡。

【注釋】

1 《塞外奇俠傳》的故事發生在《七劍下天山》之前，但書的寫作在後。《七劍下天山》是一九五六年二月十五日開始在《大公報．小說林》連載（至一九五七年三月三十一日結束），而《塞外奇俠傳》則是一九五六年八月十八日才開始在《週末報》上連載（至一九五七年二月廿三日結束）。

2 梁羽生：《七劍下天山》（上冊），第一〇三—一〇四頁，香港，天地圖書有限公司，二〇〇五年。

第十章

梁羽生的武俠小說創作（下）

梁羽生武俠小說創作有階段性變化，如何分期？則需專題探討。可以直接將梁羽生武俠小說創作分為四個時期，也可以一九六八年為界，分為前後兩個時期；在前後兩個時期中，再細分為幾個不同階段。

具體說，前期可以《萍蹤俠影錄》為界，分為前一期和前二期。

前一期是從一九五四年一月至一九六〇年二月，七年時間內，梁羽生創作了《龍虎鬥京華》、《草莽龍蛇傳》、《七劍下天山》、《塞外奇俠傳》、《白髮魔女傳》、《江湖三女俠》和《萍蹤俠影錄》、《冰川天女傳》等，一部比一部好，是典型的小說創作上升期。

前二期從一九六〇年至一九六八年，即從《聯劍風雲錄》到《挑燈看劍錄》（即《狂俠‧天驕‧魔女》），屬「高原波動期」，雖有波動，但整體水準仍然很高，作者在不斷探索新題材及講故事的新方法，這一時期有《雲海玉弓緣》、《大唐游俠傳》、《龍鳳寶釵緣》及《挑燈看劍錄》（即《狂俠‧天驕‧魔女》）等佳作。

後期可以《武林三絕》為界，分為後一期和後二期。後一期是從一九六八年至一九七六年，這一時期的主要特點，是「倦怠與恍惚」。後二期是從一九七六年至一九八三年，即從「文革」結束到梁羽生最後一部小說《武當一劍》連載結束，後二期的主要特點，是「解凍與歸真」。下面專題討論梁羽生後期的小說創作。

一、梁羽生的後期武俠小說

以一九六八年為界，把梁羽生小說創作分為前後兩個時期，當然不僅是因為一九六八年恰好是梁羽生三十年武俠小說創作的中點，是因《狂俠・天驕・魔女》一書於一九六八年六月廿三日連載結束，把這一時間作為節點，理由如渠誠所說：「任何讀者只要稍加留意，就不難察覺梁羽生接受採訪時從不會主動談到《狂俠・天驕・魔女》以後的武俠創作，只有《遊劍江湖》和《廣陵劍》偶爾被提上一句兩句。要言之，梁羽生對其後期的武俠創作，從主觀態度上就是很輕忽的。」[1]

以此為界，可發現前後期小說的篇幅明顯不同。前期小說在報紙上連載的時間通常在兩年以內時間完成——只有《狂俠・天驕・魔女》例外，所以它是分界線——而後期小說的連載時間則大大增加了。如：《鳴鏑風雲錄》、《廣陵劍》、《武林天驕》都連載了將近四年時間，這幾部小說和《狂俠・天驕・魔女》一樣，都是在《香港商報》上連載的，是不是《香港商報》的特殊要求？我們不得而知。

值得注意的是，梁羽生在《香港商報》上連載的前兩部小說《還劍奇情錄》和《女帝奇英傳》都不過一年左右時間。而梁羽生在《大公報》上連載小說的時間，有不斷拉長的明顯趨勢。《瀚海雄風》廿二個月，《風雲雷電》三十一個月，《武林三絕》四十六個半月，《劍網塵絲》四十一個月，《武當一劍》三十九個月。

更值得注意的是，在《新晚報》上連載的《彈鋏歌》（即《遊劍江湖》）、《折戟沉沙錄》（即《牧野流星》）、《絕塞傳烽錄》（含《彈指驚雷》）實際上是同一個故事系列，即孟元超、楊牧和雲紫蘿和他們的兒子孟華、楊炎的故事系列，說它們是同一部書恐怕也不為過。這個故事系列的連載時間，從一九六九年七月一日《彈鋏歌》開始連載，至一九七八年四月十日《絕塞傳烽錄》連載結束，連載時間總共為八年又十個月又九天。

小說篇幅長短，本身並不是問題。但若是作者故意拖長篇幅，那就成問題了。梁羽生的後期小說，明顯存在人為拖長篇幅的問題。證據是，結集出版的《廣陵劍》，對比連載版的《廣陵劍》，情節約刪掉四分之一，這也成為第一部刪節出版的梁著小說。[2]

《狂俠・天驕・魔女》的連載時間是將近四年時間（差一周），結集出版多達八冊；《廣陵劍》的連載時間更長，是四年又兩個月，結集出版只有四冊。由此可見，結集版《廣陵劍》至少有一半篇幅被作者刪除了。

在《武林天驕》、《武當一劍》等書結集出版時，同樣出現了大量刪節情況。《武林天驕》的連載時間是四十六個月，結集為區區兩冊，刪除量更為驚人。

《武當一劍》的連載時間為三十九個月，結集為三冊，刪除量也不小。作者對自己的小說作如此驚人的刪節，說明連載版存在大量不必要的枝蔓和冗餘。小說《武林三絕》長時間無法結集出版，原因只有一個，即作者本人都無法找到整理修訂的良方。

人為拖長篇幅情況，也可以從已經結集出版的《鳴鏑風雲錄》中找到證據。這部小說結集時刪節不多，完整地保留了八對男女青年的愛情故事：谷嘯風與韓佩瑛、奚玉帆與厲賽英、公孫璞與宮錦雲、楊潔梅與邵湘華、龍天香與武玄慼、辛龍生與車淇、任紅綃與李中柱、奚玉瑾與趙一行，其中、楊潔梅、龍天香、任紅綃乃至宮錦雲的愛情故事有冗餘嫌疑，至少是可說可不說。楊潔梅和邵湘華的愛情故事實際上是為了插入一個奪寶故事，即爭奪穴道銅人，高傑（**高小紅的父親**）、楊大慶（**楊潔梅的父親**）、石棱（**邵湘華的生父**）、喬拓疆乃至辛十四姑等人都參與其間，但這個故事卻不了了之。奪寶故事沒有效用，即屬冗餘。

梁羽生小說創作進入倦怠期，還有一個直接證據，即一九六八年三月十五日開始在《大公報》連載的小說《瀚海雄風》，明顯陷入低谷。小說開頭是主人公李思南前往大漠尋找被蒙古人擄走的父親李希浩，發現冀北人魔屠百城的遺體，大俠孟少剛要殺他，其女兒孟明霞則要救他，接下來出現真假李希浩，這些都是精彩的構想。但小說的關鍵情節，諸如李思南當上武林盟主、李思南被拖雷囚禁等，則顯然經不住推敵，李思南既無名望、更無資歷，如何就成了北五省武林盟主？

退一步說，綠林十八寨的總寨主，也未必等同於北五省武林盟主。這一經不住推敲的關鍵情節，顯然是由於作者人為安排。進而，李思南為救楊婉而被拖雷囚禁，也存在明顯問題：一，李思南是綠林盟主，身邊有韓大維、丐幫幫主陸崑崙等前輩高人，為何不與他們商量救人之策，而是要獨自一人貿然行動？二，李思南歷經磨難，有頭腦也有經驗，為何看不出拖雷的圈套，而要自覺自願地落入其中？三，李思南有一身武功，當拖雷的兩個武士將他押入囚牢時，為何不以武功自救，而是甘願就這麼被拖雷囚禁起來？作者不假思索，目的不過是要製造群雄大鬧金國國師府的情節高潮。但這樣一來，李思南的心智與個性卻被大大削弱，其實是得不償失。

最後，殺頭號大敵陽天雷的行動，由屠鳳、孟明霞、嚴浣三位女俠發動，既不帶兵馬弓箭，又不與盟主李思南等策劃商議，想在拖雷、龍象法王及數千扈從軍隊中襲擊陽天雷，此事顯然不合情理。能夠成功，不過是作者人為安排。總之，這部小說中的李思南既無氣勢、又無智慧、甚至沒有清晰的個性，書中關鍵情節人為安排痕跡明顯。如此敷衍，說明梁羽生確實處於倦怠恍惚狀態。

問題是，梁羽生為什麼會出現如此倦怠與恍惚？

連載壓力過大，或許是一個原因。但這一說缺乏充分依據，實際情況是，從一九五九年開始，梁羽生就同時在三份報紙上寫三部不同小說連載，此後他一直在同樣的連載壓力下工作。而梁羽生從一九六六年六月就解除了報社職務，[3]僅保留撰述員一個身分，而作為撰述員，他在此後十年間很少發表武俠小說之外的文章。也就是說，從一九六六年之後，梁羽生沒有其他工作，他的唯一工作就是專心寫武俠小說。同時寫三部小說連載（最多四部）而壓力過大之說，難以成立。

梁羽生小說出現倦怠與恍惚，確實是由於巨大的心理壓力。這種壓力不是來自寫作本身，不是江郎才盡，而是由於中國大陸的「文化大革命」。

一九六八年正值「文化大革命」的高潮，在香港，有兩件事可能會影響梁羽生，一件事是金庸在《明報》上連篇累牘地發表批評「文革」的社評，且從一九六七年四月二十日開始在《明報》上連載小說《笑傲江湖》（金庸的這部小說顯然有對大陸「文革」的諷喻）。另一件事是在香港《文匯報》工作的邵慎之（即牟松庭）於一九六八年主動辭職。梁羽生一直在《大公報》工作，中國大陸發生的重大政治事件，必然會成為《大公報》及梁羽生本人關注的重點。

遺憾的是，目前所見的幾種梁羽生傳記，都沒有把「文革中的梁羽生」作為專章，甚至也沒有專門探究梁羽生於一九六六年六月被《大公報》解除職務，究竟是被動解職還是主動申請解職。我們也沒有看到梁羽生發表過專門談論「文革」的文章，因而不知道他「文革」中究竟有怎樣的經歷和內心想法。但只要瞭解梁羽生的人應不難體會，他對「文革」中的種種現象，必有看不懂、想不通卻又避不開的鬱悶。

當年嶺南大學冼玉清教授稱讚梁羽生「賦性忠厚而坦摯，近世罕見！」[4]這一賦性梁羽生終生未改。因為賦性忠厚，他不會像牟松庭那樣憤然辭職，更不會像金庸那樣公開批評「文革」的倒行逆施沉渣泛起；但他畢竟學養豐富、良知健全、為人坦摯，因而絕不可能對亂象叢生的「文化大革命」盲目跟隨。眼見大陸「文革」大批判高潮中出現的汙名化及人人自危，紅衛兵亢奮鬥爭引發精英受難的慘酷，忠厚赤誠且聰穎敏感的梁羽生，當會飽受恍惚、焦慮、恐懼的煎熬。

而這種痛苦鬱悶的心態，也體現在梁羽生的小說中。

首先，一九六八年開始連載的《鳴鏑風雲錄》，其中有一個重要情節，是主人公谷嘯風的舅舅任天吾四處傳播消息，說洛陽大俠韓大維是私通敵國的漢奸，證據是韓大維與金國上官復有秘密交往。韓大維究竟是名副其實的大俠還是罪大惡極的漢奸？就成了小說的重要懸念。後來才揭曉謎底，韓大維並不是漢奸，而是一個愛國者，上官復並非對金國死忠，而是一心圖謀復辟的遼國忠臣，韓大維和上官復交往，是因為他們有共同的敵人即金國。真正的漢奸恰恰是任天吾，他傳播韓大維是漢奸的消息，不過是要對韓大維汙名化，以便混淆視聽。假如讀者瞭解「文革」歷史，瞭解一九六八年恰是「文化大革命」汙名化氾濫的高潮，就不難看出，小說中的這一情節實際上隱晦地表現了作者對汙名化的憤恨和恐懼。

其次，《牧野流星》（即《折戟沉沙錄》）和《絕塞傳烽錄》（含《彈指驚雷》）這兩部小說，有一個共同的核心主題，即主人的「身分的焦慮」。《牧野流星》的主人公孟華開始並不叫孟華，而是楊華，因為他是薊州武師楊牧的兒子，引起了俠義道的懷疑和歧視，因楊牧是滿清大內侍衛，俠義道當然會懷疑他到小金川是別有用心，金碧漪懷疑他，金碧峰懷疑他，江天雲同樣懷疑他。這些懷疑造成巨大的心理壓力，引發楊華內心的嚴重焦慮。直到得知他的生父是義軍領袖孟元超，楊牧不過是繼父，這一焦慮才得以解除。

《絕塞傳烽錄》的主人公楊炎就是另一回事了：小說開頭，齊世傑、冷冰兒在尋找楊炎；與此同時，楊炎卻在尋找自己的身世真相——我是誰？我從哪裡來？——他化名唐不知，正是他內心真實的表達。與孟華不同的是，他是楊牧的親生兒子，得知身世真相，並非楊炎苦難的結束，而是一個新的開始，楊炎和龍靈珠決定去北京「拯救」父親楊牧，卻發現楊牧權欲薰心，只想騙取楊炎的信任，得到康熙遺詔，獲得皇帝賞識。楊炎沒有救出父親，反而差點被父親及其上司害死。此時的楊炎，內心悲苦可想而知。

作者不斷書寫小說主人公的身分焦慮，是因為當年的中國，「龍生龍、鳳生鳳，老鼠生兒打地洞」的血統論觀念廣泛流行，是否得到群眾信任，家庭出身是關鍵。

再次，在小說《風雲雷電》中，書寫了黑旋風與雲中燕、羅浩威與李芷芳、秦龍飛與完顏璧這三對跨民族、跨階級的愛情故事。黑旋風、羅浩威、秦龍飛都是漢族，而雲中燕是蒙古王族、完顏璧是女真王族、李芷芳是黨項王族，她們都是漢族之敵。

講述跨民族、跨階級的愛情，在梁羽生早期小說中就已有過嘗試，例如《塞外奇俠傳》中，漢族俠客楊雲聰與滿族少女納蘭明慧的跨民族愛情，《白髮魔女傳》中練霓裳與卓一航的跨階級愛情，只不過，在那兩部書中，這兩對愛情故事都以悲劇結局。而《風雲雷電》中卻以大團圓形式收場。《風雲雷電》中的跨民族、跨階級的愛情，在強調民族鬥爭、階級鬥爭、路線鬥爭（即同一民族、同一階級內部的政治鬥爭）的「文革」時期，顯然具有特殊意義。作者以愛情故事撫平鬥爭創傷，潛意識中，隱含了作者對「鬥爭哲學」的恐懼和反感。

最後，小說《廣陵劍》具有重要的隱喻和象徵，隱晦但卻真切地表達了作者的心聲。本書是梁羽生第一部、也是唯一的一部以廣西桂林人為主人公的作品，而且主人公與作者陳文統同姓，叫陳石星，此人身上是否有作者的影子？值得探討。進而，陳石星的爺爺陳琴翁的真名是陳劫遺——此人生長在明朝太平歲月，為何叫陳劫遺？值得斟酌。進而，陳石星和雲瑚在和林刺殺龍文光，陳石星受傷後又中了慕容圭所贈毒嬰兒之毒，「毒嬰兒」是何物？值得探討。

進而，本書結局出人意料，主人公竟死在天山，在梁羽生小說中屬絕無僅有。有人說《廣陵劍》的主題是「死亡」，[5]此說並不為過，陳劫遺死，雲重之子雲浩死，大俠張丹楓死……到陳石星死，死亡貫穿始終。為何讓主人公死？是最值得審思的問題。從《廣陵劍》這一書名中，或許可以找到答案線索，書中陳琴翁曾說，「廣陵劍」源自《廣陵散》，這表明，這個書名是《廣陵散》的象徵性說法。嵇康臨刑，奏《廣陵散》，說「《廣陵散》從此絕矣」的故事眾所周知，不必細說。既然與此有關，「曲終人亡」自是必然結局。

本書開頭，陳玄遺彈奏《廣陵散》，結尾時陳石星彈奏《廣陵散》，是嵇康故事複製，也是致敬嵇康。進而，金庸小說《笑傲江湖》中，曲洋和劉正風將《廣陵散》編入《笑傲江湖之曲》，重演以死維護個人自由與尊嚴故事，亦可作為小說《廣陵劍》的參照。陳石星之名，按南方普通話讀音，為「陳氏心」或「誠實心」的諧音，陳石星死，即「誠實心死」，甚或「陳氏心死」——這一解讀是否過度闡釋？是否無稽之談？當然可以進一步論證、質疑和討論。

上述討論，旨在說明梁羽生後期小說創作中出現倦怠和恍惚，與時代背景、社會環境、文化氛圍有關。小說中出現上述種種跡象，是否確與「文化大革命」中出現的反常現象相關？尚需梁羽生傳記研究者作進一步證實或證偽。

需要說明的是，梁羽生後期小說出現倦怠和恍惚，有拖遝冗餘等問題，並不等於說這些作品不值一提且無法卒讀——若這些小說當真無法卒讀，報紙讀者和把關編輯肯定會建議和終止其連載。實際上，即便是枝蔓冗雜而難以修訂的《武林三絕》，仍有其可觀之處。

下面說梁羽生後二期。把一九七六年作為梁羽生小說創作後一期和後二期的分界線，主要原因是，一九七六年十月，「四人幫」被抓捕，十年「文革」終於結束，梁羽生的思想壓力驟減，心靈解凍復蘇。具體證據是，一九七六年九月開始連載的《劍網塵絲》及其後作品，與此前八年間的作品相比，在敘事重點、思想主題、人物形象等方面，都有明顯的變化。

連載版《絕塞傳烽錄》至第二十回末，書中說「忽聽得雷聲隆隆，暴風雨眼看就要來了」，此回以「惘惘情懷難自解，於無聲處聽驚雷」作結——作者將連載版《絕塞傳烽錄》分為兩部，上部取名《彈指驚雷》——這與打倒「四人幫」、「文革」宣告結束的「驚雷」是不是有關呢？值得進一步探究。

後二期小說，包括《彈指驚雷》的結尾，以及《絕塞傳烽錄》、《劍網塵絲》、《幻劍靈旗》、《武林天驕》及《武當一劍》等作品。說這一時期的特點是解凍與歸真，解凍無需解釋，歸真則有二義：一是指作者回歸真實自我，二是指小說題旨歸於人性真實。亦即，此時作者回歸獨立思考，且過了知天命之年，終於看懂了世間色相，很自然地將自己的人生經驗融入小說創作之中。

此時的梁羽生，明顯突破了俠邪對立的簡化道德演繹模式，從個體生命角度展開人性真實的表達。例如在《彈指驚雷》的結尾，觀照楊炎和龍靈珠：「倘若按照佛門說法，百歲光陰也不過一彈指的話，他們這點小小的年紀，實在是經歷太多的憂患與風波了。一彈指間曾有多少閃電驚雷！」（第二十回）有論者說《彈指驚雷》有濃重的「哲學意味」，[6] 即可為證。

《劍網塵絲》和《幻劍靈旗》擺脫俠邪對立框架，書寫衛天元、齊勒銘和上官飛鳳的個性傳奇；《武林天驕》亦脫離民族主義常規，展現和平主義、人道主義思想主題，對狹隘民族立場及其盲目仇恨予以深刻揭露和批判；《武當一劍》俠光晦暗而人性幽深……均為梁羽生小說中前所未有的景觀。

上述作品，後面都有專題分析。

二、《廣陵劍》

《廣陵劍》由新加坡《南洋商報》於一九七二年六月一日率先連載，書名是《仙琴絕劍》，《香港商報》比《南洋商報》晚兩天（六月三日）開始以《廣陵劍》書名連載。《廣陵劍》保持了梁羽生一貫的寫作風格，主人公陳石星熱愛音樂且喜歡詩詞。書中吟詩彈琴、唱曲吹簫的場景，比梁羽生任何一部書都多。

本書講述陳石星成長、戀愛、衛國、復仇故事，由「遊俠」線索貫串。反派人物龍文光、龍成斌叔侄，既是陳石星和雲瑚的私家仇人，也是裡通外國的漢奸，龍文光是明朝兵部尚書兼京城九門提督，卻與瓦剌侵略者勾結，誘逼明朝皇帝朱見深與瓦剌簽訂出賣國家利益的屈辱和約。

陳石星、雲瑚保家衛國義舉與報復私仇行為，可以公私兼顧。陳石星、雲瑚的高光時刻，是兩次進入皇宮，揭露龍文光與瓦剌人私通的陰謀，迫使皇帝改變蒙昧初衷，確保金刀寨作為衛國屏藩。男女主人公一面要破壞明朝官軍與瓦剌聯合圍剿金刀寨的陰謀；同時又要破壞司空闊等人成立武林聯盟、乘機顛覆明王朝的陰謀。在瓦剌大兵壓境的嚴峻形勢下，將國家利益置於首位，確保小說思想主題正確，結構框架相對完整。

情感故事才是本書重要看點。

首先是陳石星與雲瑚的愛情，要經歷三大考驗。

第一關，是龍成斌覬覦雲瑚美色，故意顛倒是非，捏造陳石星殺害雲浩的謊言，使雲瑚把陳石星當作殺父仇人。雲瑚的母親改嫁龍文光，是龍成斌的嬸娘，難怪雲瑚信以為真。雲瑚對陳石星的誤解，是書中一大懸念。陳石星以實際行動證明了自己，終獲雲夫人、雲瑚的認同。

第二關，是大理小王子段劍平對雲瑚念念不忘，專門托陳石星捎口信給雲瑚，要雲瑚到大理避難。段劍平成了陳石星與雲瑚情感發展的障礙。段劍平的身世人品足與雲瑚門當戶對，相比之下，陳石星不能不自卑。雖然雲瑚主動贈送紅豆，陳石星卻在自卑和義氣雙重作用下，將雲瑚推向段劍平，還以家傳古琴為賀禮。假如雲瑚情感不真或意志不堅，又或段劍平自私自利而罔顧雲瑚的真實情感，陳石星與雲瑚的愛情就從此沒戲。

第三關，是丘遲遺書，將韓芷托付給陳石星，即希望陳石星與韓芷結為夫婦。韓芷美麗聰慧，善解人意，假如陳石星見異思遷，照丘遲的遺願去做，就會斷絕與雲瑚的姻緣。好在主人公過了三關。

陳石星和雲瑚的圓滿結局，與段劍平及韓芷有關。陳石星將雲瑚推向段劍平，段劍平卻沒有將自己的情感強加於雲瑚，而是努力成全雲瑚與陳石星的戀情。與此同時，段劍平與韓芷在同行前往金刀寨過程中，這對失意男女——段劍平失意於雲瑚，韓芷失意於陳石星——相互間情投意合，成為戀人。有意思的是，段劍平的父親並不希望兒子娶雲瑚為妻，因為雲瑚之父雲浩與金刀寨關係密切，怕會影響段家處境。韓芷在段王爺被官府押解進京途中，與段劍平同心協力，救助了老王爺，老王爺對他們的關係更為看好，並當面許婚。

葛南威與杜素素是同門師兄妹，都是「八仙」中人，他們相親相愛攜手江湖，早已是武林中的一道風景。作者有意為這對戀人設置幾道障礙，讓他們的故事經歷幾番曲折。障礙一，是葛南威的師叔川西大俠池梁要把女兒韓芷許配給葛南威，他的話偏偏讓杜素素聽到，杜素素隻身離去，導致葛杜情感橫生波折。好在韓芷已有意中人，說服了父親池梁打消干涉念想，不再向葛南威提及此事。

障礙二，是葛南威以為杜素素身陷牢籠，不得不赴蘇州獅子林，被殷紀關入水牢中。巫三娘子的繼女巫秀花救了葛南威，且對葛南威產生好感，幸而葛南威對杜素素的感情始終未變，只能與巫秀花結拜兄妹，才度過了又一重考驗難關。

為什麼池梁的女兒叫韓芷？這牽涉到書中第四個情感故事。池梁出生於武林世家，與表妹青梅竹馬，但表妹卻愛上了師弟韓遂。池梁警告了韓遂，韓遂也退避三舍，但表妹卻從此憔悴。表妹雖答應嫁給池梁，但因心有所屬，與池梁貌合神離，池梁耐不住妒火，醉酒後與表妹強行發生性關係，導致表妹懷孕。表妹無法忍受，終於和韓遂一起私奔，生下池梁的女兒韓芷。直到池梁與韓芷重逢，才對女兒說起了這段往事。

類似的情感錯位並不少見，少見的是川西大俠池梁作為施暴作惡者，能向自己的女兒作出懺悔，他已經超脫了情感衝動及自私立場，對年輕時的荒唐也有深刻反省。有意思的是，他要女兒替自己完成與葛家聯姻的心願，複製其父母當年的行為，差點就葬送女兒的幸福。好在韓芷並非無主見的傳統女性，而是獨立自主的江湖俠女，不讓父親和自己重蹈覆轍。

更可觀的看點，是雲夫人其人及其故事。她出身於官宦之家，父母將她許配給武狀元雲重之子雲浩，可謂門當戶對。雲浩武功人品俱佳，前程不可限量。只不過，雲浩側身草莽，浪跡江湖，自己顛沛流離，夫妻聚少離多。女兒雲瑚出生後，雲夫人和雲浩漸行漸遠，雲夫人回娘家，父母留住她長達幾年時間。父母有意讓她與兵部侍郎之子龍文光交往，導致雲夫人改嫁龍文光，雲夫人變成了龍夫人。

這一婚變，主因是父母干預，正如其第一次婚姻同樣由父母包辦。父母讓女兒改嫁，原因是雲浩與金刀寨「叛逆」交往，弄不好會殃及全家，這樣做不難理解。只不過，雲夫人不知道，雲浩寫下休書實是受其父母逼迫。

雲夫人的個性，是虛榮任性，心智幼稚，無能主宰人生。嫁給雲浩，是因為雲浩出身名門且一表人才，能滿足她的虛榮心；疏遠雲浩，則是因為雲浩側身草莽，不求仕途上進，讓她的虛榮心無法進一步滿足。與龍文光交往，是因為耐不住寂寞，更喜歡被追求被呵護被吹捧的感覺。收到雲浩休書而毫不懷疑父母作梗，則是她幼稚無知的典型表現。她既不懂得雲浩，也不懂得父母，只是按照雲浩或父母的引力或壓力去做。假如雲浩及時來接她回家，並對她說上若干好話，或許她會跟雲浩回家；而父母縱容她與龍文光約會，她也就順水推舟，進而隨波逐流，從雲夫人變成龍夫人。她想不到，龍夫人的身分雖然榮耀，卻無法彌補內心空虛——她的內心本來就是空虛的，既無知識，亦無真愛——以至於逐漸失望，到最後索性離開龍家，尋找女兒，最後死於金刀寨。

她似乎意識到雲浩的愛更為珍貴，但那不過是隔岸觀景，其實是沒有自主經營情感與婚姻生活的能力。女兒雲瑚原諒了母親，是因為雲瑚從小經歷憂患，心智比母親更成熟。雲夫人從小到大，都不過是一隻籠中鳥，渴望愛情而不懂愛情，享受生活而不懂生活，結果讓女兒和兩任丈夫的命運被扭曲，更讓自己面目全非。現實生活中，這樣的人極多。

有關主人公陳石星之死，前文中已有討論。要補充的是，陳石星知道自己的結局，唯一心願是讓愛侶雲瑚繼續活下去，至少是不至於立即殉情。於是作者專門安排了蒙古醫隱戈古朗，讓陳石星、雲瑚喝下催情之酒而衝動歡合，導致雲瑚懷孕，為了孩子，雲瑚必須活下去。這一安排，算是悲劇結局中的一個溫暖的亮點。陳石星如流星劃過天際，二十來歲就告別愛人、告別人世，人生未免太短。好在他曾發出過耀眼光芒，愛過，奮鬥過，為民族立下奇功，光芒蓋過凡星。《廣陵散》並未從此絕響，廣陵劍自會有傳人。

三、《彈指驚雷》及《絕塞傳烽錄》

《彈指驚雷》和《絕塞傳烽錄》，都是講述主人公楊炎的人生故事，實際是同一部書的上下集，須放在一起說。

小說的核心主線，是主人公楊炎的成長經歷、命運磨難和內心衝突。開篇布局頗具匠心，齊世傑尋找楊炎，冷冰兒也尋找楊炎，「尋找楊炎」成了重大懸念。進而，冷冰兒和齊世傑分別遇到真假楊炎，真楊炎卻化名「唐不知」，試圖揭開自己的身世之謎——我是誰？我從哪裡來？——有關他的身世，有多個不同版本，楊炎的表兄齊世傑提供了第一個版本，即「楊氏版本」亦即楊大姑版本。內容是：雲紫蘿不守婦道，孟元超奪人所愛，楊牧是受害者。進而，在古廟中躲雨時，楊炎聽到第二個版本，即宋鵬舉、胡聯奎所說的「宋胡版本」，與「楊氏版本」不同，要點是，雲紫蘿和孟元超早有戀情，楊牧在婚姻中也有過失，楊大姑傷害過雲紫蘿。第三個版本是繆長風提供的「繆氏版本」，這一版本最接近真相，即孟元超與雲紫蘿有情在前，楊牧陰謀於後；楊牧有過，雲紫蘿無辜。

獲知身世真相，只是楊炎故事的一個拐點，從此楊炎把「拯救父親」作為奮鬥目標。發現父親的真面目，與其想像天差地遠，楊炎內心悲苦，可想而知。但他始終沒有放棄，直到楊牧決定為兒子楊炎犧牲自己，實質上是楊炎終於拯救了父親楊牧的靈魂。這個故事頗有「後喻文化」的味道。

楊炎故事的另一看點，是與冷冰兒、龍靈珠的戀情。從兩人的姓名看，即可知楊炎與冷冰兒本就是冰火兩重天，只因段劍青下春藥，楊炎與冷冰兒曾擁抱親吻，且被覬覦冷冰兒美貌的石清泉窺見，楊炎自以為有責任、有義務與冷冰兒成親。這一道義擔當，成了他與龍靈珠情感關係的最大障礙。

在道德與情感矛盾的背後，實際上還有楊炎對童年往事的留戀與珍惜，而與龍靈珠，則有另一份情感，另一份道德義務（**龍則靈將孫女托付給楊炎**）。楊炎無法自主抉擇，所以冷冰兒和龍靈珠不約而同地與他訂下七年之約。

這是一種新的寫法，既沒有假定一個十八歲的青年真正懂得愛情，也沒有給出愛情故事的明確結局——楊炎愛冷冰兒嗎？也許是，也許不。換個角度說，冷冰兒是否愛楊炎？看上去也是個難題，明眼讀者不難看出，冷冰兒愛齊世傑，對楊炎則是親情。如果不是楊大姑禁止齊世傑與冷冰兒交往，冷冰兒嫁給齊世傑，勢必皆大歡喜。問題是楊大姑阻止了冷冰兒，冷冰兒的情感無處寄托，楊炎就無法抉擇：如果選擇冷冰兒，不但對不住龍靈珠，且違背自己的情感傾向；如果選擇龍靈珠，那就對不住冷冰兒，且違背自己的道德誓言。

作者安排冷冰兒削髮出家，有意讓楊炎擺脫道德困境。與龍靈珠在一起，他顯然更輕鬆、更自由。楊炎是否愛龍靈珠？答案是肯定的。但，與冷冰兒相比，他是否更愛龍靈珠？答案就不那麼確定了。原因不是情感本身，而是楊炎並不懂得親情、欲望、道德與真實男女情感的微妙區別。簡單說，是十八歲的楊炎尚不懂得愛情。所以，龍靈珠提出七年之約，是要嚴格考驗楊炎的情感，同時也要解決楊炎當下所面臨的難題。龍靈珠比楊炎年紀小，在情感心智上顯然比楊炎更加成熟，提出七年之約，是要等待楊炎「長大」。

書中另一值得一說的人物，是楊大姑。她是楊牧的姐姐、楊炎的姑媽、齊世傑的母親。此人外號「辣手觀音」，可見其脾氣火爆、手段酷辣，將身懷有孕的弟媳雲紫蘿趕出家門，就是典型例證。說起來，楊炎的人生悲劇，有一半與楊大姑相關。問題是，楊大姑辣手無情，並非沒有理由，即不能容忍雲紫蘿這樣「不守婦道」的弟媳敗壞楊氏家風。值得注意的是，楊大姑早已嫁人，但她從未自稱「齊夫人」，始終是楊大姑，即始終是原生家庭之主。原因是父母早逝，楊大姑和弟弟楊牧相依為命，名為姐弟，實為母子，在很大程度上，她對楊牧的感情可能比對兒子齊世傑的感情更深。或許正因如此，使得楊牧成了一個自我中心且自私自利的人。楊大姑的丈夫、齊世傑的父親是什麼時候去世、因何去世，我們不得而知，從楊大姑的脾氣看，她守寡的時間可能不短。

楊大姑為什麼要將雲紫蘿趕出家門？在表面理由之下，很可能還有無意識動機，即對弟弟楊牧關愛過分，甚至產生了無意識佔有欲。這不是暗示楊大姑對弟弟楊牧有不倫之戀，而是一種畸形的獨佔欲心理。如此推測，旁證是楊大姑不許兒子齊世傑與冷冰兒交往。在楊大姑見到冷冰兒和齊世傑在一起，即當著兩位年輕人的面對齊世傑發出禁交令。

所以如此，表面原因是冷冰兒的叔叔冷鐵樵是小金川「反叛」頭領，兒子與她交往可能會給齊家帶來無妄之災。而在表面原因之外，同樣有基於佔有欲的無意識動機。楊大姑對所有年輕女性都有本能妒忌心、防範心，對冷冰兒如此，對龍靈珠更是如此。否則，齊世傑這個獨子，怎麼會到年近三十還沒有結婚生子？若齊世傑有勇氣自作主張，又怎麼會離開冷冰兒？

楊大姑有辣手的一面，也有溫情的一面。既是辣手，也是觀音，楊大姑讓兒子齊世傑遠赴藏邊、西域尋找楊炎，就是例證。楊炎是雲紫蘿的兒子，卻也是楊家骨血，楊家不能絕後，必須將楊炎找回。她派齊世傑去找楊炎，又派宋鵬舉、胡聯奎去找齊世傑和楊炎，後來她自己又親自去找，說明楊炎是她心中最大關切。更有意思的是，楊大姑還能成長和改變。當她發現弟弟楊牧不僅不聽她忠言，更不受她控制，甚至不顧姐弟之情，創深痛劇導致幡然悔悟，自覺往日之非，從此改變作風。例證是，她向「小妖女」龍靈珠認錯，希望她和楊炎相愛。

楊牧的形象也值得一說。此人固然不是楊炎想像的那麼誠實無辜，卻也不是一般人想像的那樣十惡不赦。他雖然曾有過欺騙楊炎、利用楊炎攫取高官厚祿的劣行，畢竟在小說最後，他還是被兒子楊炎所感動，為救兒子而犧牲了自己的生命。他究竟是怎樣的一個人？他如何成為這樣的一個人？頗有討論餘地。

他原本是薊州武師，是閔成龍、方豪、方亮、范魁、宋鵬舉、胡聯奎等人的師父，六個徒弟中，閔成龍和方豪，一為鷹犬、一為惡霸，都不是好人；而方亮、范魁則很早就參加了義軍，是俠道中堅；宋鵬舉、胡聯奎則是震遠鏢局的鏢師，既非大惡，亦非大俠，而是心地善良的普通人。楊牧的六個徒弟作出三種不同的人生選擇，當能說明師父楊牧的多面性。楊牧的基本面是什麼？值得討論。

楊牧的基本面，應該是自私自利、自我中心。從小受姐姐楊大姑無微不至的關愛，養成了自我中心的心理習性。向雲紫蘿求婚是如此，製造孟元超犧牲的謠言是如此，眼睜睜地看著楊大姑將懷孕的雲紫蘿趕出家門，更是如此。投身官府圖謀榮華富貴，當然同樣如此，楊牧一心一意往上爬，甚至不惜出賣自己的兒子楊炎。有意思的是，在小說最後，楊牧終於為父子親情而決定犧牲自己。這說明，作者試圖寫出一個不一樣的壞人。雖然不是十分出色，但努力方向相當明顯。

在這部小說中，作者雖然沒有完全放棄浪漫傳奇的追求，卻明顯地加入了人生經驗的真實維度，使得書中人物有更複雜的人生面目。書中天山派長老石天行、石清泉的形象就很有代表性，他們不是通常意義上的壞人，卻也不是單純的俠義道。他們的行為並非出自某種道德理想，而是符合人之常情，頗有討論餘地。

小說的不足之處是，天山派掌門人唐嘉源剛剛舉行接任掌門儀式，就公開說誰殺了白駝山主宇文博，誰就是天山派掌門人。作者解釋說，唐掌門這樣做，是想留住孟華（**他以為有能力殺宇文博的只有孟華一人**），這其實不合常規。唐嘉源要留住孟華，大可讓他做長老，不見得要他做天山掌門。更重要的是，小說最後，唐嘉源居然派孟華等人來迎接楊炎回天山接任掌門，這就更沒有道理了。因為真正殺宇文博的不是楊炎，而是龍靈珠；而且楊炎年僅十八歲，天山派功夫顯然還不到家，心智也不夠成熟，如何能當天山這一大門派的掌門人？

四、《劍網塵絲》及《幻劍靈旗》

《劍網塵絲》和《幻劍靈旗》也是一部書的上下集，在《大公報》上以《劍網塵絲》之名連載。如果用一句話概括，上集是「衛天元復仇記」，下集是「白駝山覆滅記」。上下集聯繫緊密，只能一起看、一起說。

小說的突出特點，是俠義精神變淡，而情感與人性滋味變濃。說俠義精神變淡，主要證據是，書中俠義人物及抗敵反暴故事被推到了邊緣。衛天元之父衛承綱作為反清組織的義士，在小說開始之前就已被殺。書中也沒有反抗異族、反抗暴政的故事情節。本書主人公衛天元、姜雪君等人，不是反異族、反暴政的義士，甚至也不是一般意義上的俠客，相反，衛天元被正派人物視作大魔頭。而中州大俠徐中岳，卻是欺世盜名的偽君子。

進而，書中武林名門正派，也都不是以維護武林公道作為行為指歸，如武當五老，專找齊勒銘的麻煩，一心找回自己的面子；而華山派則更加不堪，在天權道人被殺之後，華山長老到處胡亂咬人。書中的剪大先生，揚州大俠楚勁松、楚天舒父子，最多也不過是努力維護良知，不做邪惡之徒的幫凶而已。

這部書的主旨，在《劍網塵絲》書名及第十八回回目：「劍網紛張，原如世網；塵絲難斷，未了情絲」，已作了說明；第十八回的結尾兩句：「劍網攖人如世網，塵絲糾結似情絲」，則對劍網塵絲主題作進一步闡釋。

書中主人公衛天元、姜雪君、齊漱玉或楚天舒等人物形象頗為鮮活，但寫得最好的人物卻是齊勒銘和上官飛鳳。開頭寫徐中岳新婚、衛天元鬧事的情節雖然很精彩，更精彩的卻是齊勒銘死而復生，及他的成長經歷、愛情故事、人生之痛。

齊勒銘是第一高手齊燕然的獨生子。像所有父親一樣，齊燕然對兒子寄予厚望，因而嚴格要求，結果適得其反，齊勒銘成了典型的問題少年，從兒時起就是家中的小搗亂，成年後更是花天酒地、胡作非為。齊燕然嚴加管束，結果總不如人意，齊勒銘屢教不改，甚至變本加厲。最嚴重的事件是，與莊英男新婚期間，就出去與銀狐穆娟娟廝混，還差點將新娘掐死。後來又故意招惹武當道長，被武當五老圍攻落水失蹤，所有人都以為齊勒銘已死，齊燕然也因為兒子不肖，從此退出江湖，帶孫女齊漱玉隱居於王屋山。在一般人看來，齊勒銘似是天生壞種，所作所為簡直沒有人性。但在齊勒銘重新露面後，發現他並不是徹頭徹尾的壞人，他的善良天性被壓抑和扭曲，從未真正滅失。證據是，他露面後做的第一件事是救了丁勃，表明他重視親情；他做的第二件事，是偷偷上船去看女兒齊漱玉，表明他的父愛。

齊勒銘的成長故事，是一個讓人驚嘆且值得分析的典型案例。他從小就喜歡溜出家門胡鬧，部分是出於少兒天性，更大原因則是要釋放嚴父管教下的壓抑情緒。齊燕然雖是武功高手，卻是不及格的父親，一味望子成龍，一味嚴加管教，卻不懂得用兒子理解的語言與兒子交流。更嚴重的是，無論齊勒銘表現如何，都無法獲得父親的讚賞和笑容。齊勒銘在外胡作非為，與其說是對父親的反抗，不如說是為自己鬆綁。既然無法達到父親的要求，索性以自己的方式證明自己的價值。其證明方式當然是年輕人自以為是，與其父親的自以為是，其實如出一轍。齊勒銘自我扭曲經歷，懂得兒童心理學和教育學的人，應該一目了然。

齊勒銘的惡變，還有一個重要原因，那就是與莊英男的婚姻。這是包辦婚姻，是由兩人父親做主，讓他們成為夫妻。這兩個當事人的氣質和個性，簡直南轅北轍。對父親的決定，齊勒銘只能軟抗，即在新婚期間出去與穆娟娟胡混，讓新娘獨守空房，甚至故意讓新娘莊英男知道他出去胡混。如果莊英男懂得做妻子兼做母親（**齊勒銘確實缺少母愛**），或許齊勒銘會浪子回頭。問題是，莊英男也是犧牲者，她早就愛上了楚勁松，迫於父命，不得不與齊勒銘結婚。假如齊勒銘懂得珍惜莊英男，或許她會有所改變，甚至可能兩情相悅。但齊勒銘在新婚期間的胡作非為，嚴重傷害了莊英男的情感自尊，而她保持自尊的方式，就是對齊勒銘不聞不問，以矜持和冷漠方式對待新郎。

莊英男的矜持，讓齊勒銘的對抗變本加厲；而莊英男與楚勁松的感情，更讓齊勒銘瘋狂。此時的齊勒銘，心理上還未成年，如同巨嬰，突出特點是只知有我、不知他人，更不懂得將心比心，他並不認為自己在新婚期間與穆娟娟胡混是對新娘的嚴重傷害，但卻無法原諒妻子莊英男婚前與他人的感情。白駝山主宇文雷有意在齊家附近吹簫，故意讓人誤會是楚勁松來招引莊英男，使得齊勒銘陷入瘋狂，才會對新娘實施殘忍「報復」，差點將莊英男掐死。齊勒銘從此離家出走，源於不計一切的衝動，和事到臨頭的驚恐。

二十年後，齊勒銘面貌變了，心理也變了，但仍然沒有成熟，仍需繼續成長。齊勒銘還是不知自我反省，只會歸咎於他人。他仍未意識到自己對莊英男的傷害，卻對莊英男改嫁楚勁松恨得咬牙切齒，想要毀掉與莊英男相關的一切。穆娟娟愛他，救他，把他從死神手裡奪回來，體貼入微地照顧他的生活起居，他非但不知感激，反而將自己的人生錯亂歸咎於穆娟娟。直到內功被廢，琵琶骨被捏碎，再次死而復生，他才真正長大成人。

第一次死而復生僅僅是肉體的復活，第二次死而復生才是真正的精神成長。直到他自己的女兒長大成人之後，他才意識到父親的嚴苛，其實也是一種愛。直到他見識莊英男與楚勁松寧死不屈，才知道什麼是真愛；直到他武功被廢及再次失而復得，才意識到穆娟娟對他的這份情感是多麼寶貴。在《幻劍靈旗》中，他與父親齊燕然重逢，才真正相互理解。

書中另一個值得專題討論的人物是上官飛鳳。

《幻劍靈旗》是《劍網塵絲》下集，主線是「白駝山覆滅記」；副線則是「上官飛鳳擇偶記」。作者對上官飛鳳的設計十分巧妙，且十分精密。她第一次露面是譏諷徐中岳，是長遠伏筆，也是上官飛鳳的遠謀深慮。她幫助衛天元的方式很特別，首先是偷了姜雪君的衣服以取信於衛天元，其次是換取衛天元抓獲的穆良駒的衣服去與宇文浩和穆好好談判，以穆良駒交換齊漱玉。但她自己並不出面，而是讓姜雪君出面去當交換仲介。這麼做，是要把衛天元引誘到她精心布置的溫柔陷阱中。

上官飛鳳要得到衛天元，面臨兩大困難，一是衛天元愛姜雪君，二是齊漱玉愛衛天元。上官飛鳳的設計如果實現，很可能會一舉兩得，一方面交換到齊漱玉，讓齊漱玉感激她，並受她支配；另一方面，她讓姜雪君去找宇文浩和穆好好，是因為她知道宇文浩是好色之徒，而姜雪君是洛陽第一美人，只要讓姜雪君在宇文浩面前出現，宇文浩必然要想盡一切辦法得到姜雪君。

只不過人算不如天算，上官飛鳳雖然精明，仍然漏算了齊勒銘這一變數，為了拯救女兒齊漱玉，他毅然喝下宇文浩夫人穆好好的金蠶毒酒。發現宇文雷是當年誘他上當的吹簫人，他又抓住宇文浩作為交換齊漱玉的籌碼。所以，上官飛鳳算計衛天元、齊漱玉、姜雪君的計策，並沒有完全成功。

接下來，上官飛鳳的算計更加奇詭，也更加精彩。首先是徹底解除齊漱玉的威脅，辦法很簡單，是將齊漱玉送到母親莊英男及其繼子楚天舒身邊，讓這對男女產生戀情，結果如上官飛鳳所願。其次是對付姜雪君，上官飛鳳也找到了解決問題的辦法。她知道姜雪君的第一願望是找仇人徐中岳報仇，上官飛鳳有辦法為姜雪君報仇創造條件，交換條件是：報仇之後立即詐死。結果，姜雪君在殺死徐中岳之後，當眾服毒自盡。接下來是更大挑戰，衛天元仍然懷念姜雪君，聽說楚勁松將姜雪君的遺體運往揚州，堅持要到揚州一行。於是上官飛鳳策劃了下一場戲，讓丁勃勸楚勁松布置姜雪君的靈堂，還讓齊漱玉假扮姜雪君躺在棺材裡。讓衛天元在棺材前訴說衷情，以便徹底釋放對姜雪君的思念和餘情，從而一心一意地與上官飛鳳相愛。只可惜，齊漱玉在棺材裡聽到衛天元訴說衷情而火冒三丈，差點立即露餡。好在大內侍衛魯廷方、韓柱國和華山派天璣道長前來抓捕衛天元，上官飛鳳也及時拿出華山天梧道長的信函，解決了這場糾紛。

在為齊漱玉、姜雪君安排「去處」的同時，上官飛鳳也抓住了衛天元的性格特點。她知道衛天元對她有感激之心，更有保護弱小的英雄氣概，因而故意讓衛天元聽到有關上官飛鳳是「妖女」的傳言，使衛天元衝動地向上官飛鳳求婚。她不僅要與衛天元結合，而且要衛天元全心全意地愛她，所以她繼續布局，一是讓父親上官雲龍不許衛天元和上官飛鳳在一起，讓衛天元失意離開，這實際上是進一步刺激衛天元對上官飛鳳的愛情思念。二是讓衛天元去見姜雪君最後一面——確實是最後一面，因為此後姜雪君隨玉清神尼出家，法號慧淨——這可能不是上官飛鳳故意安排，姜雪君出現在白駝山附近，很可能是趙青眉和她的師父穆欣欣抓去的。上官飛鳳要衛天元去「解開棋局」，當然是要讓衛天元去拯救姜雪君。但並不是要讓衛天元與姜雪君破鏡重圓，而是要讓衛天元與姜雪君的情感做最後了結。否則，上官飛鳳就不會及時出現在白駝山下為衛天元做飯。

在作者和命運協同下，姜雪君隨玉清神尼出家了，姜雪君這麼做，是因為她知道自己鬥不過上官飛鳳，經歷了這場人生大夢，姜雪君也確實心灰意冷。有意思的是，在徹底剷除白駝山惡勢力之後，上官飛鳳並沒有馬上與衛天元見面，而是去了後藏日喀則，讓衛天元去找她——她故意留下種種蛛絲馬跡確保衛天元能夠找到她——人就是這樣，男人尤其如此：只有經歷得而復失、失而復得的過程，衛天元才會死心塌地地愛上上官飛鳳，永不變心。這一團圓結局，大部分原因是來自上官飛鳳的精心布局。上官飛鳳為了「得到」衛天元，真可謂煞費苦心。

看到這一美滿結局，有心讀者勢必一面為主人公欣喜，一面冷汗直冒。雖可以肯定上官飛鳳這樣做，對衛天元並無絲毫惡意，只有愛心鍾情。為了愛情，有很多人這樣做，穆娟娟就是一個先例：為得到齊勒銘費盡心機，無所不用其極，誰會忍心責備穆娟娟？如果不會責備穆娟娟，又怎能責備上官飛鳳？

書中三個剪大先生，即剪千崖、剪一山兄弟，以及白駝山慕容垂易容扮演的剪大先生。人們認為是剪一山扮作哥哥剪千崖作惡，實際作惡者是白駝山慕容垂。慕容垂假扮剪大先生，推動故事情節發展，有重要敘事功能。

五、《武林天驕》

《武林天驕》是《狂俠‧天驕‧魔女》的外傳，作品的思想主題發生了根本性變化。且這一變化還分兩層，一層是由民族主義、愛國主義，發展到「國際主義」、民族融合與和平主義。更深一層，是通過和平反戰主義者檀羽沖的尷尬經歷，揭示和批判漢人的狹隘與蒙昧。如果說小說第一層主題，對習慣講述反抗異族侵略故事的梁羽生而言是一次重大轉折；那麼第二層主題，更具顛覆性。

所以如此，是由主人公的奇特身世所致。檀羽沖的祖父檀公直，本為金國執掌兵權的貝勒，由於厭倦戰爭，才辭官歸隱於盤龍山中，以獵、樵之事為生。檀家的鄰居是張炎和義女張雪波，張炎是南宋名將張憲的家僕，張憲是抗金英雄岳飛的女婿；張炎的義女正是張憲的女兒、岳飛的外孫女。檀、張兩家隱居的原因不一樣，檀公直、檀道成父子是因為厭戰而自覺地隱居於此，而張炎、張雪波則是避難逃亡來此地隱居。檀公直和張炎都不知道對方身世，誰也沒想到對方是異族敵國之民。

隨著檀道成、張雪波長大成人，青梅竹馬的玩伴自然而然地結為夫妻，生下了本書的主人公檀羽沖。檀羽沖的父親是金國貝子，母親卻是宋國抗金名將岳飛的外孫女，他的人生選擇就成了一道難題：一邊是父邦，一邊是母邦，若不選擇隱居繼續逃避，就只能選擇反戰爭取和平。問題是：環境逼人。

小說開頭，是寫張炎發現檀公直與金國官差來往——這些官差來請檀公直回朝廷主事，被檀公直拒絕——出於狹隘的民族仇恨，張炎下毒殺害了檀公直、檀道成父子。卻不料，宋國的官差也來了，要抓張炎、張雪波這對「逃犯」，張炎終於家毀人亡。若張炎沒有毒殺檀公直、檀道成，而是兩家聯合抵抗兩國官差，憑他們的武功，兩國官差都不可能得逞。問題是，張炎嫉惡如仇，根本不容檀公直父子解釋，把檀家父子當作不共戴天的仇敵。

張炎的行為發自本能，顯然沒有通過大腦，更何況眼前的複雜局面超出了他的思考分辨能力。進而，張炎不敢把南宋君臣陷害岳飛的真相告訴張雪波，甚至不敢痛恨南宋君臣；而南宋官府偏偏不放過他們，要讓他們無處逃生，如是，張炎的行為就顯得更加蒙昧愚蠢。

檀公直中毒後，曾對張炎說，「岳少保在朱仙鎮大捷之後，曾發過一道檄文，檄文說他將渡河收復失地，叫金國的老百姓不要附從兀術與他為敵。檄文說只須遵從他的號令，他對金人漢人都是一視同仁。在朱仙鎮大捷之前，他又曾上過一道奏章，是給宋國皇帝趙構的。他反對趙構和秦檜向金國求和，但也說明他並不反對和平，只是平等地位的媾和。」（第三回）

這段話重塑了岳飛的形象，他不但是「壯志饑餐胡虜肉，笑談渴飲匈奴血」的民族英雄，也是一位和平主義者。

岳飛並非狹隘民族仇恨的象徵，更非不分青紅皂白濫殺無辜的戰爭狂魔。理解戰爭與和平的意義，作出民族衝突或民族融合的正確抉擇，需要有真正的政治智慧。但要理解和平的意義卻不難，岳飛的孫女張雪波臨死之前，對兒子檀羽沖說：「記住，你父親是金國人，你的母親是宋國人。金宋雖是敵國，你的父母卻是恩愛夫妻。」（第七回）她只是一個普通女性，說不出什麼大道理，憑其人生經歷與切身感受說出這番話，同樣值得深思，也值得銘記。

但在金、宋連年戰爭中，懂得思考的人本就不多，這樣想的人就更少。張炎就是一個典型，直到吞下自己親手釀成的苦果，才知自己盲目仇恨的荒唐。而主人公檀羽沖來到南宋都城臨安，還會遭遇無數張炎這樣的人。江南漢族俠義道不分青紅皂白，將有一半漢人血統的檀羽沖當成奸細，群起而攻之。看起來只是少數壞人挑撥離間，卻也表現了更深刻的民族心理及其集體無意識。

在漢人俠義道中，只有一個小姑娘鍾靈秀，憑自己的感受和直覺判斷檀羽沖不是壞人。其他人都被民族仇恨蒙蔽了心智，不問是非對錯，對檀羽沖展開一次又一次圍攻。難怪檀羽沖感到極度悲憤，感慨萬千：「知我者，謂我心憂；不知我者，謂我何求。悠悠蒼天，彼何人哉！」

他到底是什麼人？其實也很簡單，只是一半是金人，一半是漢人。金國的君臣似乎一直是想請他回去，而南宋漢人君臣及江湖俠義道則不約而同地想要他的命。不管出於何種原因，不管是因為什麼目的，金國與南宋，女真人與漢人，存在著明顯的認知差異。這點差異看似不大，但一旦落到某個具體人身上，成為某個人的命運，那就具有決定性意義了。

小說的結局，是檀羽沖隱居於一半屬於金國、一半屬於南宋的翠屏山。這樣一個奇特的地理位置，似乎恰好是檀羽沖這位一半金人、一半漢人的主人公最合適的歸宿。你既可以將這個地方看作是一座山、一個國家的一分為二，也不妨將此地看成是山的兩面、兩個民族的「合二而一」。因為翠屏山本就是一座山，中國本就是一個多民族統一的國家。一分為二是暫時的，合二而一才是永恆。

由此可見，作者梁羽生的敘事立場與觀點有了重大變化，即不再是基於宋朝漢人立場，當然更非基於金人立場，而是超越了狹隘的民族立場，以人文主義觀點敘述這個悲劇故事。和平與反戰，不僅是一朝一代及一個民族的俠與非俠的衡量標準，而是整個人類的、人性的、人文主義的真切願望和終極理想。所以，在這部小說中，作者才故意虛構了檀羽沖這樣一個半是金人半是漢人的主人公，他的家庭悲劇及其一生的不幸，全都拜民族衝突和戰爭所賜。

無獨有偶，檀羽沖的師父也有類似經歷。耶律玄元是遼國皇帝的私生子，但他卻愛上了一個金國的姑娘，遼國被金國所滅，王子耶律玄元的戀情自然也就如同鏡花水月。耶律玄元的情人，成了現今金國大將軍完顏鑒夫人。小說中敘述這個故事，不是講述一段仇恨，而是抒發有情人難成眷屬的憂傷。

檀羽沖的情感經歷也頗有深意。他先後接觸過三位少女，首先是金國兵馬大元帥完顏長之的義女赫連清波——人稱「玉面妖狐」，她應該是遼國人——幾度並肩又幾度分手，情苗滋生卻終不能如願。其次是江南漢族少女鍾靈秀，他與她相依為命、共歷生死，這位純潔美麗的姑娘最終為拯救他而捐軀，臨死之前，他對她說願意娶她為妻，但那不過是對她的臨終安慰，因為他對她的感情其實只限於兄妹之情。有意思的是，赫連清波和鍾靈秀分別屬於金國、南宋，最終都無法與檀羽沖走到底。只有第三位少女，即赫連清波的妹妹赫連清雲，最終自願與檀羽沖結伴隱居於翠屏山。此女與金國、南宋都沒有什麼關係，她是個超乎民族國家之上的自由人。只是，她與他是否會成為眷屬？成了永久的懸念。

最後，這部小說的敘事語言形式也有變化。小說分為十七節——既不是章，也不是回——而每節標題也非回目對聯，只是四字成語，如此簡單明瞭，或許更容易讓八〇年代的讀者所接受。

小說的不足，是因它與《狂俠・天驕・魔女》有關，受到前書內容及設定的制約，因受限而局促。許多情節都應該展開，但卻沒有展開，小說簡單得有些單薄。收筆處也略顯急促，檀羽沖的故事在本書中顯然沒有寫完——那只有到《狂俠・天驕・

更大的問題是，他既有妻子又有情人，還與常五娘打得火熱。這一切都證明，此人表裡不一。

在當了武當掌門後，第一件事是派兒子牟一羽下山尋找藍玉京，調查藍玉京被無相指派下山的原因。看起來，無相並不信任他，他也不信任無相。此後所作所為，無不是為了鞏固權位，與無量虛與委蛇，對不歧控制防範，提出讓耿玉京接替掌門，不過是對付聾啞道人陰謀集團的臨時方略。

再說牟一羽。他是牟滄浪的兒子，武功不俗，看似一臉正氣，實則詭計多端，難以看清他的真相。他與唐二先生聯手欺騙單純正直的無色道人，當然不是為了常五娘，而是為了他的父親——他知道父親與常五娘曾有過不正當關係，也知道唐二先生知道常五娘與牟滄浪有染。牟滄浪下武當山找耿玉京，與藍水靈相遇，單純但敏感的藍水靈很「怕」他，覺得牟一羽有些「陰」，這是個重要發現。

牟一羽確實有些陰，因為他參與了父親在武當派的權力鬥爭，凡與權力鬥爭相關的事，總是帶有某種陰氣。更重要的是，此人對誰也不相信，與父親牟滄浪也不是坦誠相對。他的心結是，覺得母親是因為父親不軌行為抑鬱而死，而他卻不能不維護父親，不能不為父親辦事，其內心糾結與痛苦可想而知。直到最後，他才知道西門夫人是自己的生母，西門燕竟是他的妹妹，其震驚不言而喻。

書中唯一亮色是少年耿玉京。他的亮色，在於他放棄武當掌門，前往遼東抗清前線，且在關鍵戰役中打傷滿清最高領袖努爾哈赤。遺憾的是，小說中耿玉京形象並不十分成功。也許是由於他還是個孩子，尚未達到心智成熟的年齡，還沒有成熟明晰的人生觀和世界觀；另一部分原因，則是他的俠行，即打傷努爾哈赤，書中並沒有作正面描寫，只是匆匆一筆帶過。在他前往遼東之前，我們看到的耿玉京，仍不過是心思簡單、性格溫和，但涉及自己的親友或利益時，也會表現出衝動情緒——如在無名推薦他當掌門時與無量道長頂嘴——的少年脾性。實際上，耿玉京雖是作者推崇的「武當一劍」，卻算不上是本書的主人公。

東方亮是書中另一個值得關注的人物。他是崑崙派玄真子的徒孫、劍聖向天明的弟子，因為有超人的武學天賦，師父向天明精心培育他，目的是要他戰勝武當派第一高手，為師門增光。為了知己知彼，他從姨媽殷明珠學到了一些武當劍法（**殷明珠的劍法傳自牟滄浪**），還想從武當少年耿玉京那裡學，所以他與耿玉京交往，顯然是別有用心。有意思的是，在與耿玉京交往過程中，他們之間確實產生了友誼。儘管如此，東方亮儘管內心不安，卻還要繼續利用耿玉京，繼續觀摩切磋武當劍法。

此人是不是壞人？這很難說。東方亮之父東方曉死於非命，殺他父親的第一嫌疑人是牟滄浪，所以，東方亮修練武當劍法，不僅是要為師門增光，更重要的是要報殺父之仇。為了報仇，東方亮故意疏遠表妹西門燕，原因是，一，他要專心練劍，要保持童子功，不能耽於兒女之情。二，發現藍水靈比表妹西門燕更為可愛可親。三，他以為牟滄浪是殺父仇人，也知道姨媽殷明珠是牟滄浪的情人，所以不願與姨媽的女兒西門燕親近（**當時他還不知道西門燕是牟滄浪的女兒**）。

更令人震驚的是，為了報仇，他居然自宮練劍。東方亮是有邪氣，那不是因為師門榮耀，而是因為殺父之仇。仇恨讓他變態。最後他才知道，殺父仇人並非牟滄浪，而是姨父西門牧及其後妻穆盈盈。東方亮殺了穆盈盈，卻沒有對西門牧下手，這一細節，表現了東方亮的複雜心思。

總之，《武當一劍》所寫，並不是單純的俠與邪。在武當派名家如無相真人、無名真人牟滄浪、牟一羽、不吱道人戈振軍、無量道人、聾啞道人，乃至無色道人、不波道人等人的身上，看不到真正純粹的俠氣；而在東方亮、向天明、西門夫人、西門燕乃至西門牧、穆盈盈等人的身上所看到的也不僅僅是邪氣，同時也看到了愛心、友情和其他讓人心動的品質。如此，才能寫出人性的複雜性。

本書缺陷甚多。其一，有關武當派丁雲鶴、無極道人、何其武、耿京士等人的連環謀殺案的設計不十分合理，解釋也不能令人滿意。其二，有關「小五義」的設計和敘事也難以令人滿意，諸如：小五義中的慧可為何到少林寺當火工和尚並隱姓埋名三十餘年？郭東來和王晦聞為什麼要當滿洲奸細？郭東來是什麼時候、由於什麼原因開始後悔此前選擇，並決心改弦更張？他為什麼讓兒子郭璞充當兩面間諜？郭璞充當兩面間諜後究竟做過什麼？郭璞即霍卜托寫給耿京士的信到底寫了些什麼？為什麼武當派中人會把這封信當作耿京士做了滿洲奸細的證據？郭璞為什麼要寫這封信給耿京士？王晦聞為什麼要當漢奸？武當無量道人是不是漢奸？朝廷欽使褚千石、趙太康是不是漢奸？書中都沒有給出明確解釋。所以如此，或許是作者設計得不夠嚴謹周密，或許是因為結集刪改過於草率。

七、關於「金、梁」與「梁、金」

梁羽生和金庸是香港武俠小說的兩大高峰，這兩人的排名順序發生過微妙變化。開始時，自然是說梁羽生、金庸，因為梁羽生開始武俠小說創作的時間比金庸早一年多時間，梁羽生成名也比金庸早，人們談論這兩位大家時，自然要把梁羽生排在金庸之前。但後人談及香港新派武俠小說，往往把金庸置於梁羽生之前。

「金、梁」之說的始作俑者，當是梁羽生本人——他化名佟碩之發表《金庸梁羽生合論》即以此為題，文中還對此排名作了解釋：「若按『出道』的先後來說，應該先梁後金，但『梁金』讀來不如『金梁』之順口……以金庸梁羽生合稱『金梁』，頗為有趣，因此我也就順筆寫為『金梁』了。姑且委屈梁羽生一些，卻決非有意抑梁抬金，請梁迷不要誤會。」[7]這一種禮貌的說法，從此成為人們的慣習，即承認金庸是後來者居上，就連梁羽生先生本人也公開承認：「我頂多只能算是個開風氣的人，真正對武俠小說有很大貢獻的，應是金庸先生。」[8]

於是就有「梁、金」與「金、梁」問題。

單純討論排名問題，不僅無趣，且無多大意義。但若換一種說法：梁羽生的天資、學養、才氣，哪一樣都不比金庸遜色，甚或猶有過之，為何梁羽生武俠小說的成就不及金庸？則是一個有意思且有意義的議題，值得專題討論。

說梁羽生的天資、學養、才氣勝於金庸，證據是，他於一九五〇年二月被提升為副刊編輯；半年之後，又成為《大公報》社評委員會成員。這通常只是由資深編輯兼任的職銜，梁羽生進報館不過一年時間，即成為社評委員會裡最年輕的成員。[9]金庸雖然入職時間早幾年，且是梁羽生入職時的考官，[10]卻未被提拔。另一證據是，羅孚要請人為《新晚報》寫武俠小說連載，第一個想到的不是查良鏞（**金庸**），而是陳文統（**梁羽生**）。[11]這也說明，梁羽生是羅孚心中的首選，金庸次之。

看起來，羅孚的選擇並不錯，梁羽生沒有讓他失望，果然按時按質且超量地完成了任務。《龍虎鬥京華》、《草莽龍蛇傳》引起轟動，《七劍下天山》、《塞外奇俠傳》、《白髮魔女傳》、《萍蹤俠影錄》更讓人驚喜連連，「新派武俠」蔚為大觀。

為什麼梁羽生小說不及金庸？原因有以下幾種。

其一，梁羽生寫武俠小說，且成了新派武俠小說名家，成就卓著，但在他內心深處，對武俠小說始終不以為然。早在一九五七年一月，《七劍下天山》尚在連載之際，梁羽生就在評說賽凡提斯《堂吉訶德》的文章中公開表示：「說老實話，我自己雖然寫武俠小說，但卻並不希望武俠小說一直流行下去。」[12]幾十年後，在總結自己的武俠創作歷程時，他還是這樣說：「儘管我在大學喜歡看武俠小說，但我的志願還是在學術研究的，做夢也想不到我這一生竟然會跟武俠小說結下不解之緣。」「寫《龍虎鬥京華》時，我本以為這是一個『趁熱鬧』的『臨時任務』，最多寫一年半載就不會再寫了，沒想到欲罷不能，這一寫就是三十年，『卅年心事憑誰訴』倒似是『封刀』時的作者自詠了。」[13]很顯然，梁羽生只是把寫作武俠小說當作自己的職業任務，從未把它當作自己的志向和事業。一個寫作武俠小說的人，卻不希望武俠小說一直流行下去，在這種古怪心態之下，竟然能把武俠小說寫得那樣動人，這說明梁羽生確實才氣過人。但要更上層樓，卻是不易。

當年的金庸，或許同樣並不高看武俠小說，同樣沒有把寫作武俠小說當作自己的理想事業，同樣是把寫作武俠小說當作臨時任務。唯一不同的是，金庸喜歡講故事，把寫出令人著迷的好故事當作一種享受和追求。他以《一個「講故事人」的自白》，回應佟碩之（梁羽生）《金庸梁羽生合論》，即是最好的說明。

其二，梁羽生學養豐厚且才華橫溢，但卻心地單純而秉性天真，缺少實際人生經

的一員，後者是個人優先。

舉例說。梁羽生在悼念陳凡（百劍堂主）的文章中，提及了一件往事，即《草莽龍蛇傳》的開篇詩「一去蕭蕭數十州，相逢非復少年頭。亦狂亦俠真名士，能哭能歌邁俗流。當日龍蛇歸草莽，此時琴劍付高樓。自憐多少傷心事，不為紅顏為寇仇。」其中六、八兩句是陳凡所寫。梁羽生在文中揭秘：

「有一點我想說的是，詩是完成了，但結句卻非我的原意。原來《草莽龍蛇傳》中有一個外號『鐵面書生』的中年人，他暗戀一個外冷內熱的寡婦，雙方都不肯輕易露出感情，結局亦無答案，只讓讀者去猜。我寫了第七句『自憐多少傷心事』之後，結句本來是想表達一種『不辭冰雪為卿熱』的情懷的，沒想到陳凡來了那麼一句『不為紅顏為寇仇』，突然把人物『拔高』，剛好與我的『思路』相反。但繼而一想，以陳凡的詩詞功力，豈有看不出我的思路之理，莫非他是藉此來糾正我的『偏差』？在五十年代的『左派』陣營，許多人還是抱著理想、追求『進步』的，如此一想，我非但沒把『原意』說出來，反而感激陳凡了。」[18]

這段往事的要點，簡單說，就是習慣性的服從，甚或是屈從，亦即將長者或領導的意願置於個人的認知之上。凡熟悉中國文化傳統及當代社會現實者，都能夠理解這種現象。在特定的社會現實中，絕大部分人都會這麼做，即都會以長者或領導的意志為言行指針。

由於這種習慣，下面的例子就不難理解。小說《白髮魔女傳》中，李自成對練霓裳說：「滿洲圖謀我們中國甚急，邊關形勢極緊……現在查得他是羅布族大酋長唐瑪的兒子，唐瑪是南疆各族盟主，若然他的兒子被殺，珠寶被奪，他一定把這筆賬算在明朝皇帝頭上。說不定就要起兵報仇，那時東北西北都有邊患，由校這小子（即明熹宗）可擋不住！……我們雖然也與明朝皇帝作對，可是若然異族入侵，那麼我們就寧願與官軍聯合，共抗異族的，你說對麼？」這番話，讓練霓裳「覺得李自成氣度之廣，見識之高，殊非常人能及。」（《白髮魔女傳》第十八回）

這段話高瞻遠矚，不僅有深刻政治卓識，且有高尚道德襟懷，遠遠超出了練霓裳等綠林好漢的政治文化視野。說這話的李自成形象高大，光彩照人。但仔細想來，這段話可能也超出了李自成的知識範疇，更像是二十世紀的思想結晶。

金庸小說《碧血劍》中也寫到了李自成，金庸筆下的李自成有迥然不同的性格風貌，既有英雄本色，又有草莽氣味，在金鑾殿上醉醺醺地摟著陳圓圓走向後宮，志得意滿的神態充分暴露了鼠目寸光。《碧血劍》的主人公袁承志一直追隨李自成，到這一刻才開始醒悟，並逐漸失望。那是因為作者將崇禎皇帝殺袁崇煥與李自成殺李岩聯繫起來，把明朝官軍對張朝唐的搶劫和李自成的義軍對張朝唐的搶劫並置，表明當權者崇禎與起義者李自成擁有相同的政治文化基因。與《白髮魔女傳》相比，《碧血劍》的李自成可能更接近人物本質及歷史真實。

真正的問題是，以梁羽生的歷史學養和理性良知，怎麼可能不知道歷史上的李自成是怎樣的一個人？怎麼可能不知道李自成的認知局限和人格局限？假如請梁羽生作一場關於歷史上的李自成的學術報告，相信他所講述的觀點和內容肯定與小說《白髮魔女傳》中李自成的虛構形象有所不同。為什麼會有這樣的不同？原因或許很簡單，在塑造李自成形象時，作者不假思索地演繹了流行意識形態中有關農民起義的觀點，放棄了自己的歷史認知和理性判斷。雖然沒有一個人像前例中的陳凡那樣作具體指點，梁羽生自己找到了演繹虛構農民英雄的高光訣竅。

金庸當時也在同一報系工作，同樣熟悉流行意識形態觀念，但他沒有放棄小說作者的基本權利及義務，即以自己的眼睛觀察歷史，以自己的大腦思索歷史，以自己的手筆書寫歷史傳奇。梁羽生的歷史學養、文學才華與金庸不遑多讓，所不同者，是在關鍵處屈己從人，缺乏獨立思考的勇氣和習慣。看起來，梁羽生的小說也似「獨立」思考與創作的結晶，實際上正如大多數人的日常話語中充滿了社會化「超我」的統一劇本及規定臺詞，梁羽生小說中亦大多是對時代流行意識形態的邏輯複述和想像推理，而並不是作者自己的聲音。正如前例中以「不為紅顏為寇仇」悄悄替代了「不辭冰雪為卿熱」，若非作者揭秘，誰知作者本意？

比較梁羽生《七劍下天山》中的康熙弒父與金庸《鹿鼎記》中康熙上五臺山見父，以及金庸《射鵰英雄傳》中的成吉思汗與梁羽生《瀚海雄風》中的成吉思汗，自能找出更多差異。差異的本質，在「有我之見」與「無我之見」，即獨立思考與順應潮流。金庸的小說創作是作者自我實現的方式，而梁羽生則與自我內心漸行漸遠，兩人的創作成就的差距也就越來越大，原因是：種瓜得瓜，種豆得豆。

其四，梁羽生的創作態度、創作理念和創作方式與金庸不同。簡單說，梁羽生的創作態度是勉為其難，創作理念和方式是熟路取巧。所謂熟路取巧，包含兩層意思，一層意思是始終共用相似的創作方法模式，即一個山寨（**義軍基地**）＋兩組強敵（**民族敵人與階級敵人**）＋三兩個遊俠（**來往於廟堂與江湖間**）＋四五段愛情（**有時更多**），梁羽生小說雖非千篇一律，但大多如此。另一層意思是，不斷衍生枝蔓，進而共用資源，製造不同小說間的互文共生性。衍生枝蔓的例子是，《七劍下天山》中提及天山派劍俠楊雲聰與飛紅巾、納蘭明慧的三角戀，又提及武當名宿卓一航與白髮魔女練霓裳的愛情，即衍生出小說《塞外奇俠傳》[19]和《白髮魔女傳》，這三部小說即共用「天山」資源。

梁羽生的早期創作活力十足，不同小說之間雖共用資源，仍能清晰區分，後期小說的資源分享情況愈演愈烈，互文共生關係也越來越複雜。例如《風雲雷電》，通過《水滸傳》人物轟天雷凌振的後人凌浩、凌鐵威，霹靂火秦明的後人秦虎嘯、秦龍飛，時遷的後人時一現，林沖的後人林重等人物，以及小說開頭尋找梁山泊軍師吳用留下的《兵書》等事，與《水滸傳》建立互文關係；通過李思南、明慧公主及其侄女與雲中燕與《瀚海雄風》建立互文關係；通過韓大維、孟霆、丐幫幫主陸崑崙等人與《鳴鏑風雲錄》建立互文關係；通過武林天驕檀羽沖、蓬萊魔女等人物，與《狂俠・天驕・魔女》建立互文關係。

神偷時遷的後人時一現仍然是神偷，轟天雷凌振的後人仍然善於製造火藥，這是典型的熟路取巧之法。天山遊龍指出：

「梁著作品的一大特色是作品之間緊密聯繫，這是梁著的一大看點，也是一大缺點……但是如《武林三絕》聯繫的梁著作品量之大，在梁著作品中可以說是絕無僅有的。透過作品的重要人物情節，書中風從龍——風鳴玉家族聯繫了《風雲雷電》，華玉峰、上官英傑、谷飛霞（**連載版為谷靈珠**）聯繫了《狂俠・天驕・魔女》，霍天都、凌雲鳳、于承珠、周山民，當然還有未正式出場但多次提到的張丹楓則聯繫了《萍蹤俠影錄》——《散花女俠》——《聯劍風雲錄》這『三部曲』。除此之外，神醫兼神偷鄧不留為唐代怪俠空空兒一脈傳人，華玉峰以及白駝山華家兄弟同為空空兒齊名的頂尖高手華宗岱後人，又聯繫的『大唐三部曲』；霍天雲、谷飛霞遊廣元天后祠，從追懷武則天到上官婉兒，再到上官婉兒思念李逸所作的詩，又使得作品聯繫上了《女帝奇英傳》。可以說，歷史背景在《武林三絕》之前的絕大部分梁著作品，都同《武林三絕》掛上聯繫。」[20]

與鄰居「共牆」太多，以至於梁羽生長期找不出修訂出版《武林三絕》的恰當方案。

梁羽生的這種熟路取巧的創作方式，在通俗文學中是常見現象，可以說合理且合規。他找到了武俠小說創作的獨特配方，當然可以不斷加以複製生產。只不過，這樣複製性生產，在文學藝術成色上當然免不了會大打折扣。

金庸的創作理念和方式與梁羽生截然不同，不是熟路取巧，而是創新克難，即追求每一部作品都有創新性特色，儘量避免與此前作品雷同或相似。金庸唯一的「三部曲」是「射鵰三部曲」，三部作品的主人公個性、小說歷史背景及思想主題截然不同。進而，《倚天屠龍記》的時間相差八十年以上，除郭襄出現在小說開頭之外，前兩部作品中的其他人物並沒有出現在這部作品中。《神鵰俠侶》雖是緊接《射鵰英雄傳》而來，郭靖、黃蓉、歐陽鋒等人物在兩部書中出現，但出現在《神鵰俠侶》中的黃蓉、歐陽鋒等人的形象，與《射鵰英雄傳》截然不同。

綜上所述，金庸小說的藝術成就高於梁羽生。在武俠小說史上，「梁、金」變成「金、梁」，當是勢所必然。

【注釋】

1 渠誠：《梁羽生散文集序．武俠之外的梁羽生》，渠誠編：《梁羽生散文集》第四頁，香港，天地圖書有限公司，二〇一五年。

2 天山遊龍：《江湖史傳盡烽煙，武林三絕有傳人——淺評〈武林三絕〉（節選）》，載《武

第十一章

蹄風的武俠小說創作

一、蹄風武俠小說概述

根據顧臻搜集整理的《蹄風武俠小說目錄》，蹄風作品有：

《血戰古兜山》一
《勇闖十三關》一
《旁門崆峒劍》一
《黃林開師事喇嘛僧》（短篇）
《黃祺英父子稱雄百粵》（短篇）
《六榕盜寶記》[5]
《海南俠隱記》二
《游俠英雄傳》七
《游俠英雄新傳》八
《龍虎恩仇記》八
《清宮劍影錄》十
《密勒池劍客傳》四

《武林十三劍》廿四
《鐵掌雄風》一
《猿女孟麗絲》二
《天山猿女傳》五
《血海仇》（短篇）
《雙劍盟》十六
《玉門劍侶》四
《龍虎下江南》十二
《劍客春秋》八
《迷宮魔劍》二十[6]

從已知作品目錄看，蹄風的武俠小說包括三個板塊。一部分是廣東武林故事，諸如《血戰古兜山》、《海南俠隱記》、《黃祺英父子稱雄百粵》、《六榕盜寶記》等；一部分是以南宋、金、蒙古對峙為背景的武俠傳奇，諸如《玉門劍侶》、《迷宮魔劍》等；一部分是滿清興起及以清朝早期歷史為背景的武俠傳奇，這是蹄風小說的最大板塊，作品包括《游俠英雄傳》、《游俠英雄新傳》、《龍虎恩仇記》、《清宮劍影錄》、《密勒池劍客傳》、《武林十三劍》、《猿女孟麗絲》、《天山猿女傳》、《雙劍盟》及《龍虎下江南》等。

「由於故事情節曲折離奇，武打緊張熱鬧，乃轟動一時，蹄風挾此『清宮派武俠』和金庸、梁羽生早期作品互爭雄長，幾有鼎足而立之勢。」[7] 如果要評選蹄風武俠小說代表作，《清宮劍影錄》、《猿女孟麗絲》、《天山猿女傳》等知名度最高的幾部作品，當名列前茅。

蹄風是舊派即廣派／粵派作家，還是新派作家？抑或是從舊派作家蛻變成新派作家？由於對他的早期創作瞭解不多，難以定論。從已掌握的資料看，蹄風雖然寫過若干廣東武林傳奇故事，但並不以搜羅並敘述廣東武林稗史為目標，也不是以技擊為核心，更不滿足於簡單的掌故堆積，而是用掌握的素材寫成傳奇小說，且自覺面對「世事滄桑似弈棋，武術沉淪火藥興」[8] 的歷史潮流。《海南俠隱記》中的清化喇嘛（法華）曾到意國學過物理化學，能製造雷電，足以證明作者具有與舊派作家不同的新視野。由此可見，蹄風作品具有毋庸置疑的新派氣質。

蹄風是新派，與梁羽生、金庸等「新晚報派」（左派）又明顯不同。蹄風的創作理念是：「拙作談不上有什麼價值，更不敢期望它能夠影響到社會人心，但作者主旨，仍希望憑一枝禿筆，讓人們分別善惡，讚美坦白和勇敢，鼓勵『愛人』思想，無分種族，祈求和平幸福。」[9] 這段話中，有幾個值得關注的重點。

一是「鼓勵愛人思想」，不認同階級鬥爭理論，不把農民起義領袖預設為推動歷史進步的英雄人物，《密勒池劍客傳》和《雙劍盟》中的李自成是殘酷無情的梟雄悍匪、形象負面，與梁羽生、金庸筆下的李自成形象大異其趣。

二是「無分種族」思想，與梁羽生、金庸早期作品的民族主義立場有明顯不同。蹄風筆下也有反清復明的漢族義士，這些義士也是書中的正面英雄形象，但《游俠英雄新傳》中的順治皇帝，《清宮劍影錄》中，滿族英雄亞密當、蒙古聖女沙哈洛，《天山猿女傳》中的孟麗絲等人也同樣是正面形象。《清宮劍影錄》中天下英雄達成不可侵害雍正繼承人的契約，即充分表明作品主題是反暴君而非反清，更不是反清復明。把蹄風清宮小說主題概括為「反清復明」，是明顯誤讀。

基於民族主義立場的寫作，在武俠小說中十分常見，立場清晰、愛恨分明，附以相應的道德判斷，甚至神聖化一方、妖魔化另一方，便於讀者認知和認同，符合武俠小說的「童話性」規範。蹄風並不否認民族立場，更不反對民族立場，只是在書中人物民族立場之上還有更高的理想追求和更廣闊的人文視野，即無分種族的人道精神，且精細地設置並同情地理解人物生活的具體情境，即對人物作個體化的設計和刻畫。典型例證是《玉門劍侶》的主人公古雪兒／趙冰，父親是漢人，母親是女真人，自己則在蒙古長大，難免陷於身分認同危機。

蹄風小說文筆流暢，想像力豐富，寫實與幻想兩翼齊飛，從「密勒池」到「迷宮魔劍」，從易容術到迷魂藥，魔幻景觀層出不窮。故事情節跌宕起伏，打鬥衝突不斷，神秘懸念不斷，確實是：「博得世人爭一笑，花光劍氣入文章。」[10]

蹄風小說的主要弱項之一，是在講故事過程中常有信馬由韁現象，缺乏整體意識和結構能力，缺乏對小說中故事與人物進行整合的有效技法。《武林十三劍》、《迷宮魔劍》等作品中人物眾多，頭緒紛繁，作者還有意無意地追求人物身分個性及其變化的複雜度，在寫作時拉出很多線團，但到最後卻難以整合成一體。寫作時浮想聯翩，結果卻打得開而收不攏，這也是諸多武俠傳奇小說的共同問題。

蹄風小說的另一弱項，是竭力講故事，而輕忽故事中人，書中故事和人物，大多是一次性消費品，很少故事和人物經得住反覆閱讀和推敲。由於作者刻畫人物個性的意識不足，技術能力也不足，對小說主人公的個性刻畫缺少實際辦法，以至於大部分小說的主人公形象也都不過是淺浮雕式，很少關注人物的成長，很少關注人物內心矛盾衝突；人物身分立場與行為方式變化並非出自其情感與理性，而是多由迷幻藥及大腦損傷等外部因素造成，因而缺乏真正的個性光彩。《海南俠隱記》中的謝贊標、《游俠英雄傳》中的王崇明、《雙劍盟》中的張定宇、《迷宮魔劍》中的江東明，看起來大同小異，全都被動於師長指令和作者安排。

《迷宮魔劍》（截至一九六三年六月）以後，蹄風再無新作問世。

下文是對蹄風若干重要作品的述評。

二、《游俠英雄新傳》

《游俠英雄新傳》單行本大受歡迎，不斷重印。[11] 本書是《游俠英雄傳》續書，寫作技巧更加成熟，成績更突出，與此後「清宮小說」的關係也更密切。

本書共有八集，可分為前後兩個部分，前一部分是講述王春明遊俠江湖，包括：營救秦百先、與駝俠和沙哈洛一起去準噶爾盜取寶馬美人、與黃鬚俠陳興明及孟氏三英一起營救方苞父子，以及受大內鷹爪偷襲，與沙哈洛到北京探尹青消息，大體上可說是「蒙古故事部分」。後一部分是「中原故事部分」，包括司馬瀛與尹青結識的故事、司馬瀛結識甘鳳池、甘鳳池和呂四娘營救司馬瀛、甘鳳池營救妻子陳美娘、四皇子允禎被誣陷，及允禎回歸皇室並迎娶蒙古王妃施拉美。

主人公形象鮮明，王春明是典型的遊俠，不安於日常生活，喜歡到處遊走；豪爽灑脫而心性質樸，富有江湖經驗而畢竟頭腦簡單；無愧於大俠稱號，但也容易淪為政治御用工具。書中刻畫得更好的人物形象，是尹青即四皇子允禎——實際上，他才是這部小說真正的主人公——他的形象逐步浮現，是本書最大看點。

作為受誣陷的落魄皇子，以驚人的決心和毅力修練超級武功，有王者氣度更有政治智慧。無論是野心勃勃的年羹堯，還是俠肝義膽的甘鳳池、白泰官、呂四娘，無不在尹青／允禎的「氣場」中，自覺或不自覺地受其影響和支配。

另一看點，是書中的愛情故事。丁翠蓮和秦百先、冒辟疆與蔡青蘿的愛情已足夠傳奇，而主人公王春明與蒙古三音神尼沙哈洛的愛情故事則更具傳奇魅力。這是一段突破宗教倫理和世俗道德框架的愛情故事，沙哈洛是宗教聖女，本不該有世俗愛情；王春明是大俠且是有婦之夫，竟與異族的聖女談情說愛，甚而顛鸞倒鳳！在書中，這一切似乎都是自然而然：沙哈洛的聖潔與美貌讓王春明情不自禁，而王春明的灑脫雄風也讓沙哈洛身不由己，如此愛情，是人性的美妙詮釋。

本書最大不足，是小說結構問題。前四集以王春明為主角，故事線索清晰；後四集將王春明擱置達八回以上，明顯結構失調。王春明、沙哈洛再度出現，也已失去敘事主人公地位，成了尹青的小衛星，從此黯然失色。進而，在後四集中，插敘甘鳳池故事，又插敘雲台劍客司馬瀛故事，其後呂四娘出場時又插入其叔叔呂忠（道士呂景陽）故事，過多的插敘，如同刺眼的補丁。

三、《清宮劍影錄》

《清宮劍影錄》[12]講述滿清雍正朝故事。雍正登基後背叛江湖道義，毒殺路民瞻、周潯等人，聘滿族劍術高手亞密當、密勒池高僧赤空三藏及崆峒派等諸多武林異人捕殺漏網者。以三音神尼沙哈洛為首的俠士前赴後繼，與雍正展開殊死拼爭，雍正最終被呂四娘所殺。

本書的與眾不同之處，是小說主題只反暴君而不反清，更不復明。證據是，小說結尾，包括大漠派沙哈洛、崑崙派司馬長纓、青藏派王雪蓮、少林派甘鳳池、衡山派呂四娘、太極派王崇明、武當派雲霄等各派代表，都同意亞密當提出的要求，終其一生都不得傷害雍正繼位者和碩寶親王（**乾隆**）的一根毫髮。[13]

小說開頭，寫滿族少年那亞兒、亞密當同門學藝，後分道揚鑣，前者與雍正勢不兩立，後者成了雍正的忠心侍衛，故事從容舒展，厚樸大氣。按身分與性格論，貴族出身而性格偏狹的那亞兒似應站在雍正身邊，身分貧寒而天性豪邁的亞密當則應是雍正的反對派（**其師是愛新覺羅族仇家葉赫族人**），作者安排出人意料，小說情節相當可觀。可惜那亞兒過早犧牲，無法與亞密當爭鬥到底。

書中故事情節熱鬧好看，若干人物形象生動可感。例如反派主人公雍正，是典型的政治人物，做皇帝所做，想皇帝所想，弄權耍奸，殘酷無情；但他對孟麗絲的傾心，以及孟麗絲對他的情感，都給人留下了印象。

更讓人印象深刻的是亞密當，此人入宮侍衛雍正，是遵照師父之命；後來得知師父原意恰恰相反，卻也並不改變初衷，繼續為雍正服務。他對雍正忠心耿耿，卻並不惟命是從，雍正讓他處死沙哈洛，他卻將沙哈洛放走；雍正要他殺紫陽道長，他卻顧全武林道義而再次放生。這表明，大內侍衛領班的政治身分，並沒有改變他的獨立意志和道德操守。雍正恨其不忠，將他毒死，孟麗絲設法讓他死裡逃生，他既沒有找雍正報仇，也沒有灰心喪氣，而是在暗中保衛雍正。亞密當的行為看似愚忠，卻讓人肅然起敬。

另一讓人難忘的人物，是來自密勒池的赤空三藏。此人受邀入宮，被雍正供奉為國師，固然是熱衷功名，有虛榮之心，且為雍正做過不少壞事；但卻也不敢忘其根本，儘量不親手殺人，且從雍正手下拯救過若干武林中人。最讓人難忘的是結局，當密勒池使者來臨，雍正拒不踐諾敕封他為後藏政教首領，他由此看清了雍正的本性，更徹悟了世俗價值的虛妄，因而自割頭顱，自贖其罪，護衛尊嚴，且以大智大勇求證大道，震撼人心。

三音神尼沙哈洛的形象，也寫得很有特點。雖然她身分崇高，武功驚人，卻無武林異人的怪癖，而是如和煦陽光普照大地。一開始就寫信給亞密當，解釋誤會；

亞密當找她報仇，她也處處容讓，避免對敵，甚而以德報怨。亞密當對雍正死心塌地，與江湖俠士為敵，她仍良言勸導，播種善種，啟發慧根。更讓人印象深刻的是，她是佛教領袖，卻並非徹底否定人性，亦未斷絕情懷，對情人王春明的懷念終生不渝；而對女兒佛光即雪山蓮的愛也始終溢於言表，當女兒要放棄聖嬰身分，改名王雪蓮，決心還俗，與司馬長纓相伴，她也不加指責，公然表示凡女兒所想她都支持，一如世俗良母。

小說中，佛光（王雪蓮）與司馬長纓的戀愛也寫得有聲有色。司馬長纓千里追蹤到密勒池，佛光在佛教規範與兒女私情間徘徊掙扎的過程，就相當感人。而小說結尾處，司馬長纓枕在佛光膝上長睡兩日，累得佛光坐著不敢稍動，[14]稱得上是小說中最動人的場景。

四、《猿女孟麗絲》及《天山猿女傳》

《猿女孟麗絲》[15]和《天山猿女傳》，[16]用了兩個書名，實際上是一部書。[17]講述的是孟麗絲的故事。故事的主要看點，當然是主人公孟麗絲。首先是她獨一無二的身世，自幼生長在叢林中，由人猿養育成人。在《猿女孟麗絲》中，作者暗示她是人與猿雜交的產物；而在《天山猿女傳》中，苗文寬與孟都拉爭奪孟麗絲，才知道她其實是人猿從野人山下人家偷來的孩子，也就是說她實是人類嬰兒，只是受到過人猿養育。其次是孟麗絲的經歷，從珠穆朗瑪峰拜見天龍大喇嘛，直到耶律城挫敗五鬼三魔，一路都是傳奇。

更可觀的是，孟麗絲的個性，表現了自然野性的馴化過程。孟麗絲的成長，經歷了四種完全不同的環境，即叢林世界—毒龍江半開化部落文明社會—西藏地區宗教文明社會—北京的政治文明社會。

首先是叢林世界，這是純粹的自然，人類嬰兒被野生人猿養育，遵循的是叢林法則。被孟都拉帶入毒龍江部落，是從不開化的叢林，進入了半開化的人間，孟麗絲表現出了優異的適應能力。在西藏的宗教社會中，無論是喇嘛教與清風觀道教的矛盾衝突，還是黃教與紅教的矛盾衝突，孟麗絲立場鮮明，遊刃有餘。而在北京，九子奪嫡的矛盾複雜性，遠遠超出了孟麗絲的心智。

孟麗絲離開北京，不僅僅是因為她覺得技不如人，同時更是由於她在這種複雜漩渦中感到嚴重不適，從而本能地想要逃離。以孟麗絲的心智，只能適應非此即彼的二元衝突，卻不能應付更複雜的多元矛盾，例如西北武林的正邪矛盾之上，還有西北武林作為一個整體與滿清王朝的鬥爭。證據是，在耶律山比武選盟主的故事中，孟麗絲就差點成了年羹堯、胤禛皇子的政治工具。

小說中的孟麗絲故事，極富傳奇性和想像力。孟麗絲的身世及其求師過程，如同環珠樓主的劍仙故事，紅教領袖尼堪干布的三大弟子，即黃面如來、赤髮羅漢、金眼妮妮，及其後出現的鐵真人、紅衣女俠、風雷真君、癲和尚、玄玄女俠、陰陽妖女白蓮仙、五鬼三魔、烏瘤和尚等人物的武功技能，無不遠遠超出常人。

更奇妙的是，這部作品並非純粹的劍仙故事，孟麗絲的成長經歷，始終在一個明晰的歷史框架之內，那就是滿清入主中原，政治勢力逐漸向西藏、新疆等邊遠地區滲透，書中各地各派的首腦人物，無不在滿清政治勢力影響之下。實際上，滿清的政治人物，例如成容若、四皇子胤禛、年羹堯以及參與奪嫡的諸位王子，也都化身為武林人物，成容若、年羹堯、胤禛等人還都是超級武功高手。成容若參與了甘孜寺故事，年羹堯和胤禛則出現在耶律城。單純武林人物的行為方式近乎劍仙，但他們的價值觀和行為邏輯仍是現實中人；單純歷史人物的行為動機十分真切，但他們的行為方式卻符合虛構武林世界的基本規則，如此，虛構的武林社會與真實的歷史背景就得到了有機縫合，形成特定的傳奇空間。

作者讓孟麗絲隨年羹堯進入皇宮，成為胤禛的玩物和打手，既不知道為何而戰，更不知道如何應對複雜局面，為作者營建的「清宮世界」增添了一抹瑰麗色彩，也增添了巨大的變數：因為誰也不知道她會怎麼想、怎麼做。故事的奇妙走向，是作者想像力和創造性的充分展示，既充分表現了胤禛、年羹堯等政治人物的心機，也大大增加了這一「清宮野史」系列的傳奇性和開放性；不僅極具傳奇性和娛樂性，也為讀者對清宮政治歷史的觀察提供了一個奇妙的維度。

作品當然也有弱點。首先，是《猿女孟麗絲》中插入徐凌霄與紅霞仙子的故事，即敵對部落的兒女戀情，雖如羅密歐與茱麗葉故事那樣動人，但那畢竟是個獨立故事，與孟麗絲故事的關聯性不大。故事有兩回，篇幅比例未免失當。

其次，是女扮男裝的孟麗絲得到珊瑚公主青睞，直到入洞房後才以哈布王子替換，傳奇性十足，情理性則成問題。孟麗絲這樣做，對珊瑚公主極不尊重。實際上，在入洞房之前，她有時間與機會撮合這對新人。珊瑚公主的師父癩和尚明知孟麗絲是女性，卻不提醒珊瑚公主，讓人難以接受。

五、《龍虎下江南》

《龍虎下江南》，[18] 承接《武林十三劍》。講述十三劍中最小的一位莫臥兒的成長經歷。看點之一，是少林弟子莫臥兒，金羅漢的弟子燕山郎，和尚窮的女弟子梅心美，和孟麗絲的弟子、乾隆私生子福康安等少年形象。其中，莫臥兒是反清者，福康安則是滿清貴族；燕山郎相對中立，梅心美本是反清者，因個人情感關係而誤入歧途。

本書主要看點，正是這幾位年輕人的情感關係形成了「閉環」，莫臥兒喜歡燕山郎，燕山郎喜歡梅心美，梅心美喜歡福康安，而福康安喜歡莫臥兒。莫臥兒喜歡燕山郎，是因為燕山郎放浪不羈，兩人相遇時，莫臥兒情竇初開，而燕山郎卻還懵懂。燕山郎懂得愛情時，被和尚窮的女弟子梅心美吸引。而梅心美喜歡富貴文雅的福康安，民族仇恨、家族恩怨等等都被她拋在了腦後。福康安聰穎過人且胸懷大志，從小耳濡目染，對宮廷政治無師自通，是莫臥兒等反清志士最可怕的敵手之一，偏偏他情不自禁地愛上莫臥兒。如此錯綜複雜的情感關係，使得人物的政治策略和道德選擇受到重大影響，從而故事情節充滿戲劇性。

看點之二，是司馬長纓的變化。其父司馬瀛死於雍正之手，但他卻成了乾隆的將軍，屢立戰功，成了金川之主。所以如此，是受飛鳳郡主的深愛和幫助，而他也深愛飛鳳。與此同時，他與王雪蓮有約，即利用自己的身分，讓大小金川成為反清復明義士的基地。實際上，他被官場所吸引，習慣了榮華富貴。母親以死警告，而他找藉口為自己開脫。妻子王雪蓮催促他亮明立場，他卻無法接受。直到王崇明說及父親慘死、母親自殺、飛鳳的欺騙、王雪蓮的深情——更重要的是明白自己處境危機——才恢復理智，下定決心離開官場，開始萬里尋妻。

看點之三，是和尚窮。他本是放浪不羈的世外高人，知道自己是雍正的私生子後，心理和行為都發生了微妙變化。他並非官場中人，也不願讓官場規則束縛自己，因而他成了滿清官府和漢族武林的衝突的最大變數。他既不是反清義士，也不是滿清政權的幫凶，答應扮乾隆下江南，不過是擔心孟麗絲好勝殺人。

看點之四，是小說中重構了權臣和珅的身世與經歷，他是那亞兒的後人，拜亞密當為師又毒殺了亞密當（**他的殺父仇人**），取得亞密當的黃龍劍。成親王的妻子阿丹推薦他當大內侍衛，他說要當乾隆的轎夫，結果很快就被乾隆賞識。作為滿族著名反抗者那亞兒的的後代，竟成為乾隆第一寵臣，具有反諷意味。

看點之五，是拿金庸、梁羽生的小說人物尋開心，卓一航的女兒卓明珠出現在這部書中，與陳世倌的孫子陳家漢同行；陳世倌說要想辦法讓乾隆認為自己是陳家後代，則是金庸小說《書劍恩仇錄》的幽默版。

本書的主要不足之處，一是小說整體結構雖比此前小說略好，主線比較清晰，但串聯了諸多副線，影響了主線的發展。小說寫到第十二集就匆忙結束，「水陸擂臺」故事虎頭蛇尾。二是主要人物如莫臥兒、燕山郎的形象刻畫，缺乏深度。

六、《玉門劍侶》

《玉門劍侶》[19]的故事情節涉及大宋、金國、蒙古、西夏和西藏等地。至此，作者把目光投向更久遠的歷史，離開了經營多年的清宮世界。

本書故事情節，表層是古雪兒／趙冰的復仇故事；深一層是尋寶故事；再深一層則是趙凡與完顏鳳的愛情故事。趙凡是大宋皇族，派到金國做人質，與金國公主完顏鳳相愛。在金國危亡之際，完顏鳳被當作「禮物」送給蒙古王族，完顏鳳的情人趙凡竟要做「送禮」的使者。完顏鳳在敦煌失蹤，固然是因她奉師命找寶藏，但也有一個潛意識原因，即不願嫁給蒙古人。這是她的民族立場和個人感情決定的。

趙凡則被蒙古兵抓走在先，被忽律先打傷在後，不得不到崑崙山學藝復仇。等到他學藝歸來，兒子古雪兒已經長大，完顏鳳則朱顏依舊，到最後趙凡和完顏鳳也沒有如願成婚，小說結束時，完顏鳳去了長白山削髮為尼。所以如此，一方面是因為她曾被人姦污，無顏再見舊日情人；更重要的原因是，完顏鳳不忍破壞趙凡與綠玉的婚姻。問題是，趙凡與綠玉成親，並非因為愛情，只是一種生存手段，趙凡唯一所愛始終是完顏鳳。從根本上說，趙凡和完顏鳳的愛情，早已註定是一場悲劇。假如當年完顏鳳沒有失蹤，也只能成為蒙古大汗的妻妾，趙凡的愛情夢想肯定會落空。完顏鳳失蹤，不過是讓愛情悲劇換一種形式上演。

書中看點，首先是傳奇性與神秘性。例如，完顏鳳在莫高窟中找到了抱朴子留下的「長生不老丹」，從此容顏不改，可一個月不睡，要睡則是一個月；她貌如天仙，卻戴上面具扮作「黑城妖婦」。忽律先則在莫高窟中找到易容丹，此後可以扮成不同的人，扮作趙凡姦污了完顏鳳，又扮成陰險峰居士騙了古雪兒／趙冰。真正的陰險峰居士（岳飛的侄子岳峰），也曾扮作老嫗，讓耶律忽、拔都難辨真假。趙凡學藝下山後，扮作耍蛇乞丐，與情人完顏鳳、兒子趙冰見面時也不露真容。書中幾個主要人物全都是「戴著面具」生活和行動。

書中最大亮點，是古雪兒／趙冰的「身分認同」及其矛盾衝突。他的身分特殊，父親趙凡是大宋皇族，母親綠玉是金國宮女，本人又是蒙古王子拖雷的義子，與拔都情同手足。所以，古雪兒並不認為自己是漢人或女真人，而是對蒙古人、蒙古文化有更自然的「文化身分認同」。這也就是他與完顏鳳、乃至與父親趙凡的矛盾衝突點：完顏鳳多次斥責他為蒙古人服務，而不認同金國、反抗蒙古；父親趙凡裝作老乞丐，要他拜祭大宋皇族靈位、恢復趙冰之名，古雪兒又強烈反抗，決不服從。這是少見的人物形象，與梁羽生筆下的張丹楓、金庸筆下的郭靖大異其趣。

古雪兒不願隨完顏鳳皈依金國、反抗蒙古，既有身分認同問題，也是個性自尊表現，方十六七歲，有強烈的「自我意識」，不容他人設計與支配。進而，他不願恢復趙冰之名，並非排斥漢人身分，而是不願被老乞丐（**趙凡並未表明身分**）所支配。當他得知老乞丐是自己的父親趙凡，並見到父親的真面目，他毅然宣布從此改名趙冰，正如海燕也服從母親完顏鳳的提議改名完顏燕。

由此可見，書中古雪兒的行為，是蒙古文化習俗、與拔都等人的親情、個性與自主自尊意志共同影響的結果，並非排斥宋、金混合血統。作者蹄風也不是反對漢人立場，而是故意營造特殊情境，表現特別的思想主題。懂得並尊重民族身分和民族立場，而又希望（**在特殊情境中**）追求人類之愛，增加了小說的「認知複雜度」，這正是《玉門劍侶》一書超乎尋常新派武俠小說的獨特貢獻。

書中有不少細節值得注意。例如，為了掩飾完顏鳳懷孕生女，海安平的妻子為保密而自殺，海安平則毒啞自己，更難得的是將完顏鳳的女兒當作自己的女兒，而將自己的親生女兒黛黛當作侍女。進而，完顏鳳為了保密，故意點穴讓無辜的黛黛智力發育不全。此一殘酷舉動，公主完顏鳳覺得是理所當然，充分表現了完顏鳳的「公主病」；她被人姦污而找不到凶手，居然將怒火發洩到其他人身上，因濫殺無辜而得「黑城妖婦」之名，是此人心理變態的真實寫照。又，趙凡喜歡身纏毒蛇，「追火蛇」固然是針對太陽喇嘛的秘密武器，卻也是一種隱喻。

本書的疑問是，一，敦煌莫高窟是佛教造像石窟，抱朴子的長生不老丹怎麼會藏匿於此？二，忽律先既然是西夏國師，怎麼可能有那麼多時間假扮陰險峰居士？他假扮猿飛道長教古雪兒即趙冰武功目的是什麼？

七、其他武俠小說述評

《海南俠隱記》[20]

講述南少林覆滅後，洪熙官將妻女送到苗翠花處，獨自前往海南創建反清根據地，伺機搶奪官府庫銀，發動群眾反滿抗清故事。小說從少林弟子的下一代開始寫。第一回寫洪熙官之女洪秋兒練成武藝之後找高進忠報仇；第二回，寫謝阿福之子謝贊標長大成人後尋找洪熙官、飛雲；繼而與胡惠乾之子胡友德、胡繼祖相遇，又前往海南，與滿清鷹爪展開不屈的鬥爭。孫小紅與飛雲一起前往西藏喜馬拉雅山區尋訪天蟾喇嘛，瞭解清化上人曾到意國學習物理化學，並找到克制人工雷電的方法這一段，將傳統奇幻與現代科技並置，是書中一大看點。武昌名捕頭孫昌立場改變，三水蔡忠、東莞麥洪武兩位廣東籍武師被官府徵召的苦惱，洪熙官、飛雲等人最終釋放頭號大敵左承德，俱生動可感，值得讀者細心品味。

本書的不足之處，一是書中插敘較多且不盡合理，有些甚至是贅疣。二是謝贊標與洪秋兒的情感完全未被作者關注，讓人遺憾。

《游俠英雄傳》[21]

是蹄風小說轉型之作，也是他第一次嘗試寫作長篇小說。

本書講述清朝康熙時代中原武林的武林故事。五臺山白鹿苑禪林住持凌空長老臨終前，命弟子王崇明前往金陵檀度庵找靜因師太，靜因師太給他講述了此前數十年間江湖幫派之爭，即燕于南代表紅燈教與紅幫與青幫聯絡，青幫領導人卞金剛囚禁了燕于南，引發了青幫與紅幫以及武當二燕與青龍會的衝突。

本書有明、暗兩條情節線索。明線是王氏兄弟等人偵查並攻破史雲程為滿清政府修建的黑獄。暗線是武林各派爭奪李自成的寶藏。有不少看點。一是袁崇煥的後人袁無愁、袁纖雲等被清廷鷹爪追殺。二是陸元華、燕于南、花尚武的反清鬥爭。三是順治、王雲龍、史雲程三人間複雜血緣關係。四是滿清官府強迫青海少數民族遷徙，宗流發動復仇之戰。五是李自成的寶藏引起江湖爭端。六是五臺山白鹿苑三個弟子，即王崇明、邯曇、班加之間的分歧。七是史雲程興建並管理黑獄，摧殘反清志士，反清義士發起攻擊。

小說的不足，首先是插敘過多，主線被插得七零八落。其次是主人公王崇明形象模糊而被動，被師父差遣，被孟氏三英逼迫，被靜因師太支配，不像是真正的主人公。

再次是小說的主題不明，反清、武林幫會衝突、個人身世秘聞相互交織且纏夾不清。最匪夷所思的是，最後天下英雄大聚會，「點名」之後就宣告結束，而北五省青龍會把舵王崇明竟不知會議主持人是誰！

《密勒池劍客傳》[22]

講述李自成進京、滿清入關之際，密勒池使者靈筠將楊漣之子楊雲表帶到密勒池修練的故事。本書看點，一是李自成是亂世梟雄悍匪形象，二是借用梁羽生書中人物楊雲聰作為本書主人公楊雲表的哥哥，與梁羽生《七劍下天山》、《白髮魔女傳》等小說名作形成「互文關係」。三是楊雲表、楊雲聰、卓映霞及法都瑪的四角戀。四是張瓊與李青萍的奇異戀情及其「孽緣塚」傳奇。

蹄風筆下的密勒池令人神往，但《密勒池劍客傳》卻讓人失望。這部書名不副實，並沒有看到作者對密勒池的「揭秘」；也沒有看到在密勒池修練數年的楊雲表有多大作為，無法滿足讀者的期待。究其原因，或許是因為前三冊是蹄風所作，第四冊則是出版社請人代筆。[23]從前三集看，作者有相當大的布局，由李自成進京、滿清入關等歷史大事開篇，到密勒池使者靈筠將楊漣之子楊雲表帶到密勒池修練，後面應該大有文章，只可惜由代筆者匆匆作結。

《武林十三劍》24

本書緊接《清宮劍影錄》，講述乾隆朝故事。共廿四集，長達百餘萬言，故事情節很吸引人。開頭是年羹堯之子（化名王建中），從雍正時逃犯變身乾隆鐵臂侍衛故事，這「楔子」長達三集半。此後，金羅漢培植北龍、東虎、南蛟、西鳳四大門徒，試圖反清稱霸，但不久東虎、南蛟被殺，北龍不成氣候。

以戲分言，西鳳（即梅玲，亦即飛鳳郡主）、司馬長纓和王雪蓮才是本書主人公。允禔設計，讓飛鳳與王雪蓮共事一夫。飛鳳郡主成了司馬夫人，而司馬夫婦則成了保皇派。司馬長纓之父和王雪蓮之父都是被滿清王朝所殺，這兩個人如何變成了仇家幫凶？作者讓王雪蓮摔成失憶症，讓司馬長纓吃下迷魂藥，又讓飛鳳神經錯亂。三位主人的「變心」之法，未免有些簡單取巧。

「十三劍」指的是哪十三個人？書中難找確切答案。在第四集裡，玄玄女俠所說「天下十二劍」，是指孟麗絲、亞密當、沙哈洛、王雪蓮、司馬長纓、東虎、南蛟、北龍、呂四娘、朗瑪先、李來風、周日清、陳家漢、卓明珠。在第廿三集，又出現了「少林十三劍」：至善禪師、李來風、陳家漢、上官雲華、甘碧、卓明珠、雲妙香、鄧紅綃、小飛龍、沈鴻、周復明、呂芃姐、莫臥兒。

《雙劍盟》[25]

講述張定宇、孟良、東方亮、柳青兒等亂世兒女離合浮沉的故事。背景是明末清初，既寫明朝腐敗，又稱李自成為牛鬼蛇神，且稱滿洲人為韃子，主人公與多種勢力有牽連，但作者的立場超然，重點在個人命運書寫。本書武功設計引人注目：有色彩武功、聲音武功、聽覺武功、味覺武功，及張定宇的精神武功。在「二聖一奇、雙魔三俠」之外，突出張定宇、孟良、柳青兒、黃恩盈、陸雲、黃眉等新生代，亦頗見心思。

本書不足，主要是結構與人物形象兩方面。主人公張定宇中途拜師學藝，消失了很長時間。《雙劍盟》之「雙劍」，所指是張定宇和柳青兒，這兩人聚少離多，個性及情感關係敘述並不充分，主體性不強，形象並不鮮明。張定宇貌似有主見，其實是師父的應聲蟲。故事情節固然有可觀之處，但「信天遊」情形頗為明顯。書中人物眾多，但能夠給人留下深刻印象的卻不多。

《迷宮魔劍》[26]

講述南宋、金、蒙古對峙時代，華山火龍派弟子江東明、趙飛霜、阿生及小蓮庵弟子林月影等人的傳奇故事。趙飛霜是大宋皇裔，林月影則是銀月公主。故事情節表層是奪寶故事，即多國武林爭奪獅王墓（迷宮）中的寶劍（魔劍）；深層則是多民族複雜矛盾衝突中，幾個年輕人身分、情感及使命的糾葛與掙扎。

本書魔幻色彩極濃，毒蛇「玄壇惡」、「枕上嬌」，神鳥豹頭鷹，華山虎百靈山君等靈物已讓人驚奇，而人魔六合叟的換頭術、完顏鳳的長眠毒酒更讓人瞠目。書中蓮花公主如在、九陰仙子、蒙古國師八思巴、三妙神女、六合叟、天魔、地魔以及周侗、李乾坤、青燈和尚等超凡人物，更是神乎其神。但真正讓人感動並銘記的，卻還是趙飛霜、李阿生及藍橋酒館李老闆等這些具有隱秘身世的平凡人。

本書的不足之處，是主人公江東明形象的刻畫缺乏個性及心理深度。由於沒有看到小說的最後幾集，無法對本書作出整體性評說。

【注釋】

1 沈西城：《江湖再聚：武俠世界六十年》第七十一頁，香港，中華書局（香港）有限公司，二〇一九年。

2 見蹄風：《海南俠隱記・序言》，上集第一—二頁，香港，環球圖書雜誌出版社，一九五六年五月。

3 蹄風：《游俠英雄新傳・吳（肇鐘）序》第一集第一頁，香港，環球圖書雜誌出版社，一九五六年十一月。作序者吳肇鐘是香港白鶴派知名武師。

4 臺灣武俠小說史家葉洪生先生說，蹄風原為「廣派」老作家，寫過《血戰古兜山》、《勇闖十三關》等短篇武俠小說，見葉洪生：《論劍——武俠小說談藝錄》第五十七頁，上海，學林出版社，一九九七年。又，香港作家張夢還說，「其實在金庸之前，香港已有好幾位武俠小說名家，如我佛山人、我是山人、蹄風等」，見張夢還：《武俠小說名家大評介》，載香港《武俠世界》第四十年第廿三期，一九九八年七月廿七日出版。這說明，蹄風的武俠小說創作早於一九五五年，具體早到什麼時候，卻未提及。待考。

5 蹄風：《六榕盜寶記》，載《藍皮書》第一七二期（一九五五年）。此作標示為「粵中武林秘辛」。

6 顧臻：《蹄風武俠小說目錄》（二〇一九．〇三．廿五電子版），未公開發表。書名後面的數字是該書集數。

7 葉洪生：《論劍——武俠小說談藝錄》第五十七頁，上海，學林出版社，一九九七年。

8 蹄風：《海南俠隱記．序言》上集第一、二頁（正文頁碼另編），香港環球圖書雜誌出版社，一九五六年五月。

9 蹄風：《玉門劍侶．序言》第一頁，香港，環球圖書雜誌出版社，無出版時間。

10 蹄風：《清宮劍影錄．以詩代序》第一頁，香港，環球圖書雜誌出版社，無出版時間。

11 蹄風：《游俠英雄新傳》，曾在香港《藍皮書》雜誌連載，後由香港環球圖書雜誌出版社出版單行本，初版於一九五六年十一月，再版於一九五七年三月，第三版於一九五八年六月。

12 《清宮劍影錄》於一九五七年十一月至一九五八年十月在香港《藍皮書》雜誌連載，單行本香港武林出版社出版。

13 蹄風：《清宮劍影錄》第十集，第七四〇—七四一頁，香港，環球圖書雜誌出版社，一九五八年。

14 蹄風：《清宮劍影錄》第十集，第七一五頁，香港，環球圖書雜誌出版社，一九五八年。

15 《猿女孟麗絲》於一九五九年八月一日至十月三十一日在香港《晶報》連載，後由環球圖書雜誌社出版單行本。

16 《天山猿女傳》於一九五九年底在香港《新報》連載，具體日期不詳，後由環球圖書雜誌社出版單行本。

17 在《猿女孟麗絲》第八回結束處，作者有一個啟事，全文是：「本篇猿女孟麗絲，暫告結束，下集改為《天山猿女傳》，故事仍然接續，並交《新報》連載登出，由環球出版社出版單行本。蹄風謹啟。」見蹄風：《猿女孟麗絲》第二集，第一五二頁，香港環球圖書雜誌出版社，未標注出版時間。

18 《龍虎下江南》於一九六一－一九六二年在香港《藍皮書》雜誌連載，後由香港環球圖書雜誌社出版單行本。本書曾被改編成同名電影（上下集），蕭笙編劇、康毅導演，曹達華、于素秋、蕭芳芳、陳寶珠等主演，公映時間是一九六三年五月（上集）、六月（下集）。

19 此書於一九六一年八－十二月在香港《武俠世界》雜誌連載，後由環球圖書雜誌社出版單行本。

20 《海南俠隱記》於香港《藍皮書》雜誌第一七四期（一九五五年七月一日）開始連載（至十月結束），後由香港環球圖書雜誌出版社出版單行本，兩集，初版於一九五六年五月，再版於同年七月。

21 本書寫於一九五五－一九五六年間，先在香港《藍皮書》雜誌連載，後由香港環球圖書雜誌出版社出版單行本（一九五六），香港武林出版社於一九八一年推出兩大卷本《游俠英雄傳》，包含《游俠英雄傳》和《游俠英雄新傳》，回目也有所改變。這兩部書雖有關聯性，其實是兩部小說，並非同一部書的上下集。

22 《密勒池劍客傳》於一九五八年五月連載於香港《金鑰匙》雜誌，單行本由香港土星出版社出版，共四集。

23 本書第四集最後有《編者說明》：「邇蒙各地讀者紛紛來函索購本書第四集，而原作者蹄風先生因身體關係，不克趕寫，特煩名武俠小說作家續撰完成，謹此致歉！」見蹄風：《密勒池劍客傳》第四集末頁，香港，土星出版社，無出版時間。

24 《武林十三劍》於一九五八年十月十一日起在香港《藍皮書》雜誌連載，單行本由香港環球圖書雜誌社出版。

25《雙劍盟》於一九六〇年六月起在香港《武俠世界》雜誌連載，後由環球圖書雜誌社出版單行本。

26《迷宮魔劍》於一九六二年八月至一九六三年一月間，陸續由香港環球圖書雜誌社出版，是已知蹄風小說出版時間最晚的一部。本書共有二十集，我只看了前十三集，後七集沒有找到。

第十二章

金庸的武俠小說創作（上）

（筆名金庸）等。

作為電影人，他以林歡、姚馥蘭、蕭子嘉、林子暢、姚嘉衣、嘉衣、嘉等多種筆名，分別在《新晚報》、《大公報》以及《長城畫報》等多種報刊上發表八百餘篇影評文章。創作電影劇本：

《絕代佳人》（一九五三，李萍倩導演）

《歡喜冤家》（一九五四，程步高導演）

《不要離開我》（一九五五，袁仰安導演）

《三戀》（一九五六，李萍倩導演）

《小鴿子姑娘》（一九五七，程步高導演）

《蘭花花》（一九五八，程步高導演）

《午夜琴聲》（一九五九，胡小峰導演）等。

此外，他曾與程步高聯合導演《有女懷春》，與胡小峰聯合導演越劇影片《王老虎搶親》等。

作為時事評論人，他為《明報》寫了三十多年社評，共約七千—八千篇。在《明報》開設「明窗小札」專欄（筆名徐慧之），發文近兩千篇。在《明報》的「自由談」專欄上發表「論祖國問題」系列文章六十四篇（筆名黃愛華）。已出版的時事評論集有《明窗小札》（多部）、《論祖國問題》、《香港的前途》等。

與此同時，他創作了長、中、短篇武俠小說十五種。按發表時間排序為：

一、《書劍恩仇錄》
二、《碧血劍》
三、《射鵰英雄傳》
四、《雪山飛狐》
五、《神鵰俠侶》
六、《飛狐外傳》
七、《鴛鴦刀》
八、《白馬嘯西風》
九、《倚天屠龍記》
十、《連城訣》
十一、《天龍八部》
十二、《俠客行》
十三、《笑傲江湖》
十四、《鹿鼎記》
十五、《越女劍》

作者把短篇小說《越女劍》之外的十四部小說書名的第一個字編了一副對聯：

「飛雪連天射白鹿，笑書神俠倚碧鴛」，為金庸迷所熟知。《金庸作品集》分別由香港、臺灣、廣州、新加坡／馬來西亞等地出版，有英、日、韓、泰、越南、印尼等多種語言文字譯本。

一、金庸小說的版本問題

根據李以建的《金庸小說創作、連載及修訂出版年表》[1]和顧臻、于鵬、林春光的《金庸武俠小說年表》，[2]金庸小說至少有四個不同版本，[3]即報紙連載版、第一次修訂版、第二次修訂版、第三次修訂版。

報紙連載版，是金庸小說的原始版本。具體資訊如下：

《書劍恩仇錄》，一九五五年二月八日至一九五六年九月五日，《新晚報》。

《碧血劍》，一九五六年一月二日至一九五六年十二月三十一日，《香港商報》。

《射鵰英雄傳》，一九五七年一月一日至一九五九年五月十九日，《香港商報》。

《雪山飛狐》，一九五九年二月九日至一九五九年六月十八日，《新晚報》。

《神鵰俠侶》，一九五九年五月二十日至一九六一年七月八日，《明報》。

《飛狐外傳》，一九六〇年一月十一日至（一九六二？）四月六日，《武俠與歷史》。

《鴛鴦刀》，一九六一年一月十一日至二月十一日，《武俠與歷史》。[4]

《白馬嘯西風》，一九六一年十月十四日至一九六二年一月十五日，《明報》。

《倚天屠龍記》，一九六一年七月六日至一九六三年九月二日，《明報》。

《連城訣》，一九六四年一月十二日至一九六五年三月七日，《東南亞週刊》（連載書名為《素心劍》）。[5]

《天龍八部》，一九六三年九月三日至一九六六年五月廿七日，《明報》。

《俠客行》，一九六五年六月十一日至一九六七年四月十九日，《明報》。

《笑傲江湖》，一九六七年四月二十日至一九六九年十月十二日，《明報》。

《鹿鼎記》，一九六九年十月廿六日至一九七二年九月廿三日，《明報》。

《越女劍》，一九六九年十二月一日至十二月三十一日，《明報晚報》。[6]

第一次修訂版（**均以香港明河社出版有限公司的出版時間為準**）：於一九七四年至一九八一年間陸續出版。最早出版的是《雪山飛狐》（含《**鴛鴦刀**》**和**《**白馬嘯西風**》，**一九七四年十二月**），次為《飛狐外傳》（**一九七五年二月、四月**）、《書劍恩仇錄》（**一九七五年六月**）、《碧血劍》（**一九七五年九月、十月**）、《射鵰英雄傳》（**一九七六年三、四、五月**）、《神鵰俠侶》（**一九七六年九月**）、《倚天屠龍記》（**一九七**

六年十二月前三冊、一九七七年三月第四冊）、《連城訣》（一九七七年七月），《俠客行》（含《越女劍》，一九七七年十一月），《天龍八部》（一九七八年十一月），《笑傲江湖》（一九八〇年一月前兩冊、八月後兩冊），《鹿鼎記》（一九八一年八月）。

第二次修訂版：於一九八五年內集中推出，但只有《書劍恩仇錄》、《碧血劍》、《射鵰英雄傳》、《神鵰俠侶》、《雪山飛狐》、《飛狐外傳》、《鴛鴦刀》、《白馬嘯西風》和《鹿鼎記》等書有這一版本，而《倚天屠龍記》、《連城訣》、《天龍八部》、《俠客行》和《笑傲江湖》等書並沒有這一版。此次修訂力度有多大？為何《倚天屠龍記》等書沒有再次修訂？尚待進一步考證研究。

第三次修訂版：於二〇〇二年至二〇〇六年間陸續出版。具體說，《書劍恩仇錄》：二〇〇二年七月，《碧血劍》：二〇〇三年一月，《射鵰英雄傳》：二〇〇三年七月，《神鵰俠侶》：二〇〇三年十二月，《雪山飛狐》、《鴛鴦刀》、《白馬嘯西風》、《飛狐外傳》、《連城訣》、《俠客行》、《越女劍》：二〇〇四年六月，《倚天屠龍記》：二〇〇五年二月，《天龍八部》：二〇〇五年十月，《笑傲江湖》：二〇〇六年四月，《鹿鼎記》：二〇〇六年八月。

金庸的作品修訂，並非簡單地訂正回目、修改字句，每次修訂都有幅度不等的修改增刪。例如，第一次大修後的《書劍恩仇錄》「後記」中，作者說：「現在修改校訂後重印，幾乎每一句句子都曾改過，甚至第三次校樣還是給改得一塌糊塗。」[7]又如，金庸在《碧血劍》的第三次修訂版《後記》中說：

「《碧血劍》以前曾作過兩次頗大修改，增加了四分之一左右的篇幅，這一次修訂，改動及增刪的地方仍很多。修訂的心力，在這部書上付出最多。初版與目前的三版，簡直是面目全非。」[8]

又，倪匡說：

「金庸的短篇小說較弱，其中《白馬嘯西風》一篇，是專為電影創作的電影故事，發表之後，看了譁然，每有機會，便說：『這算是什麼小說！』金庸可能聽得多了，深以為恨，於是花心機徹底改寫。改刪之多，是金庸修訂他的作品中最甚的一篇，重新發表後，問：『《白馬嘯西風》改過了，看了沒有？』『看了！』『現在怎樣？』『本來不通，現在通了。』回答得極快。」[9]

再如《射鵰英雄傳》，原始版本的開頭是這樣的：

> 山外青山樓外樓，西湖歌舞幾時休。南風熏得遊人醉，直把杭州作汴州。
>
> 上面這首詩說的是八百年前的一回事。原來當時宋朝國勢不振，徽、欽二帝被金所擄，康王南渡，在臨安（杭州）即位，稱為高宗，成為偏安之局。此時國家元氣稍定，正應力謀恢復才是，那知高宗畏金人如畏猛虎，又怕徽、欽二帝回來，加以聽了奸臣秦檜之言，殺死抗金大將岳飛，卑躬屈節

的向金人議和。

那時金兵被岳飛連敗數仗，元氣大傷，兼之北方中國義民到處起兵反抗，正在手忙腳亂之際，一見宋朝和議，正中下懷。紹興十二年正月，議和成功，宋、金兩國以淮水中流為界，高宗趙構上表稱臣道：「臣構言……」

……

匆匆數十載，高宗傳孝宗，孝宗傳光宗，光宗傳寧宗，這年正是寧宗慶元五年，時交冬令，接連下了兩天大雪，只下得南宋京城杭州瓊瑤匝地，銀絮滿天，朝廷君臣圍爐賞雪，飲酒作樂，不必細表。單表杭州城外東郊牛家村，有兩個豪傑在對飲白酒，一個叫做郭嘯天，一個叫做楊鐵心……

修訂版的開頭完全不同：

錢塘江浩浩江水，日日夜夜無窮無休的從臨安牛家村邊繞過，東流入海。江畔一排數十株烏柏樹，葉子似火般殷紅，正是八月天時。村前村後的野草剛剛起始變黃，一抹斜陽映照之下，更增了幾分蕭索。兩株大松樹下圍著一堆村民，男男女女和十幾個小孩，正自聚精會神的聽著一個瘦削的老者說話。

那說話人五十來歲年紀，一件青布長袍早洗得褪成了藍灰色。只聽他兩片梨花木板碰了幾下，左手竹棒在一面小羯鼓上，敲起得得連聲。唱道：

「小桃無主自開花，煙草茫茫帶晚鴉。

幾處敗垣圍故井，向來一一是人家。」

那說話人將木板敲了幾下，說道：「這首七言詩，說的是兵火過後，原來的家家戶戶，都變成了斷牆殘瓦的破敗之地。小人剛才說到那葉老漢一家四口，悲歡離合，聚了又散，散了又聚……」……

進而，第一次修訂版，對原始版本作出修訂時，刪除了楊過之母秦南琴這一人物及其所有與她有關的故事情節，將秦南琴這一人物與穆念慈合二為一。

舊版中，作者曾讓郭靖和黃蓉一度暫時分手，即讓郭靖獨行追趕前往丐幫救難的黃蓉，以便他與職業捕蛇者秦老漢和他的孫女秦南琴相遇。

舊版中有關秦南琴這一人物的情節，包括以下重要的敘事單元。

一、郭靖在隆興府武寧縣境內的樹林中借宿，與秦老漢和秦南琴相遇，恰逢縣裡衙役來催逼交蛇，否則要抓秦南琴，郭靖仗義相救，打跑了衙役。

二、晚間，郭靖聽說毒蛇之所以難捕，是因為有一隻奇怪的火鳥，專吃毒蛇，以至於毒蛇的數量大為減少。郭靖捕捉火鳥。

三、秦南琴愛上了郭靖，只是不好意思說。因為郭靖不斷對她說黃蓉。

四、黃蓉在暗中放火燒了縣衙，燒死了知縣。因為黃蓉發現喬知縣是鐵掌幫的骨幹分子，勒索民眾、收集毒蛇供鐵掌幫使用。

五、郭靖和黃蓉重逢，看到了一場蛤蟆和青蛙的大戰，青蛙專吃毒蟲，受到農夫的喜愛和保護，而蛤蟆卻要吞噬青蛙。這仍是鐵掌幫在作惡，他們要大量捕捉毒蛇供幫主之用，而要捕捉大量青蛙餵食毒蛇。

六、丐幫骨幹黎生和余兆興二人仗義行俠，為了鄉農的利益而與鐵掌幫骨幹、武寧縣喬知縣的哥哥喬太等人發生衝突。

七、秦南琴被鐵掌幫抓去，獻給在鐵掌幫避難的楊康，並被楊康姦污。秦南琴後來乘亂離開鐵掌幫駐地，用毒蛇咬傷楊康，在一所道觀中遇到穆念慈，兩人先後出家。兩人一起救了郭靖、黃蓉，秦南琴講述了自己的不幸遭遇。

八、由於有秦南琴，穆念慈的故事另有安排。最重要的是兩點，一是她並沒有與楊過發生性關係；二是她繼續追隨楊康到鐵槍廟中，見楊康中毒而死，毫不猶豫地自殺殉情了。

九、在小說最後，秦南琴生下了楊康的兒子，求郭靖給孩子取名，郭靖於是給孩子取名楊過，字改之。

在修訂版中，作者將秦南琴這個人物及相關情節全部都刪除了。

再說第三次修訂。雖然此次修訂主要是對前兩次修訂版中的細節與字句的修訂，但也有不少重要情節的修改和補充。

例如《書劍恩仇錄》，作者在第三次修訂版中，陳家洛對霍青桐的情感，徐天宏的仇人方有德的故事線索，都作了修訂。[10]更重要的修訂是小說結尾增加了《魂歸何處》一節，講述陳家洛在香香公主死後，悲痛欲絕，想要自殺，即「這孩子孤苦伶仃的，我也要入火窟去陪她。」[11]進而，陳家洛請阿凡提帶他去見一位阿訇，要加入伊斯蘭教。進而，陳家洛在幻想中見到了天上的喀絲麗，聽到她說：「安拉吩咐：普天下的男人女子，都是安拉造出來的，都是我們的兄弟姐妹，大家應當和睦相處……」及「滿洲人也是安拉造的。安拉所造的男人女子，有許多不信奉安拉，不遵從安拉的規律，安拉最後會懲罰他們……」[12]

為什麼要如此改寫？作者在《後記》中說，「本書第三版修改時，曾覓得《可蘭經》全文，努力虔誠拜讀，希望本書所述，不違伊斯蘭教教義……」[13]

再如《射鵰英雄傳》，第三次修訂的最大改動，是小說第十回裡，梅超風的回憶增至二十餘頁，[14]增補的內容有了很大的變化，最主要的變化是「黃梅之戀」，即黃藥師與梅超風的戀情：從梅超風少女時代開始，黃藥師就對她有明顯的曖昧戀情；而梅超風對黃藥師的感情也變得十分曖昧而複雜。

再說《天龍八部》。第三次修訂版中，不僅增加了鳩摩智的《往事依稀》段落，[15]

慕容博的《往事依稀》，[16] 第四十八回中原有的段延慶回憶，在新修版中也被冠以《往事依稀》之名，且把刀白鳳的心理活動即「我要找一個天下最醜陋、最污穢、最卑賤的男人來和他相好……」[17] 也納入段延慶的《往事依稀》中。

更重大的修訂，是徹底改寫了段譽和王語嫣的愛情故事的結局，即：段譽決定讓王語嫣離開大理回蘇州，而王語嫣也如釋重負地離開了。書中說：

「段譽連日來忙於諸般政務，對王語嫣等三女之事暫且置之腦後，這些事一想起來便十分頭痛。然這些日子來，心中不住盤旋一個異常的難題……可是要娶王姑娘，便得向眾承認，我不是爹爹的親生兒子，這豈不是既損了爹爹的聲名，又汙了媽媽的清白名節。」[18] 書中還說，段譽意識到木婉清、鍾靈「比語嫣對我好得多。」「霎時之間，腦海中出現了王語嫣幾次三番對他冷漠相待的情景……他幾次背負她脫險，她從不真心致謝……」[19]

上述例子，都是要說明，金庸對其小說的每一次修訂，都不是簡單零碎的小修小補，而是每次修訂版確是存在各自不同的風貌。

本節主旨，並不是要討論金庸小說的修訂本身——金庸小說版本研究，恐怕需要很多篇專門研究、很多部碩士或博士論文才能真正完成——而是要說明，金庸小說存在不同版本，不同版本有不同風貌。之所以要在討論金庸小說創作之前，先討論金庸小說的版本問題，是因為這涉及到一個重要問題：分析和討論金庸小說，是以或應該以哪個版本為依據？

一種選擇是，既然是談論武俠小說史，應該是以金庸小說的報紙連載版及與報紙連載內容一致的初版單行本為依據，也就是說，談論金庸的《書劍恩仇錄》，要麼依據《新晚報》的連載，要麼依據香港三育圖書文具公司的八冊本《書劍恩仇錄》初版。

另一種選擇是，既然要討論金庸小說創作，那就應該以作者最後修訂版為依據，即第三次修訂版——也可稱為「世紀新修版」——為依據，因為修訂也是創作過程的重要組成部分。金庸小說創作，並非止於《鹿鼎記》連載結束的一九七二年九月廿三日，而是到二〇〇六年八月《鹿鼎記》第三次修訂版出版才真正宣告結束。如果不能兼顧金庸小說創作（**及修訂**）的全部歷程，算什麼武俠小說史？

實際上，還有第三種選擇，即以第一、二次修訂版為依據——這一版本可以稱為「流行版」——如中國大陸讀者熟悉的北京三聯書店版（**一九九四年**）。這一選擇的理由是：

其一，這一版本在大陸、香港、臺灣及海外地區的發行量最大。

其二，選擇這一版本為據，符合中庸之道，可以兼顧前後即小說原始連載版和第三次修訂版。

其三，金庸小說的第三次修訂版，雖然花費了作者大量心力，且使得金庸小說

表的憂傷。這是因為，純潔如天使的香香公主，最終竟成了陳家洛「宏圖大業」的犧牲品！

其次是陳母（也是乾隆之母）徐潮生和于萬亭，相愛而不能相伴，這個讓人神傷的故事，正是陳家洛故事的起因。再次是天池怪俠袁士霄與天山雙鷹陳正德、關明梅夫婦間古怪傳奇的三角戀，成了獨特的情感模型，被作者一再重複。[25]而香香公主與陳正德、關明梅玩挑沙遊戲，治癒了關明梅、陳正德的心病，讓這兩位老人從此懂得珍惜眼前風景與既存姻緣，則成了書中最動人的景觀。

又次是余魚同癡戀有夫之婦駱冰，而李沅芷又癡戀同門師哥余魚同，這對年輕人的情感歷程，歷盡曲折坎坷，讓人牽腸掛肚。最出人意料的愛情，是單純憨直的大姑娘周綺與滿肚子心機的徐天宏，居然不打不相識，由冤家變成情侶，讓人忍俊不禁，亦溫暖讀者愁懷。

周綺與徐天宏的形象與性格形成對比：周綺高大、徐天宏矮小；周綺是爽朗乾脆又魯莽的「俏李逵」，徐天宏是滿腹心計且謹慎的「武諸葛」，簡直如同「天敵」。周綺看徐天宏第一眼就討厭，偏偏陳家洛在分配任務時，將周仲英、周綺、駱冰和徐天宏分在同一小隊，周綺覺得徐天宏的一舉一動都討厭，越瞧越不順眼，越想越不對勁，忍不住對徐天宏不斷冷嘲熱諷。任憑父親周仲英板臉斥責，駱冰笑著勸解，徐天宏低聲下氣忍讓，全都不管用。周綺與徐天宏一路同行，從冤家變成戀人的過程，是

《書劍恩仇錄》中最為真切動人的情節段落。

本書的第四個看點，是武功的創新發明。首先是創造了聞所未聞的「百花錯拳」：「擒拿手中夾著鷹爪功，左手查拳，右手綿掌，攻出去是八卦掌，收回時已是太極拳，諸家雜陳，亂七八糟，旁觀者人人眼花繚亂。」（第三回末）這套「百花錯拳」，由陳家洛的師父袁士霄獨創，要旨是「似是而非，出其不意。百花易敵，錯字難當」。順便提及，這套拳法似乎成了袁士霄、陳家洛師徒愛情與人生的隱喻，即可用「錯」字概括。

進而，由於這套拳法仍不敵高手張召重，於是作者安排陳家洛在迷宮中學習回人創製的「庖丁解牛掌」——這是作者對武學的另一創新。這一創見的妙處，一是「以神遇而不以目接」的庖丁之技，與武打技擊理路相通；二是「庖丁解牛」寓言來自《莊子》，漢人讀《莊子》有固定思路，難免存在刻板印象，而回人讀《莊子》，卻能從中獲得武學啟迪，因為他們沒有成見，因「誤讀」而創新（**符合其寓言真義，值得深思**）。三是沒讓陳家洛從開始就無敵，讓他不斷學習、不斷訓練、不斷感悟，不僅讓故事情節曲折跌宕，且更符合成才之道。

這部書雖經多次修訂，仍有弱點。首先，是主人公陳家洛形象過於完美——在原始版本中，他是解元即省試第一名舉人，作者修訂時革除了他的功名——盛名之下其實難副。因為承擔的是不可能完成的任務，而作者既不能篡改歷史，又要符合新世價值觀，故事的走向受重重到局限，主人公不可能有所作為。其次，書中反派人物，如乾隆、張召重等，難免有概念化痕跡，如同粗製漫畫中人。

最後，本書很可能從前人之作中獲得靈感及部分素材。在《書劍恩仇錄》第三版《後記》中，作者說這部書「行文與情節中模仿前人之作頗多，現在將這些模仿性的段落都刪除或改寫了。」[26]

《書劍恩仇錄》模仿過那些小說？作者沒有說。

實際上，《書劍恩仇錄》很可能受民國武俠小說《神怪劍俠》[27]的啟發。這部書與《書劍恩仇錄》相關線索有：

一、書中第十回中列舉了清朝幾件大疑案，其中第五件疑案是：「乾隆帝為海鹽（**引者按：實為海寧**）陳閣老的兒子。據說乾隆的太后當時本生一位公主，因聞得陳閣老生有兒子，便命人抱進宮去，學那狸貓換太子故事。其後雍正帝就把他立為太子。所以乾隆在位時曾欲恢復漢裝，改去滿洲服飾，因太后不從而罷。」[28]

二、書中明確說福康安可能是乾隆的私生子。書中有詩：「家人燕見重椒房，龍種無端降下方。丹闈（**按：指后族**）幾曾封貝子，千秋疑案福文襄。」書中還寫到乾隆與傅恆妻子（**福康安母親，亦即皇后的嫂嫂**）偷情情節。

三、書中寫到兆惠將軍與大小和卓木之戰（**大和卓木即阿布敦，香妃即他的妻子；小和卓木名霍集占，亦《書劍恩仇錄》中的木卓倫原型**）

四、書中寫到乾隆為得到香妃，修建寶月樓及回民街。

五、香妃自殺身亡後，乾隆寫輓歌：「浩浩愁，茫茫劫，短歌終，明月缺。鬱鬱佳城，中有碧血。碧亦有時盡，血亦有時滅，一縷香魂無斷絕。是耶非耶，化為蝴蝶。」

有意思的是，在《書劍恩仇錄》第一次修訂版《後記》中，作者說：乾隆皇帝**（是陳閣老之子）**的傳說，從小就在故鄉聽到了的。[29]作者從未提及《神怪劍俠》一書。[30]其實，就是借鑒了《神怪劍俠》的相關線索及輓歌，也不會損害金庸的聲譽，因為這只是借鑒，並非模仿，更不是抄襲。畢竟，《書劍恩仇錄》只是對野史傳說進行改寫，且小說主線即紅花會總舵主陳家洛、回部女英雄霍青桐的故事是由金庸創作的，書中諸多人物及其愛情故事，都與《神怪劍俠》無關。

三、《碧血劍》

《碧血劍》是金庸的第二部小說，是金庸小說創新實驗之作。

本書講述袁承志上山學藝、下山復仇故事。袁承志是虛構人物，其父袁崇煥卻是被崇禎皇帝冤殺的真實歷史人物，袁承志復仇的對象是「明帝」與「清酋」。小說成功地將真實的國家歷史與虛構的江湖傳奇縫合在一起，袁承志學藝復仇的經歷因此有了歷史與傳奇二重性，即一面是虛構的江湖傳奇，另一面是真實的歷史寫意。與《書劍恩仇錄》不同，《碧血劍》的敘事焦點集中於主人公袁承志，確保了故事主線單純和清晰。

袁承志走江湖有不同的故事段落。每段故事有不同因由，產生不同的衝突形式，展示不同的人間風貌。如：浙江衢州段，溫青青搶了李自成的軍餉，袁承志要幫義軍奪回，於是單挑溫氏五老。江蘇南京段，閔子華邀集江湖好手，找金龍幫主焦公禮復仇，袁承志得知其中隱情，於是假扮金蛇使者，充當和事佬。山東道上，袁承志攜帶大量珠寶北上，響馬強盜蜂擁跟隨，袁承志裝傻充愣，讓強盜內訌，而後再顯身手；適逢官兵來襲，袁承志又幫強盜滅官兵。

河北道上，袁承志結識蓋孟嘗、拯救安大娘，並將對付義軍的外國大炮毀壞。在北京，遭遇五毒教，發現太監曹化淳私通滿洲，在宮廷政變時，袁承志當了崇禎的臨時護衛；而當李自成進京時，袁承志又做了開路先鋒。崇禎自殺身亡，復仇不了了之，接到師父來信，辭官前往華山，救了紅娘子，失望去海外。

每段故事中都有打鬥，每次打鬥的形式都不一樣。在浙江衢州石梁鎮，袁承志使用金蛇郎君破陣遺法，獨鬥溫家五老的五行陣。在江蘇南京，袁承志是用正宗的華山派內功、劍法，教訓驕傲自大的華山派弟子；要與二師兄歸辛樹比武，則不得不施展木桑道長的神行百變。在山東道上，面對大群強盜及上萬名官兵，首先是鬥智，其次是鬥勇，又次是江湖義氣和民間立場，而不是單純的武功。在河北，袁承志充當救人者，破壞大炮事則由神偷胡桂南大展神威。在北京，袁承志先扮偵探、再扮間諜，正派內功和邪派技藝無所不用。

小說刻畫了溫家五老、呂二先生、焦公禮、洪勝海、沙天廣、程青竹、鐵羅漢、胡桂南等一批江湖人物形象。更有意思的是，每段故事中都會出現一個年輕女性角色。在袁承志上華山學藝之前，有一個小女孩安小慧；在衢州石梁鎮故事中，出現了女主人公溫青（夏青青），安小慧也再次出現；在南京故事中，有金龍幫幫主的女兒焦宛兒；在山東道上，有青竹幫幫主程青竹的徒弟阿九（公主）；在河北，居然出現一個葡萄牙美人若克琳；北京，則有五毒教的年輕教主何鐵手。這些角色的安排，部分出於敘事的需要，部分是出於娛樂性需求：每個姑娘出現都會讓青青醋意大發，讓袁承志忸怩不安，讓讀者獲得觀賞之樂。

從上面的介紹可以看出，連載版《碧血劍》是個追求娛樂性的武俠傳奇故事，作為武俠傳奇故事，小說寫得很有娛樂性，很吸引人，可得高分。

只不過，金庸並不以此為滿足。在集中修訂時，對這部小說作了較大規模的加工，並且增加了大量新內容。最明顯的修訂，是小說開頭和結尾遭遇官兵和義軍的倒楣書生，連載版中是歷史人物侯朝宗，而修訂版改成了海外書生張朝唐。這一改動的好處是增加了諷喻性：海外書生朝唐山（中國），唐山卻非理想國。張朝唐先後被官兵、義軍誣為強盜，則說明，官軍與義軍竟是異曲同工。

在連載版中，李自成義軍進京後的亂象，只是點到為止，不過數百字。而修訂版中則增至上萬字篇幅，袁承志在北京的住處遭搶劫，在連載版中是官軍所為，而在修訂版中則改為義軍所為。權將軍劉宗敏聽說崇禎的公主美貌，居然派兵到袁承志府上，試圖強奪阿九。而李自成本人，也志得意滿，不可一世，不聽李岩苦口婆心，霸佔吳三桂小妾陳圓圓。義軍在進京後，以極其驚人的速度腐敗變質，讓人觸目驚心。

修訂版中，還增加了一段意味深長的情節，即袁承志和李岩漫步街頭，聽到一個無名的瞎子的歌唱，歌詞中說：「無官方是一身輕，伴君伴虎自古云。歸家便是三生幸，鳥盡弓藏走狗烹」以及「今日的一縷英魂，昨日的萬里長城」。這段歌唱，既預示了李岩被李自成冤殺的結局，也照應了袁崇煥被崇禎冤殺的往事，總結了當權者誅殺功臣的悲劇性歷史規律。上述一切，大大增強了小說的歷史感，而小說的主人公袁承志，正是這段歷史的參與者和見證人。

修訂版還增加了程青竹向袁承志講故事段落，講述他的哥哥程本直與袁承志父親袁崇煥的故事，出於對袁崇煥的崇敬，主動申請陪伴袁崇煥最後一程。

在修訂版中，還增加了兩大段與滿清勢力有關的情節。一是七省武林泰山聚會後，適逢滿清軍隊在山東沿海搶劫，袁承志率領武林英雄及投降官兵截殺清兵先鋒隊。一是袁承志率青青、洪勝海等人前往盛京，試圖刺殺皇太極，親眼見證了多爾袞與嫂子偷情，並暗殺皇太極的過程。這兩大段內容，是要把「山宗」即袁崇煥舊部及袁承志「並誅明帝、清酋」的誓言，落到實處，自有其道理。因為袁崇煥最令人敬仰的事蹟，正是主動為國鎮守邊關。袁承志想要繼承父親的遺志，就不能不對清兵、清酋採取行動。連載版故事中絲毫沒有涉及此事，是明顯的疏忽；修訂版增加這方面的故事情節，算是彌補了這一缺憾。

總體上說，連載版注重傳奇性和娛樂性，而修訂版在保持傳奇性和娛樂性的基礎上，又增加了小說的歷史感和思想性，使得小說藝術品質有明顯提升。

說小說《碧血劍》是「小說敘事實驗」，證據是，作者在本書第一次修訂版《後記》中說：「《碧血劍》的真正主角其實是袁崇煥，其次是金蛇郎君，兩個在書中沒有正式出場的人物。」[31]可能是受希區考克電影《蝴蝶夢》的啟發，即現實中人始終生活在死去之人的陰影中。金庸的實驗目標，是要讓兩個早已逝世從而無法在現實故事中出場的人物成為小說的主人公，而且，這兩個人物，一個是真實的歷史英雄，另一個則是虛構的江湖復仇者。實驗難度，明顯超過《蝴蝶夢》。

作者的這一實驗，成功了一半，即通過口述歷史方式，成功刻畫了金蛇郎君夏雪宜的形象——因為他已去世，成了武林傳說中人，在不同人物的回憶和講述中，金蛇郎君的形象截然不同，在穆人清口裡，他是邪門外道；在焦公禮口中，他是大俠和恩人；在溫儀口裡，他是不朽的情人；在溫氏五老口裡，他是十惡不赦的惡棍；何紅藥口裡，他是情人，也是騙人魔頭。眾說紛紜，莫衷一是，金蛇郎君到底是怎樣的一個人？需讀者以上述口述歷史片斷去拼貼和分析。

大體上說，金蛇郎君有三個重要側面，一是瘋狂的復仇者（對何紅藥卻是無情的情人），二是溫柔體貼的有情人（實際上是溫儀的純潔善良治癒了夏雪宜），三是扶弱救難的俠義中人（拂去塵汙方見真性情）。瞭解了夏雪宜的滅門遭遇，就不難理解他如何從一個正常青年被命運扭曲成一個變態的復仇狂，為了復仇不擇手段，復仇過程更是令人髮指。瞭解到他被溫儀治癒的經歷，才能理解這個變態狂魔其實也有正常人的善良天性和情感渴望，甚至有救人厄難的俠義情懷。總之，口述歷史中的金蛇郎君夏雪宜形象，是這部小說中最具複雜度的藝術典型。

值得一說的是，小說中另外兩個最成功的藝術形象，即夏青青與何紅藥，也都與金蛇郎君有關。夏青青是夏雪宜的女兒，她最突出的性格特徵，是嫉妒心奇重，遇到任何一個女孩，包括安小慧、焦宛兒、阿九乃至孫仲君，她都當作情敵，並醋海興波，讓袁承志不得安寧。其原因，正是她作為夏雪宜的女兒，自出生之日起就在溫家飽受歧視，從而嚴重缺乏安全感。內心不安成了一種無意識動機，支配了她的心理和行為，根本不可理喻。何紅藥是夏雪宜的情人，幫助夏雪宜從五毒教秘窟中取得金蛇劍、金蛇錐、藏寶圖，其後受到教規嚴厲處罰，不僅被千蛇咬毀面容，且被罰行乞數十年；更嚴重的傷害，是被夏雪宜無情拋棄。愛有多深，恨有多深，愛恨交織的巨大力量扭曲了何紅藥的心靈和人生，使她成了金庸小說中第一個心理變態的「情魔」。實際上，金蛇郎君、何紅藥乃至夏青青，都是《天龍八部》中人物與故事的預演，可說是金庸小說實驗的意外收穫。

金庸說：「袁承志的性格並不鮮明。不過袁崇煥也沒有寫好，所以在一九七五年五六月間又寫了一篇《袁崇煥評傳》作為補充。」[32] 也就是說，此次小說敘事實驗的另一半，即袁崇煥的形象刻畫並不成功。實際上，主人公袁承志性格並不鮮明，也與這一實驗有關，袁承志的個性與行為受到歷史框架所束縛，他要殺崇禎、皇太極為父報仇，卻又不能改變歷史事實，於是由傳奇主人公變成歷史劇看客。又因作者目的在袁崇煥，對袁承志未免缺乏深思，從而得不償失。

《碧血劍》的小說敘事實驗並不十分成功，作者的實驗精神和創新勇氣卻彌足珍貴。後面我們會看到，金庸的小說創新實驗一直在持續。不斷創新實驗，正是金庸的武俠小說出類拔萃的根本原因。

四、《射鵰英雄傳》

《射鵰英雄傳》是金庸的第三部武俠小說，是金庸小說的第一座高峰。

這部小說是「以宋亡、金亡、元興三朝的興亡為背景，那都是中國歷史上劇烈動盪、民族之間大鬥爭的時代，充滿戲劇性的衝突，故事中自然而然會湧現張力。」[33]

本書有兩位主人公，一名郭靖、一名楊康，是對北宋滅亡即「靖康之恥」的明確標記，兩位小主人公出生伊始就背負了沉重的國恨家仇，其命運也就格外令人關注。由於戰亂，郭靖之父郭嘯天、楊康之父楊鐵心從山東逃亡到江南；因為戰亂，楊康之母被帶入金國的王府，郭靖之母則逃亡到茫茫的蒙古大草原，郭靖、楊康從此生活在截然不同的家庭環境和文化背景中。最後，淳樸的郭靖成了「為國為民，俠之大者」，而聰穎的楊康則成了認賊作父的可憐蟲。小說以深沉的歷史感，強烈的戲劇張力，曲折的故事情節，精彩的人生故事，鮮明的思想主題，以及古樸文風和恢弘氣勢，成為新派武俠小說的經典之作。

小說的另一貢獻，是通過江南七怪—全真七子—乾坤五絕等虛構的武林人物，建構了完整江湖世界的框架。他們之間有明確的武功層級差，七怪聯手只能與全真七子之一丘處機的武功持平。全真七子聯手又只能與乾坤五絕中黃藥師的武功持平。乾坤五絕中，東邪是東海桃花島主黃藥師，西毒是西域白駝山主歐陽鋒，南帝是大理國皇帝段智興（**即一燈大師**），北丐是丐幫老幫主洪七公，中神通是全真教主王重陽（**全真七子的師父**），分別代表了東南西北中，屬於武林世界頂層。五絕不僅體現空間布局，且因為華山論劍線索，呈現時間向度和武林歷史傳統。王重陽去世後，世間再無第一人，東邪西毒南帝北丐準備第二次華山論劍，實際上是為主人公郭靖樹立武功和人生目標。

《射鵰英雄傳》的最大特色及突出貢獻，是把西方成長小說模式引入了武俠小說創作中。所謂成長小說，是指專門講述主人公成長故事的書，通過主人公的成長，呈現人性和人生的奧秘。成長小說也叫啟蒙小說，是西方近代啟蒙運動的重要成果之一。金庸借鑒成長小說模式，為新派武俠小說增加一個新維度，即心智發育、個性成長與人生傳記維度，讓武俠小說真正契合「文學即人學」要旨，提升了武俠小說品質和層次。只不過，這種寫法，需要卓越的人性洞察力。

主人公郭靖出生在母親李萍逃亡途中，母子來到蒙古草原，草原地廣人稀，生活極其艱辛。這讓小郭靖的心智發育相對遲緩，三四歲才開始說話，五六歲時說話還不大利索。但他卻有堅毅勇敢、仁厚慷慨的天性。這種天性在他年齡很小的時候就已有所表現，例如，為了救神箭手哲別，而不畏鐵木真部屬的鞭打；又如，在小小年紀時，就從豹子利齒和利爪下救出小華箏。因為他救了小華箏，鐵木真才會對他另眼相看，優待郭靖母子；正是因為他慷慨仁厚，讓刁鑽古怪的黃蓉十分驚喜、一見傾心，郭靖才有向洪七公學習降龍十八掌的機會。也正因為郭靖忠義正直，對岳飛精忠報國的精神十分仰慕，才會主動選擇投入保衛襄陽的戰鬥，不惜犧牲，成為為國為民的俠之大者。郭靖的人生，是性格決定命運。

看上去傻頭傻腦的郭靖，通過自己不懈努力而練成第一流武功的經歷，毫無疑問具有勵志性。這一勵志故事，不僅有兒童心理學和社會心理學基礎，更有現代教育學的啟迪。郭靖看上去很笨，江南七怪也都說他很笨，事實證明，他並不是天生愚笨，甚至不是真笨。郭靖顯得遲鈍，不過是生活環境的產物，在他的幼年生活中，沒有鄰居，沒有玩伴，除了母親就沒有別人，而母親又忙於生計，很少與他交流，沒有知識資訊的不斷刺激，導致心智發育遲緩。只要有適當的資訊刺激和知識引導，郭靖的心智與武功就會突飛猛進。

證據是，全真七子的大師兄馬鈺教了郭靖幾年內功，郭靖就有明顯的進步，以至於江南七怪以為他當了梅超風的徒弟。這就進一步證明，郭靖的愚笨，不僅與環境有關，也與江南七怪的教育方法有關，這幾位老師雖然盡心盡力，但他們武功見識都有限，為了讓郭靖贏得比武，他們對郭靖實行填鴨式教育，滿堂灌，且還相互搶課，讓小小郭靖不堪重負。江南七怪的教育方法，與日後的應試教育如出一轍——郭靖、楊康十八歲時的嘉興煙雨樓比武，正是江南七怪心目中的高考。

更重要的證據是，郭靖遇到洪七公之後，居然練成了亢龍有悔一招，繼而學會了更多招式，最終全部掌握了降龍十八掌，可以與準一流高手過招，原因是，洪七公懂得因材施教。郭靖的心智水準雖然比聰明伶俐的黃蓉有明顯差距，但他能刻苦用功、勤奮訓練，奉行「別人練一天，我練十日」信條，終於取得了良好成績。

在刻苦練功的過程中，郭靖的心智也在不斷開化、不斷提升、不斷進步。待到他見過南帝、東邪、西毒等當世高手，尤其是無意中學了九陰真經之後，認知水準已非昔日吳下阿蒙。順便說一句，降龍十八掌似是為郭靖專門訂製的武功，此種武功路數似是郭靖性格的提示或顯現。這套簡單掌法的特點，即郭靖性格的特點。

郭靖與黃蓉的愛情故事，是書中核心情節線索之一，也是書中最為動人的景觀。郭、黃愛情的特點，固然是男歡女愛，卻也是相互塑造和相互成全，幫助對方成長。首先是黃蓉成全了郭靖，具體說，一是黃蓉為郭靖找到了名師洪七公，讓郭靖接受高級武功培訓。二是黃蓉作為郭靖的文化導遊和知識導師——黃蓉拉著郭靖從燕京一路南下，既談情說愛，也遊山玩水，同時還是郭靖進修中原文化的過程。此一過程，相當於一個漢文化補習班，黃蓉就是補習班的專任教員，從歷史地理、詩詞歌賦到水墨畫、五行八卦，無所不包。三是促進郭靖的民族文化認同。郭、黃一路追蹤《武穆遺書》的過程，既是傳奇歷險，也是進一步熟悉岳飛、認同岳飛的過程，同時也是郭靖熟悉天下大勢、認同漢人身分、選擇漢民族立場的過程。取得《武穆遺書》，郭靖就成了岳飛的傳人，不僅傳承岳飛的兵法，在隨蒙古軍隊西征的過程中立下赫赫戰功；更重要的是，讓郭靖成為岳飛的精神傳人，成為精忠報國的大英雄，登上思想高峰，成就輝煌人生。

另一方面，郭靖也塑造並成全了黃蓉。具體說，一是郭靖的情懷，溫暖並重塑了黃蓉。她負氣離家出走，以為世界上再也無人關愛，郭靖的慷慨饋贈，讓她感受到人世真情，也讓她開始理解父親，同時認識自己。二是郭靖的道德風範，修訂了黃蓉的弱點。作為東邪黃藥師的女兒，黃蓉習慣於我行我素，不會顧及他人的感受或利益，被江南七怪稱為「小妖女」並不完全是偏見。自從與郭靖相愛，想郭靖之所想，愛郭靖之所愛，順便完成了社會化。三是，郭靖的人生理想，也成了黃蓉的人生目標。黃蓉聰慧過人，家境條件優越，卻沒有道德理想，更無人生目標，而郭靖的道德理想，成了她的人生導航，提升了她的人生品質與價值。

郭靖與黃蓉戀愛經歷了三道難關。一是拖雷迫使郭靖遵守與華箏的婚約，黃蓉遭遇情感與自尊雙重打擊，卻也由此經歷了重大考驗，最終提升了情感的純度與韌度。二是當柯鎮惡說黃藥師殺了他的五個兄弟時，黃藥師成了郭靖的殺師仇人，他與黃蓉的情感再度陷入絕境。三是郭靖沒向成吉思汗辭提出解除婚約，讓黃蓉三度陷入情感絕境，負氣離開，並被歐陽鋒所俘。

這三道難關，既是小說故事情節的重大懸念，也是郭靖、黃蓉的道德、智力與個性的表現焦點。遵守與華箏的婚約，是郭靖的道德選擇，而非情感傾向，他們仍然在一起。郭靖誤會黃藥師殺了他師父，決心與黃藥師不共戴天，同樣是郭靖的道德選擇，而黃蓉則憑自己的聰慧揭露了歐陽鋒在桃花島殺人的真相，使得柯鎮惡和郭靖明白誤解了黃藥師和黃蓉。黃蓉負氣不見郭靖，卻又躲在郭靖的軍營中，不斷幫助郭靖出謀劃策，那是她真情的表現。提出和解條件是讓郭靖在立功之後向成吉思汗辭婚，但郭靖卻向成吉思汗提出不要屠城，從而拯救了撒麻爾罕千萬生靈，這一選擇讓黃蓉痛苦絕望，卻讓郭靖的道德形象更加鮮明突出。

楊康的形象及其成長經歷，與郭靖形成了鮮明對比。楊康成了金國小王爺完顏康，習慣於母親的溺愛，習慣於王府生活的奢華，習慣於周圍人的嬌寵吹捧，也習慣了淺嘗輒止和自以為是，不但在武功上難與郭靖相提並論，人品方面更有天壤之別。成年以前的命運或許不由自主，但成年之後選擇認賊作父、欺騙穆念慈進而自欺欺人，則是性格決定命運。郭靖、楊康的成長環境不同，人生方向和道路也截然不同，這一結果，讓人感慨，亦發人深思。

最後，小說中成功刻畫了諸多人物形象。例如江南七怪，即：武師柯鎮惡、小偷朱聰、馬販韓寶駒、樵夫南希仁、屠夫張阿生、小販全金發和漁女韓小瑩。這七人不僅各有職業，且個性鮮明，柯鎮惡倔強凶狠，朱聰靈活機巧，韓寶駒脾氣火爆，南希仁沉默寡言卻言必有中；張阿生外號笑彌陀，長相粗豪，武功硬朗而內心柔軟；全金發心思細密，頭腦靈活，行為迅捷；越女劍韓小瑩豪氣不讓鬚眉。江南七怪是具有市井氣息的江湖中人。還有丘處機、成吉思汗等歷史人物，以及老頑童、穆念慈、東邪黃藥師、北丐洪七公、西毒歐陽鋒、南帝一燈大師、瑛姑，乃至自負招搖的歐陽克、欺世盜名的裘千丈……等人俱可圈可點，也都可以成為專門話題。刻畫出如此之多的鮮活藝術形象，是小說藝術成就的體現。

五、《雪山飛狐》

《雪山飛狐》是金庸又一次小說創新嘗試。

這部作品於一九五九年在《新晚報》上開始連載時，《射鵰英雄傳》已經大獲成功，好評如潮。但金庸並沒有複製《射鵰英雄傳》的成功配方，而是有意進行了又一次小說創新實驗，《雪山飛狐》在敘事形式作了大膽的創新嘗試。小說形式新穎而複雜，要理清頭緒，須分清兩種時態、三大段落、四個故事。

所謂兩種時態，一是現在進行時故事，即乾隆四十五年三月十五日這一天，在長白山麓，飲馬川寨主陶百歲、陶子安父子，被天龍門高手追殺時，又遇北京平通鏢局高手伏擊，其中有復仇故事線索，也有奪寶故事線索。二是過去時態，即胡、苗、范、田四個家族的百年恩怨史，這是寶樹和尚將衝突三方強行帶到烏蘭山玉筆峰頂杜希孟府上，由在場多人分別講述的。

所謂三大段落是指，一是開頭段落，即現在進行時故事。一是中間段落，即過去時段落，亦即寶樹和尚將眾人帶到玉筆峰頂，介紹杜莊主與雪山飛狐之約，大家紛紛講述胡、苗、范、田四家族的百年恩怨。第三段又回到現在進行時，胡斐、苗人鳳、范幫主及皇宮侍衛先後出現，寶樹和尚等人去奪寶，大內侍衛和范幫主等人圍捕苗人鳳，直到小說結束。

所謂四個故事，一是胡、苗、范、田百年恩怨的起源；二是廿七年前胡一刀和苗人鳳滄州大戰；三是剛剛過去不久的天龍門內訌醜聞；第四個故事，是小說頭尾的現在進行時故事，書中人物各有追求，有復仇、有奪寶、有陰謀，還有愛情。

值得注意的是，四個故事中的三個，即百年恩怨溯源、廿七年前滄州大戰、天龍門內訌醜聞，都不是由作者直接講述，而是由書中人物寶樹和尚（閻基）、苗若蘭、平阿四、陶百歲，以及陶子安、殷吉、阮士中、劉元鶴等人分別講述所組成。這種形式，很像我們熟悉的口述歷史，讓我們想到日本電影大師黑澤明的影片《羅生門》。作者是否從電影《羅生門》中獲得靈感和啟發，尚待求證。

無論從哪裡獲得靈感，對武俠小說史而言，都是一種可貴的創新嘗試。除苗若蘭外，寶樹和尚、平阿四、陶百歲等人都是當年故事的參與者和見證人，由於每個人立場不同，情感傾向不同，因而講出的故事版本也就各不相同。反過來說，從每個人的故事版本中，我們不僅能瞭解歷史故事，同時還能瞭解講故事人的立場、身分和性格。進而，不同的人有不同的觀察和講述角度，把不同的故事版本放在一起看，能多角度地瞭解故事的不同側面，讓歷史真相呈現得更加完整。

理清了小說形式，才能更好地理解小說的內容和主題。《雪山飛狐》的四個故事，有其內在相關性，一言以蔽之，即胡、苗、范、田百年恩怨史。四家的祖先，原是李自成的四個貼身侍衛。李自成兵敗之際，飛天狐狸胡衛士為掩護李自成逃亡，帶著一具屍體投降清兵，說他把李自成殺了。苗、范、田三衛士不明真相，以為胡大哥變節，合力將胡衛士殺死。胡衛士的兒子向苗、范、田三位說，他父親沒有變節，李自成並沒有死，苗、范、田三位當眾自殺。由於不能提及李自成沒死這一驚人秘密，苗、范、田三家後人又找胡家後人報仇，如此不斷反覆，形成四家族百年恩怨。廿七年前胡一刀和苗人鳳滄州大戰，正是四家族百年恩怨的繼續。儘管胡一刀慷慨豪邁，胡、苗人二人惺惺相惜，也無法改變命運。

小說的第三個故事即天龍門內訌醜聞，和第四個故事即現在進行時的復仇、奪寶、陰謀與愛情，也是四家族百年恩怨史的一部分。第二個故事中，看似苗、范、田三家對付胡一刀，實際上田歸農對苗人鳳的怨恨，不下於對胡一刀。於是就有第三個故事，即田歸農引誘了苗人鳳的妻子，上梁不正下梁歪，終於讓天龍門分崩離析，醜聞壓力之下，田歸農自殺身亡。

第四個故事中，興漢丐幫的范幫主，即范衛士的後人，也墮落變質，成了清廷抓捕苗人鳳的幫凶。胡斐救了苗人鳳，苗人鳳以為他對女兒苗若蘭不軌，仍要找胡斐比武，不死不休。小說的最後，胡斐發現了苗人鳳的破綻，正在猶豫這一刀要不要砍下，小說戛然而止。作者說，胡斐這一刀是否砍下，要由讀者自己去決定。這一開放性結尾方式，也是武俠小說前所未有的新玩法，亦即創新實驗的一部分。這一刀不僅決定苗人鳳的生死，決定胡斐和苗若蘭的情感結局，也決定胡、苗、范、田四家族百年恩怨的未來走向。

無論胡斐那一刀是否砍下，此前的故事，只能讓人一聲嘆息。胡、苗、范、田百年恩怨，若用一句話總結，那就是：英雄無奈窩裡鬥。苗、范、田三衛士刺殺飛天狐狸是如此，胡衛士之子逼迫苗、范、田自殺也是如此；胡一刀和苗人鳳滄州比武是如此，苗人鳳的父親和田歸農的父親相互刺殺在寶庫中是如此，最後胡斐和苗人鳳繼續比武仍然如此。更讓人嘆息的是，在這部小說中，我們看到了田、范後人的墮落，非但忘卻了祖先追隨李自成的理想與志願，更忘卻了國族深仇，田歸農主動賣身投向清廷在前，范幫主參與圍捕苗人鳳在後，正可謂：親者痛、仇者快。

書名《雪山飛狐》，主人公應是「雪山飛狐」即胡斐。實際上，這部小說的敘事主體是胡、苗、范、田四家族及其代筆人物。其中最具魅力的人物，是廿七年前在滄洲比武時中毒身亡的胡一刀。在寶樹和尚的口述中，胡一刀長相凶惡，令人畏懼，是凶惡強人。而在平四口述中，胡一刀言行粗豪，卻心地善良，有豪俠氣質。證據是，平四家借了高利貸，五兩銀子變成了四十兩，若不能如期還清就要讓平四母親抵債，平四躲在廚房裡哭，胡一刀得知後，立即拿出一百兩銀子給平四。

進而，人人都叫他癩痢頭阿四，輕視糟踐，胡一刀卻稱他「小兄弟」，要平四稱他為大哥，並對平四說：世人並無高低，在老天爺眼中看來，人人都是一般。平四說，他聽了胡一刀這番話，就像是一個多年的盲人，忽然間見到了光明。進而，平四說，當年胡一刀曾托閻基（寶樹和尚）向苗人鳳解釋三件事，一是說胡、苗、范、田四家上代結仇的緣由，二是苗人鳳父親和田歸農父親的死因，三是關於闖王軍刀的秘密。胡一刀這樣做，並非擔心敵不過苗人鳳，而是要說出歷史真相，希望消弭胡家與苗、范、田家族間的百年宿怨。

進而，胡斐回憶說，父母相識時，母親要胡一刀在寶藏和她之間二選一，胡一刀毫不猶豫地選擇了愛人，並且說：就是有十萬個寶藏，也及不上真情愛侶。進而，在與苗人鳳比武時，曾連夜趕路數百里，到山東武定去殺了苗人鳳的仇家商劍鳴。胡一刀這樣做，並非向苗人鳳買好，是讓苗人鳳專心比武而無後顧之憂。如此英雄豪邁，自然光彩照人。

書中苗人鳳形象，也頗可觀。僅僅是「打遍天下無敵手」這一外號，就足以讓人景仰，而他卻寫下「不來遼東，大言天下無敵手；邂逅冀北，方信世間有英雄」的對聯，說明苗人鳳真心佩服胡一刀，這就更了不起。進而，苗人鳳不讓獨生女兒苗若蘭練武，固然是希望女兒過上正常人的生活，更是希望胡、苗、范、田四家族的恩怨到此為止，體現了不凡的見識與決斷。但苗人鳳仍有性格弱點，即還是有些自以為是，認定胡斐行為不軌，且不聽胡斐解釋，定要與胡斐拼個你死我活。

雖然經過多次修訂，小說仍有瑕疵。最大瑕疵是，李自成從未到過東北，怎麼會、如何能把寶藏運送到滿清祖居之地長白山？胡斐和苗若蘭以詩經唱和，固然顯得高雅，仔細想，恐怕未必合乎胡斐的身分與教養。

【注釋】

1 李以建：《金庸小說創作、連載及修訂出版年表》，載李以建編：《金庸散文集》第四五三—四五六頁，香港，天地圖書有限公司，二〇一九年。

2 顧臻、于鵬、林春光：《金庸武俠小說年表》，載《中國武俠學會會刊》（電子版）二〇一八年第四期（總第六期）。

3 金庸小說版本很多，例如《書劍恩仇錄》（八冊）、《碧血劍》（五冊）、《射鵰英雄傳》（十六冊）等書曾由香港三育圖書文具公司出版。這裡只討論報紙連載版和作者專門修訂版。

4 《鴛鴦刀》曾在《明報》上連載過，但最早連載版本是在《武俠與歷史》雜誌上，根據顧臻、于鵬、林春光：《金庸武俠小說年表》訂正。

5 《金庸小說創作、連載及修訂出版年表》上說《素心劍》開始連載的時間是一九六三年，根據顧臻、于鵬、林春光：《金庸武俠小說年表》訂正。

6 《金庸小說創作、連載及修訂出版年表》上說《越女劍》的連載日期是一九七〇年一至二月，金庸本人也說這篇小說寫於一九七〇年一月（見《鹿鼎記．後記》），根據顧臻、于鵬、林春光：《金庸武俠小說年表》訂正。

7 該後記寫於一九七五年五月，見《書劍恩仇錄》下冊第八〇五頁，北京，三聯書店，一九九四年。

8 金庸：《〈碧血劍〉後記》（二〇〇二年七月），載李以建編：《金庸散文集》第一一六－一一九頁，香港，天地圖書有限公司，二〇一九年。

9 倪匡：《我看金庸小說》第一四九－一五〇頁，臺灣，遠流出版事業股份有限公司，一九九七年。

10 這兩條線索的改寫情況，請參見陳墨：《版本金庸》第三十五－四十九頁，北京，海豚出版社，二〇一五年。

11 金庸：《書劍恩仇錄》下冊第九〇四頁，臺北，遠流出版事業股份有限公司，二〇〇二年。

12 金庸：《書劍恩仇錄》下冊第九〇九頁，臺北，遠流出版事業股份有限公司，二〇〇二年。

13 金庸：《書劍恩仇錄．後記》下冊第九一九頁，臺北，遠流出版事業股份有限公司，二〇〇二年。

14 金庸：《射鵰英雄傳》第一冊第三九九－四二〇頁，臺北，遠流出版事業股份有限公司，二〇〇三年。

15 金庸：《天龍八部》第五冊第一六九〇—一六九八頁，臺北，遠流出版事業股份有限公司，二〇〇五年。

16 金庸：《天龍八部》第五冊第一七九七—一八〇七頁，臺北，遠流出版事業股份有限公司，二〇〇五年。

17 金庸：《天龍八部》第五冊第二〇六七頁，臺北，遠流出版事業股份有限公司，二〇〇五年。

18 金庸：《天龍八部》第五冊第二〇〇九頁，臺北，遠流出版事業股份有限公司，二〇〇五年。

19 金庸：《天龍八部》第五冊第二一〇三頁，臺北，遠流出版事業股份有限公司，二〇〇五年。

20 金庸：《書劍恩仇錄》下冊第八〇一頁，北京，三聯書店，一九九四年。

21 金庸：《書劍恩仇錄》下冊第九〇五頁，臺北，遠流出版事業股份有限公司，二〇〇二年。

22 金庸：《書劍恩仇錄．後記》第九一九頁，香港，明河社出版有限公司，二〇〇四年第三版。

23 倪匡：《我看金庸小說》第廿二頁，臺灣，遠流出版事業股份有限公司，一九九七年。

24 倪匡：《我看金庸小說》第廿三頁，臺灣，遠流出版事業股份有限公司，一九九七年。

25 《天龍八部》中的趙錢孫、譚公、譚婆，以及《俠客行》中的丁不四、白自在、史小翠的關係，都與袁士霄、陳正德、關明梅的三角關係有明顯的相似性。

26 金庸：《書劍恩仇錄．後記（一九七五年五月初版、二〇〇二年七月三版）》第九一九頁，香港，明河社出版有限公司，二〇〇四年（第三版）。

27 吳門孫劍秋：《神怪劍俠》（上下冊），上海，東新書局，中華民國十二年八月（一九二二三年）。封面有「乾隆時代之北派武俠小説」紅色字樣。全書三十回，上冊一二一頁，下冊一二三頁（外加版權頁及廣告頁，無頁碼）。

28 吳門孫劍秋：《神怪劍俠》上冊第七十六－七十七頁。

29 金庸：《書劍恩仇錄．後記（一九七五年五月初版、二〇〇二年七月三版）》第九一八頁，香港，明河社出版有限公司，二〇〇四年（第三版）。

30 《神怪劍俠》與《書劍恩仇錄》的關聯，是顧臻提示的。我看到《神怪劍俠》，也是由顧臻提供。特此説明，並感謝顧臻先生。

31 金庸：《碧血劍．後記（一九七五年六月）》第八一八頁，北京，三聯書店，一九九四年。

32 金庸：《碧血劍．後記（一九七五年六月）》第八一八頁，北京，三聯書店，一九九四年。

33 金庸：《談〈射鵰英雄傳〉的創作》，李以建編：《金庸散文集》第四十九頁，香港，天地圖書有限公司，二〇一九年。

第十三章
金庸的武俠小說創作（中）

在金庸人生和小說創作兩方面，一九五九年都是一個十分重要的時間節點。一九五九年是金庸人生的一個重要節點，是因為他在這一年離開了長城電影公司，與沈寶新合夥創辦《明報》，開始自主創業，也開啟了全新的人生，在思想和精神方面真正走向獨立。

在小說創作方面，《神鵰俠侶》雖是「射鵰三部曲」的第二部，故事情節與《射鵰英雄傳》密切相關，主人公楊過是楊康之子，郭靖、黃蓉、東邪、西毒、南帝、北丐、老頑童、瑛姑等人也都出現在這部小說中，但作者的價值觀念及小說的思想主題都有重大改變。具體說，《射鵰英雄傳》是基於民族主義即集體主義立場，而《神鵰俠侶》則是基於個人主義即人文主義立場；《射鵰英雄傳》秉持的是傳統道德價值觀，而《神鵰俠侶》則開啟了現代人文主義價值觀；郭靖是俠士理想典範，楊過則是個性突出的英雄。

實際上，小說《神鵰俠侶》是作者金庸自我新生的重要里程碑。在金庸小說人物中，最接近作者精神氣質的，是《神鵰俠侶》的主人公楊過。理由是，楊過的成長過程及其個性，與作者的人生有很大的相似度。第一個相似點，是作者金庸和主人公楊過一樣，年輕時都曾兩次被學校開除。[1] 第二個相似點，是父親都死於非命，而他們都對此無法釋懷。第三個相似點，是自創武功的壯志雄心，書中的楊過是如此，作者金庸更是如此。第四個相似點，是深情狂放的精神氣質，金庸說：「我是個感情豐富的人，做事衝動，理智不強。」[2]楊過與年輕時的金庸如出一轍。所以，《神鵰俠侶》和《明報》都是金庸人生劃時代的標誌，一九五九年的金庸是新的金庸，而《神鵰俠侶》則是金庸小說創作的另一座高峰。

一、《神鵰俠侶》

《神鵰俠侶》是金庸小說的又一座高峰之作。

這部小說以楊過的成長為主線，楊過成長的方向和目標與郭靖截然不同，即不是成長為為國為民的俠之大者，而是要做自己，並努力成為最好的自己，終成為至情至性的人。《神鵰俠侶》的核心情節，是主人公楊過與其師父小龍女的戀情。這一戀情不能被郭靖、黃蓉夫婦接受，因為當時的禮教傳統，不容徒弟和師父戀愛結婚。書中有一回的題目是《禮教大防》，講述楊過和郭靖的直接衝突。郭靖在分別多年後再次見到楊過，心中歡喜，準備把女兒郭芙許配給楊過為妻，要繼續郭、楊兩家三代情誼。但小龍女說要做楊過的妻子，而楊過也表示要與師父小龍女在一起，無論是出於私心還是出於公義，郭靖都不能同意，兩人劍拔弩張，郭靖將楊過抓舉起來，要他認錯，否則就要將他摔死。而楊過卻說：「姑姑全心全意的愛我，我對她也是這般。郭伯伯，你要殺我便下手，我這主意是永生永世不改的。」繼而說：「我沒錯，我沒做壞事！我沒有害人！」[3] 楊過的這一表白，是他的自我辯護，也是他的個人獨立宣言。

《射鵰英雄傳》的主人公大俠郭靖，成了《神鵰俠侶》主人公楊過的反抗對象，充分表明了這兩部相互關聯的小說，有著截然不同的旨趣與立場。比較《射鵰英雄傳》和《神鵰俠侶》的第一回，亦很容易看出這兩部書的不同。前者第一回回目是《風雪驚變》，重點是社會變亂及歷史滄桑，內容是說書人說唱戰亂故事，引詩為證：「幾處敗垣圍故井，向來一一是人家」；後者第一回回目是《風月無情》，意指情愛不能如願，內容是傷心人復仇，引詞為證：「芳心只共絲爭亂。」

在《射鵰英雄傳》第一回中，首先出現的是郭嘯天和楊鐵心兩個人物，這是逃避戰亂的正常人；而在《神鵰俠侶》第一回中，出現了兩個人物，一是武三通，一是李莫愁，這兩個人都為情而發瘋，用現代專業術語說，是典型的神經症患者。武三通是因為不滿自己的包辦婚姻，後暗戀自己的養女，情感不能自拔，而在道德壓力之下，終於精神崩潰。

李莫愁的情況更為特殊，她愛上了陸展元，陸展元卻愛馮沅君，這本是人間常事，即所謂人生不如意者十常八九，但李莫愁卻想不通、更無法接受，以至於發瘋，要殺陸展元全家。兩書不同的開頭，將兩書的故事情節引向截然不同的發展方向，走向迴然有別的敘事目標。

楊過的人生經歷中，有兩個重要場景，一是活死人墓，一是絕情谷。這也是書中兩個意趣明顯的象徵空間：兩個場景有明顯的共通性，可以相互詮釋：活死人墓即絕情谷，絕情谷亦即活死人墓，它們的共同特徵是：絕情。證據是，王重陽和林超英本是一對愛侶，相互戀愛卻不能相互理解，最終林朝英住進了活死人墓裡，與王重陽咫尺天涯，創古墓派，為情瘋狂的李莫愁即是古墓派再傳弟子。

另一面，絕情谷中人，不能吃葷，不能歡笑，更不能動情，把人類情欲本能視為致命的毒刺情花。絕情谷風景美麗，猶如仙境，卻隱藏著令人髮指的人間罪惡，道貌岸然的公孫止將自己的妻子裘千尺打殘，拋棄在幽深的山洞裡；十幾年後，公孫止又將女兒公孫綠萼推向地下鱷魚潭，楊過拯救了公孫綠萼，也將裘千尺「發掘出土」，發現裘千尺滿腹仇恨、心理變態，與公孫止不遑多讓。

夫婦之間相互輕視、相互傷害、相互仇恨，原因在於他們都有自戀情結——作者把他們的居住地命名為水仙莊，當有 Narciccus 即 narcissism 亦即「自戀情結」寓意——因而不懂得愛，也沒有愛他人的意識和能力。

活死人墓和絕情谷的共同點是絕情，絕情的背後是自戀，而自戀又與巨嬰症密切相關，也就是不懂人性、不懂自己、不懂他人，更不懂如何相愛。李莫愁就是一個典型，她愛陸展元，卻不懂得對方，更不尊重對方，也不明白自己的一廂情願和男女的兩情相悅有根本性區別。陸展元娶了何沅君，李莫愁憤恨難平，竟殺了何老拳師一家二十餘口，繼而連毀沅江上的六十三家貨棧船航，這些人與何沅君沒有任何關係，只因前者姓「何」、後者在「沅」江（第二回）。

李莫愁從出道到自焚，始終在唱「問世間，情為何物，直教生死相許？」這是她心智與情感的真實寫照，她確實是至死也不懂情為何物。裘千尺是另一個典型，她嫁給公孫止，以恩人自居，頤指氣使，全然不顧公孫止的感受，更不知自己的言行大大傷害了公孫止的自戀與自尊。

公孫止是又一個典型，對裘千尺的付出，他既不感恩，更不珍惜，因為年輕的柔兒不僅能滿足他的欲望，更能滿足其「男子漢大丈夫」的虛妄自戀，所以毫不猶豫地背叛妻子裘千尺；後來為了保命，又毫不猶豫地殺了柔兒；最後再毫不猶豫地挑斷裘千尺經絡，並將妻子拋入地穴中。

值得注意的是，公孫止高冠古服，道貌岸然，說絕情谷風俗來自更為悠遠的傳統，並以傳統繼承人自居。《神鵰俠侶》中有三種傳統，一是林朝英創造的活死人墓傳統，一種是公孫止堅守的古代傳統，一種是郭靖和黃蓉維護的傳統。這三種傳統，雖各有特色，卻有共通之處，即壓抑情感、扭曲人性、限制個性，製造蒙昧。

蒙昧之人不僅存在於活死人墓和絕情谷，也存在於人間的任何地方。最典型的例子是郭芙，作為郭靖、黃蓉的長女，典型的星二代，養尊處優，頤指氣使，自以為是，以至於心浮氣躁，見淺識薄，蒙昧無知。自以為愛上了武敦儒、武修文兄弟，其實不過是典型的公主遊戲，滿足自己的虛榮心；自以為愛上了耶律齊，因為耶律齊老成持重，厚道可靠，很像她爸爸郭靖，其實不過是對媽媽黃蓉的淺薄模仿。

可是她的生活並不愉快，時常有無名之火，而她卻不知道自己為什麼總是不快，不知道自己為什麼總是嫉妒妹妹郭襄。直到襄陽大戰中，楊過威風八面，拯救了她的丈夫耶律齊，三十多歲的郭芙才似乎有點明白，自己為什麼不愉快，那是因為自己一直不知道什麼是自己的真愛或最愛。根本原因是她從未真正地瞭解自己，人們都以為自己瞭解自己，事實卻並非如此。

在這一背景下，看主人公楊過形象、經歷及其意義，當會更加突出而清晰。

楊過是楊康之子，楊康慘死在嘉興鐵槍廟時，他還沒有出生，但由於這一血統，黃蓉始終對他另眼相看。母親早逝，楊過不得不流浪在嘉興市井間，自己照顧自己。楊過的成長和成才，稱得上是真正的奇蹟，但在奇蹟的背後，卻有堅實的心理與人性依據。在金庸小說中，楊過可能是最受讀者喜愛的主人公。

楊過性格最大特點，是情感真摯，愛憎鮮明，率性而為。一面是睚眥必報，典型例子是對待全真教的趙志敬、鹿清篤。更驚心動魄的例子是，他從傻姑那裡聽說自己的父親死於黃蓉之手，就決心報復父仇。楊過性格的另一面，是懂得感恩，這是楊過性格的核心要素。少年時，歐陽鋒一個慈愛的眼神，就讓楊過無限感激，認其為義父，不顧自身安全，幫助受傷的歐陽鋒對抗柯鎮惡。

初入活死人墓的那段時間，小龍女態度雖然冷淡，卻是真心照顧他，在他看來，與在全真教中受趙志敬的刁難和打擊有天壤之別。他願意終生與小龍女在一起，不惜為小龍女去死，並不是因為他愛上了小龍女，而是因為對小龍女懷有感恩之心。在大勝關英雄大會期間，黃蓉對他顯露出一點點母性溫情，就讓他熱淚盈眶，立即就要說出心中所有的秘密。此後接連幾次奮不顧身地拯救郭芙、拯救黃蓉，正是對黃蓉那番溫情的加倍報答。

最感人的例子是，程英在他療傷期間給他縫製一件新長袍，他不斷追問程英「為什麼對我這麼好？」這一問，讓人熱淚盈眶。感恩心激發的溫暖情感，是楊過心理健康的基礎，讓他不至於被負面情緒所操控。人際關係複雜多端，恩仇難辨，感恩之心會幫助他作出正確的直覺選擇。他沒有刺殺郭靖，反而護衛郭靖，說到底，是他心懷感恩。

楊過的另一特點，是天資聰穎，感知敏銳，靈光閃爍，富有創造性。證據一，常人拜師學藝，都是亦步亦趨，楊過拜小龍女為師，到修練玉女心經時，卻是師徒共同研究，教學相長。證據二，他偶遇神鵰，發現了獨孤劍塚，不僅讀懂了劍神的留言，且懂得神鵰的啟發，自學了重劍功夫。獨臂殘疾非但沒有影響他的功力，反而讓他更加奮發圖強，武功升級到更高境界。證據三，在與小龍女分別十六年間，他還自創了「黯然銷魂掌」——這也是他心境與情感的表達——被老頑童譽為近年來最佳武功。

在金庸小說裡，楊過是唯一能自創武功的年輕人。更重要的是，楊過還創造了自己的人生，從小自助自立，自己成全自己，驗證了現代啟蒙主義精神。楊過的故事，是一份人格獨立宣言，也是一份人性啟示之書。

楊過性格的第三個特點，是情懷火熱，勇於反抗，富有悲憫之心。楊過感染著與他相識的每一個人，尤其是陸無雙、程英、完顏萍、公孫綠萼、郭襄等少女。而楊過又是至情的人，對小龍女忠貞不二，至死不渝，因而讓書中所有傾心於他的姑娘，無不綺念成空。

有人說「一見楊過誤終身」，這一說法只是一面，而沒有看到另一面，那就是所有與楊過相識的少女，她們的生活和心靈全都被楊過的熱情之光點亮。楊過顛覆活死人墓的傳統，以他的青春衝動和真情摯愛，使得小龍女有了走出活死人墓的機會，開始雖然坎坷，但卻因為有情，而終於獲得情愛與人生的圓滿。楊過同樣也顛覆了絕情谷的傳統，救出了在地底掙扎了十幾年的裘千尺，揭穿了公孫止的道德偽裝，最終和程英、陸無雙一起，徹底剷除了令人望而生畏的情花毒刺。小龍女和楊過先後跳下斷腸崖，雖然付出了十六年生死茫茫而苦苦思念的代價，但也生動演示了，什麼是人間真情。

楊過形象及《神鵰俠侶》故事，有重要的文化啟示。過去，我們總以為道德與人性、集體主義和個人主義是截然對立、水火不容的。在楊過的故事中，我們看到，楊過的人性化立場，並沒有影響他的道德人格確立；而楊過的個人價值和個性精神，也沒有影響到他為自己的社會、民族和國家奉獻自己的才幹和能力。

小說的最後，楊過也來到了襄陽大戰前線，不僅參加了這場戰爭，而且在保護襄陽戰役中立下頭功。戰爭勝利之後，楊過與郭靖並肩攜手，接受襄陽百姓歡呼的場景，充分證明，楊過的人生之路，與郭靖殊途同歸。如果說，郭靖是古典精神價值的典型，那麼楊過就是現代精神價值的典型。

《神鵰俠侶》與《射鵰英雄傳》的不同，進一步的證明是，黃蓉、歐陽鋒、老頑童等人的形象在《神鵰俠侶》中有重大改變。黃蓉不再是仙女，而是有了庸常性，因為她的身分有了變化，她成了郭靖的妻子、生了女兒郭芙，成了妻子和母親。她不適應角色變化，懷孕時煩躁不安，動輒找郭靖發脾氣；在郭芙出生之後，她又一反常規，對女兒郭芙大加嬌寵，溺愛過頭。進而，黃蓉對待楊過的態度，讓人失望；而她與楊過之間的「代際文化衝突」，則發人深思。

實際上，黃蓉的性格並無根本性改變，只不過因有楊過這一參照系，她的性格弱點暴露得比較充分而已。《神鵰俠侶》中的黃蓉形象，有更豐富的人文內涵。

《神鵰俠侶》中的歐陽鋒，也不再是十惡不赦的魔頭，而是心智失常、四處尋找

紙連載小說，習慣了每天寫一段，雖然細碎，卻能每天都與小說人物在一起，與人物更加熟悉也更加親近；寫作時間越長，作者思考的時間就越多。而《飛狐外傳》是雜誌連載小說，每次八千字，不僅打破了作者的寫作習慣，也束縛了小說故事情節的節奏。上述種種，當是《飛狐外傳》不如人意的原因。

好在金庸技藝高超，即使有種種束縛，《飛狐外傳》仍然相當好看。

原因之一，是本書故事並非單線發展，而是多條線索交織。在小說故事主線即胡斐追殺鳳天南的核心情節之外，還有多條副線同時進行。諸如，一，胡斐見證袁紫衣搶奪掌門人，知道這是為了破壞福康安的天下掌門人大會，他也幫忙。二，胡斐在追殺鳳天南時，還曾救助苗人鳳，專門請毒手藥王弟子程靈素來，把苗人鳳的眼睛治好。三，胡斐報恩，即幫助恩人馬春花脫險在前，為恩人馬春花冒險在後，表現了胡斐知恩必報的善良天性。四，胡斐與袁紫衣、程靈素的情感線索，表現男女主人公的情感抉擇與內心矛盾。

原因之二，是小說塑造胡斐俠義形象，並不是一味拔高，而是寫出胡斐江湖經驗不足，或受人矇騙，或好心辦壞事。例如，他幫助鍾阿四時，被袁紫衣引走，使得鍾阿四一家死於非命。例如，他好心幫助苗人鳳，其實是上當受騙，讓苗人鳳眼睛受傷。更好玩的例子是，他想幫助馬春花脫險，誰知道那些人並不是來追殺馬春花，而是要接馬春花到京城去與心上人團聚。如此等等，作者並沒有把主人公胡斐寫得一貫正確，而是寫他在好心辦壞事的過程中，慢慢成長。

原因之三，這部小說更吸引人的內容，其實不是說俠，而是言情。尤其值得注意的是，這部小說中的男女情感，是清一色的悲情故事。書中沒有一對有情人最終成了眷屬，而是要麼「愛錯」，要麼「錯愛」，所有的愛都不得善終。具體說：

第一組，是以胡斐為核心，程靈素對胡斐一往情深，胡斐卻對袁紫衣一見鍾情，而袁紫衣若即若離，似愛似嗔，因她是出家人。結果是一死別，一生離。

第二組，是以馬春花為核心，她是徐錚的未婚妻、商寶震的心上人，但她卻投入了福康安的懷抱，徐、商固然沒有好結果，馬春花也沒有好下場。

第三組南蘭為核心，苗人鳳機緣巧合娶了美女南蘭，南蘭卻追隨風度翩翩的田歸農，而田歸農自從有了南蘭，卻夢魘纏身，不殺苗人鳳便不得安寧。

第四組，是毒手藥王的幾個成年弟子，以薛鵲為核心，薛鵲愛大師兄慕容景岳，慕容卻已娶妻，薛鵲將大師兄的妻子毒死，又被大師兄害得駝背；二師兄姜鐵山對薛鵲一往情深，兩人結婚生子；多年後，慕容景岳卻又糾纏薛鵲，終於害死了姜鐵山父子，最後是慕容景岳和薛鵲一起命喪黃泉。

在《飛狐外傳》最後，陳家洛率領紅花會群雄南下，到北京陶然亭祭奠香香公主，那場景十分感人，不僅祭奠了香香公主，也祭奠了程靈素，祭奠了所有有情卻不得善終的人們。命運無情人有情，小說自有可讀性。

說《飛狐外傳》是小說創新實驗，還有一條證據，作者在第一次修訂版《後記》中說：「武俠小說中，反面人物被正面人物殺死，通常的處理方式是認為『該死』，不再多加理會。本書中寫商老太這個人物，企圖表示：反面人物被殺，他的親人卻不認為他該死，仍然崇拜他，深深地愛他，至老不減，至死不變，對他的死亡永遠感到悲傷，對害死他的人永遠強烈憎恨。」

對武俠小說而言，這是一種非常重要的新觀念，它使作者（和讀者）注意到反面人物的愛恨情感真實，以及反面人物情感的正常性，從而為武俠小說的人性探索開闢了新的空間、新的路徑——反面人物也是人，他們的情感立場及其心理同樣值得探索和表現。這一新思想作為實驗目標，拓展了小說寫作的新路徑，即在道德立場之外開闢了人性立場。如是，《飛狐外傳》並非單純的道德演繹，同時也開闢了人性探索路徑，這不僅增加了小說敘事實驗的複雜性，也提升了認知複雜度。

在南蘭、薛鵲等人物故事中，能清晰地看到作品的創新實驗成果。

先說南蘭。此人出身於官宦之家，因機緣巧合，她成了苗人鳳的妻子；又因夫妻生活不如意，而與田歸農私奔；與田歸農一起的生活也不如意，於是她花容憔悴，生命凋零。與胡斐的兩次邂逅，提升了這一人物的重要性。

對這一人物的認知和評價，常常是兩個極端，要麼是命運感嘆，覺得她是受難者，值得同情；要麼是道德批判，覺得她拋棄丈夫和女兒與田歸農私奔的行為不可寬恕。其實還可以深入一層，分析南蘭的個性和心理，就會發現，南蘭是個「三無美女」。所謂「三無」，是指無能、無知、無愛。具體說，所謂無能，是指她沒有獨立生活能力，出嫁前靠父母養活，出嫁後則靠丈夫養活，古代官宦之家有不少此類人物，南蘭即是其中典型。

她嫁給苗人鳳，看似因為幫助苗人鳳吸出毒液，有了肌膚之親，才不得不嫁；實質上，她嫁給苗人鳳，是因為父親已死，再無生活倚靠，只有嫁人才能生活下去，即「嫁漢嫁漢，穿衣吃飯」。所謂無知，是指她對男女情感與婚姻，只有自以為是的想像，而沒有真知，典型表現是，不懂得苗人鳳對她的真情，而相信田歸農的甜言蜜語，進而與田歸農私奔。所謂無愛，是指她缺乏愛的能力，雖未達到「愛無能」的地步，但也相差無幾，具體表現是，為了私奔不惜拋棄親生女兒（**孤兒胡斐為此當眾痛斥過她**）；對苗人鳳缺乏理解，而對田歸農亦缺乏關切，因為無愛，所以內心空虛，才到胡一刀夫婦墓前轉悠。

再說薛鵲。她是「毒手藥王」的弟子，是慕容景岳、姜鐵山的師妹，程靈素的師姐。開始時，薛鵲愛慕大師兄，但大師兄卻與別人結婚，薛鵲憤怒衝動，將大師兄慕容景岳的妻子毒死。慕容景岳對薛鵲展開報復，將薛鵲變成了駝背，再也無法治癒。駝背的薛鵲只能無奈地嫁給深愛她的二師兄姜鐵山，薛鵲夫婦從此與慕容景岳成了不共戴天的仇敵，相互打擊報復，輾轉不休。

無嗔大師逝世，被逐出師門的「毒手神梟」石萬嗔出山，逼迫無嗔的弟子拜他為師，姜鐵山堅決不從，石萬嗔毒死了姜鐵山，慕容景岳和薛鵲被迫拜石萬嗔為師。慕容景岳又毒死姜小鐵，並與薛鵲結為夫婦。最後，石萬嗔率慕容景岳和薛鵲來找程靈素爭奪《藥王神篇》，結果胡斐中毒，程靈素犧牲，慕容景岳和薛鵲死於非命，石萬嗔雙眼被毒瞎。薛鵲、慕容景岳、石萬嗔等當然不是好人，卻也不是十惡不赦的壞人，而是類似「天龍八部」中人，這是理解薛鵲等人的關鍵，也是《飛狐外傳》創新實驗的重要成果。

三、《鴛鴦刀》

《鴛鴦刀》是作者的又一次創新實驗，目標是嘗試功夫喜劇。武俠傳奇故事不過是一種遊戲，既如此，為何不能用幽默態度、詼諧方式，創造喜劇故事？作者日後能夠創作出光芒萬丈的幽默喜劇《鹿鼎記》，《鴛鴦刀》的創新實驗功不可沒。

說《鴛鴦刀》是功夫喜劇，是因為這部小說以生動幽默的喜劇語言，刻畫滑稽可笑的喜劇人物，講述令人忍俊不禁的喜劇情節與細節。

先說喜劇語言。首先，小說作者敘事語言有喜劇性，例如，書中介紹太岳四俠中的老三：「中等身材，白淨面皮，若不是一副牙齒向外凸了一寸，一個鼻頭低陷了半寸，倒算得上是一位相貌英俊的人物。」其次，書中人物的語言，也同樣有喜劇性，例如，威信鏢局的總鏢頭周威信，滿腦子是江湖經驗，但凡開口，就是「江湖上有言道」，這本身或不好笑，但重複了幾十次，就變得好笑了；尤其是當經驗與環境出現明顯的矛盾時，就更加好笑。再如太岳四俠的老四蓋一鳴，只要他大哥開口，不管說什麼話，更不管說得對不對，他都要說「我大哥料事如神，言之有理！」即便他大哥胡言亂語，他也照說不誤，一再重複，令人噴飯。

再說喜劇人物。好的喜劇，不僅要有喜劇語言，更要有喜劇人物，即喜劇個性。小說中開頭出場的太岳四俠，看上去威風凜凜，自高自大，實際上武功低下、見識淺薄，自我期許與客觀實際明顯不符，就是典型的喜劇人物。太岳四俠的發言人，自稱「八步趕蟬、賽專諸、踏雪無痕，獨腳水上漂、雙刺蓋七省」，這一串外號放在一起，是要唬人，其實不倫不類。所謂太岳四俠，不過是四個混江湖的渾人而已。隨之登場的林玉龍、任飛燕夫婦，同樣是喜劇人物，這對夫妻相互打鬥不休，經常流血負傷，有高僧教他們一套相互配合的鴛鴦刀法，在共同對敵時，非但不能相互配合，夫妻間先就打了起來。

這一對寶貝夫妻，居然還有一種理論，說夫妻若不打鬧，就不是正道。而這一理論到最後居然應驗，豈不好笑至極？接下來登場的人物，是大姑娘蕭中慧，說傻不傻，說精不精，江湖經驗欠奉，卻要獨自行走江湖，心地善良而頭腦簡單，所到之處，自然要鬧笑話。帶著書僮行走江湖的袁冠南，則是另一種情況，此人裝傻充愣，扮豬吃老虎，十分逗樂。

再說喜劇情節與細節。首先是太岳四俠想去給晉陽大俠蕭半和祝壽，卻沒有銀兩買賀禮，不得不做攔路打劫的買賣。不料遇到的都是「硬手」，只能吃不了兜著走，搬起石碑砸自己的腳。更好笑的是，他們遇到了裝傻充愣的袁冠南，打劫不成，反而把身上僅有的幾兩碎銀奉上。最好笑的是，老大煙霞神龍一生鑽研點穴功夫，實戰時總是偏出一二寸，結果被蕭中慧點中穴道，不能動彈。

威信鏢局總鏢頭周威信，因保鴛鴦刀暗鏢，一路緊張兮兮，不斷提醒大家要嚴格保密，自己卻天天夜裡說夢話，弄得無人不知他保的是鴛鴦刀。更好笑的是，林玉龍、任飛燕夫婦並不知道他保的是什麼鏢，他過分緊張之下，「鴛鴦刀」三字脫口而出，結果自然是丟了鴛鴦刀。大內侍衛卓天雄專程從京城趕來接應鴛鴦刀，這位老兄偏偏喜歡裝瞎子，走在鏢局隊伍後面，將周威信等人嚇唬得夠嗆。袁冠南、蕭中慧本來素不相識，只因要共同對付卓天雄，不得不向林玉龍夫婦學習鴛鴦刀法，兩人含羞學藝，面紅心跳，那過程另有一種喜劇效果。

最後，從皇帝到武林人，全都覬覦鴛鴦刀，是聽說鴛鴦刀中藏有「無敵於天下的大秘密」，最後謎底揭穿，這秘密不過是「仁者無敵」四個字。這是作者開的一個大大的玩笑，自然也會有喜劇性效果。當然也可以說其中大有深意，仁者確實無敵，孔子學說被冷落了數百年，到漢代以後卻傳承了兩千年之久，能不說是無敵的思想學說？

故事中最生動的人物形象，是林玉龍與任飛燕這對古怪鴛鴦，看上去兩人不像夫妻，更像冤家。第一次露面，丈夫逃，妻子追，還手執彈弓，連珠彈打去。太岳四俠大呼住手，他們仍在爭執，丈夫罵：「賊婆娘，你這般狠毒，我可要下手無情了！」妻子回罵：「狗賊，今日不打死你，我任飛燕誓不為人。」弄得太岳四俠莫名其妙地被打敗，卻不知他們到底是什麼人，或猜測少婦相貌不差，想是那姓林的瞧上了她，意圖非禮；或猜測那林、任二人有殺父之仇；或猜測，那姓林的滿臉橫肉，一見便知不是善類。沒人猜他們是夫妻。更有甚者，他們住店時仍是打鬧不休，以至於滿懷俠義的蕭中慧以為林飛龍是採花賊，夜入女房施強暴，要打抱不平，卻不料好心得不到好報，反而被任飛燕斥為多管閒事。

這對夫妻為何打鬧不休？答案一：是他們自以為是，不能通情，不能感受對方的感受，更不能站在對方的立場考慮問題。答案二，是他們知識貧乏，不能達理，無法理解對方的意願，亦無法耐心傾聽對方言語。答案三，是他們自我中心，但凡自己不愉快，總是歸咎於對方，拿對方煞氣，隨時動刀子。據他們說，三年前他們新婚不久就大吵大鬧，一位高僧瞧不過眼，教他們一套「夫妻刀法」，男、女的招式不同，要兩人相互配合。但這對夫婦性情暴躁，學會了刀法，都指望對方配合自己，卻想不到去配合對方。雖會背誦鴛鴦刀訣，卻不懂「女貌郎才珠萬斛，天教豔質為眷屬」的真確含義。

蕭中慧曾問林玉龍夫婦：「你們既是夫妻，怎地又打又罵，又動刀子？」任飛燕回答：「大姑娘，等你嫁了男人，那就明白啦。夫妻若是不打架，那還叫什麼夫妻？有道是床頭打架床尾和，你見過不吵嘴不打架的夫妻沒有？」蕭中慧說：「我爹爹媽媽就從來不吵嘴不打架。」林玉龍說：「他媽的，這算什麼夫妻？定然路道不正……」搞笑的是，蕭中慧後來發現，從不吵嘴打架的父母，果然不是真夫妻。看起來，不打不鬧不成夫妻，實際上是說明，若無相互理解、相互體諒，有鴛鴦刀、會鴛鴦刀法，也不是好鴛鴦。

《鴛鴦刀》最終沒有被拍攝成電影。不僅當時沒有人改編拍攝，後來金庸小說成為改編熱點，這部作品也少有人問津。其中原因，值得一說。

原因之一，是這部小說沒有把喜劇進行到底。小說的最後部分，即蕭半和壽宴、袁冠南認母、大內侍衛圍捕反賊蕭義即蕭半和，以及蕭半和講述自己身為太監而救助袁、楊兩位夫人的經歷等等，就不再是喜劇，而是正劇了。正劇當然有意義，卻沒有喜劇那麼好玩；半部喜劇加半部正劇，也不相匹配。

原因之二，是喜劇主人公的分量不足，喜劇性格展現也不夠充分。小說的前半部平均用力，太岳四俠的喜劇性最為突出，但這幾個人只是配角；林玉龍、任飛燕夫婦言語動作的喜劇性最為充分，但這兩人卻並非小說的真正主角。小說的主人公當是袁冠南、蕭中慧，只可惜，前半部分他們被太岳四俠的搞笑分散了注意力，後半部分卻又因蕭半和的俠義光芒所遮掩。作為主角，這兩位主人公的戲分明顯不足，而且，對這兩位主人公的喜劇性格，作者似乎也沒有作深入的發掘和展示。作為喜劇人物，袁冠南、蕭中慧都不大稱職。

《鴛鴦刀》算不上小說佳作，但其實驗價值及其探索精神，卻不可低估。

四、《倚天屠龍記》

小說《倚天屠龍記》堪稱「雲霧間的高峰」。這樣說，是因為這座高峰被雲遮霧障，不易辨識其高峰面目。有道是：不識廬山真面目，只緣身在此山中。

如何理解《倚天屠龍記》的敘事主題？就是一個不小的難題，從書名看，很容易想到書中武林傳言：「武林至尊，寶刀屠龍，號令天下，莫敢不從。倚天不出，誰與爭鋒？」小說的故事情節，也確實圍繞尋找並爭奪屠龍刀這一線索展開。

一開始，武林中人尋找謝遜、爭奪屠龍刀，主要目的是為了「號令天下，莫敢不從」即要當武林至尊，而不知道屠龍刀中藏有《武穆遺書》。直到小說最後才知道，屠龍刀和倚天劍是由郭靖、黃蓉鑄造，並把《武穆遺書》、《九陰真經》分別藏在刀、劍中，是希望得到寶刀和兵書的人能率領漢族人民推翻異族統治，重建民族國家，這是「號令天下，莫敢不從」的真義。進而，若驅除異族的領袖對人民實施殘暴統治，則希望得到寶劍和武功秘笈的人能夠刺殺暴君，這是「倚天不出，誰與爭鋒」的真義。屠龍刀和倚天劍的傳言，寄托了武林前輩郭靖夫婦的政治理想，既是小說的敘事線索，也是這部書列入「射鵰三部曲」的重要依據。

其實，屠龍刀、倚天劍的故事線索，只是小說的表層。小說的實際內容及其深層敘事主題，是主人公張無忌超越個人仇恨，彌合明教與六大門派的矛盾衝突，號召並領導漢族英雄兒女精誠團結，驅逐殘暴的蒙元統治者。看起來，這一敘事主題與屠龍刀故事線索並無區別，但主人公張無忌與蒙古郡主趙敏深深相愛一事，卻明顯溢出了屠龍刀、倚天劍故事的價值觀。張無忌有著前所未有的人文立場，他率領明教及漢族英雄反抗蒙古統治，只是針對蒙元統治，而非針對所有的蒙古人（否則他就不會與趙敏郡主深深相愛）。主人公張無忌是明教武功「乾坤大挪移」和武當派祖師張三丰首創的太極拳、太極劍的傳人，而這兩種神奇武功，含有重要的象徵隱喻，即解決矛盾、消弭衝突、改變觀念、重整乾坤。

要真正理解《倚天屠龍記》，必須瞭解且理解小說主人公張無忌。這偏偏又是一大難題：張無忌是怎樣的一個人？恐怕三言兩語不易說清，因為不像郭靖，也不像楊過，更不像胡斐或胡一刀，他不願當英雄，看起來也不像英雄。作者在《倚天屠龍記》第一次修訂版的《後記》中說：

「郭靖誠樸質實，楊過深情狂放，張無忌的個性卻比較複雜，也比較軟弱。他較少英雄氣概，個性中固然頗有優點，缺點也很多，或許，和我們普通人更加相似些……張無忌的一生卻總是受到別人的影響，被環境所支配，無法解脫束縛。」[5]

此說並不錯，只不過，若不假思索地按這一思路去說張無忌，把張無忌看作是性格平庸、意志軟弱、沒有主見的濫好人，那就很可能像書中的殷離那樣：不識張郎是張郎。

真實的張無忌究竟是怎樣的一個人？

其一，張無忌天資聰穎，靈性具足。證據一，他學醫神速。在蝴蝶谷中，張無忌翻閱醫書，幾天之後就給常遇春看病；幾年後就成了蝶谷醫仙胡青牛的衣缽傳人。證據二，在絕谷中，無人指點，自主完成九陽神功的修練。證據三，他學乾坤大挪移，仍然無人指點，靠自學而掌握了這門絕技。證據四，張三丰創太極拳、太極劍，其弟子俞岱岩似懂非懂，而張無忌很快就掌握了要點。

其二，張無忌不乏主見，意志堅定。證據一，玄冥二老嚴刑拷打，逼問金毛獅王謝遜的下落，他寧死不屈。證據二，金花婆婆和殷離強迫他去蛇島（同樣是為了獲得金毛獅王謝遜消息），他咬人反抗，抵死不從。證據三，紀曉芙臨終前委托他將楊不悔送到崑崙山交給其父楊逍，他一諾千金，歷盡千辛萬苦，九死一生，終於完成任務。證據四，當周芷若、韓林兒說抗元成功後張無忌就是皇帝時，他說「本教只圖拯救天下百姓於水火之中，功成身退，不貪富貴，那才是光明磊落的大丈夫。」彭瑩玉繼續勸說，張無忌發誓：「不可，不可！我若有非分之想，教我天誅地滅，不得好死。」（第三十四回）

其三，張無忌醫者仁心，澤被蒼生。他以醫術救人之事且不必說，更難得的是不惜犧牲自己生命救人。證據一，在護送楊不悔去崑崙山的路上，薛公遠、簡捷等人要殺楊不悔充饑，張無忌讓他們吃了自己、放了楊不悔。證據二，當滅絕師太大肆殺戮明教銳金旗大眾時，張無忌毫不猶豫地挺身而出，願意承受滅絕師太三掌，以換取明教徒眾的生存。證據三，當六大門派圍攻光明頂，明教高手傷亡殆盡，他再一次挺身而出，排難解紛當六強。證據四，他當明教教主後，立即號召明教中人放下與六大派的仇恨，團結所有漢族英雄，反抗蒙元。而他反抗蒙元的動機，並非對異族的仇恨，而是反抗暴政，拯救蒼生。

其四，如果說張無忌有弱點，那就是缺少防人之心，容易上當受騙。證據一，他回到大陸不久，就因為好奇而上當，成了巫山幫賀老三的俘虜。證據二，在崑崙山紅梅山莊，他又因迷戀朱九真，且缺少江湖經驗，上了朱長齡的當，說出了金毛獅王謝遜在冰火島的秘密。證據三，在蛇島上，陳友諒對金毛獅王謝遜諸般做作，趙敏、金花婆婆一眼就識破陳友諒的陰謀機心，而張無忌卻沒有察覺，需要趙敏提醒，才恍然大悟。證據四，在無名荒島上，周芷若為盜取屠龍刀和倚天劍而殺殷離、逐趙敏，還公然嫁禍於趙敏，張無忌卻一直懵懂無知。

讀者誤解張無忌是性格平庸且無主見之人，可能是受書中一段話的影響：

「他武功雖強，性格其實頗為優柔寡斷，萬事之來，往往順其自然，當不得已處，雅不願拂逆旁人之意，寧可捨己從人。習乾坤大挪移心法是從小昭之請；任明教教主既是迫於形勢，亦是殷天正、殷野王動之以情；與周芷若訂婚是奉謝遜之命，不與周芷若拜堂又是為趙敏所迫。當日金花婆婆與殷離若非以武力強脅，而是婉言求他去金花島，他多半便就去了。」（第四十回）

這段話的中心思想，是說張無忌的行為都是由他人支配。真相如何？大有討論餘地。張無忌沒有在第一時間修練乾坤大挪移心法，那是顧忌道德原則；在小昭勸導後修練，根本原因還是練武之人見到超級武功秘笈而自然產生的見識與修練的欲望衝動。進而，張無忌當明教教主，確實是形勢所迫，根本原因是他要救人：若他不當教主，明教中人就不可能進入地宮；若不進入地宮，就很可能被圍攻增援者所屠殺。進而，與周芷若訂婚，固然是因為謝遜之命，根本原因還是要救人：他以為周芷若也中了十香軟筋散之毒，要幫她祛毒勢必有肌膚之親，訂婚才可方便行事。進而，不與周芷若拜堂，固然是因趙敏所迫，根本原因仍然是要救人：趙敏手持金毛獅王的頭髮，若不停止拜堂，趙敏就不可能說出謝遜的下落，謝遜隨時有生命之危——張無忌毫不猶豫地停止拜堂，跟隨趙敏去救義父，很可能還有無意識動機，即害怕與周芷若拜堂成親。書中提供了證據：

「不知如何，張無忌此刻心中甚感喜樂，除了掛念謝遜安危之外，反覺比之將要與周芷若拜堂成親那時更加平安舒暢，到底是什麼原因，卻也說不上來。」（第三十四回）

無論如何，張無忌都是當機立斷，而非優柔寡斷；是有自己的主見（包括無意識），而非只會聽命於人。

上述討論的結論是：對張無忌的刻板印象，影響了作者對筆下人物的理解。進一步的證據是，在第一次修訂版《後記》中，作者說：

「張無忌始終拖泥帶水，對於周芷若、趙敏、殷離、小昭這四個姑娘，似乎他對趙敏愛得最深，最後對周芷若也這般說了，但他內心深處，到底愛哪一個姑娘更多些？恐怕他自己也不知道。作者也不知道，既然他的個性已寫成了這樣子，一切發展全得憑他的性格而定，作者也無法干預了。」[6]

實際上，這段話本身就已干預了張無忌的情感判斷。對趙敏愛得最深，張無忌本人其實早有明確意識，從此一直沒有改變。

第三十一回中，張無忌曾經尋思：「當大夥兒同在小船中漂浮之時，我曾癡心妄想，同娶四美。其實我心中真正所愛，竟是那個無惡不作、陰險狡猾的小妖女。我枉稱英雄豪傑，心中卻如此不分善惡，迷戀美色。」而在第四十回中，張無忌更是斬釘截鐵地當面告訴周芷若：「我不能瞞你，要是我這一生再不能見到趙姑娘，我是寧可死了的好。這樣的心意，我以前對旁人從未有過。」張無忌心裡想的是最愛趙敏，嘴上說的也是最愛趙敏，作者為什麼還要說張無忌不知道自己愛誰呢？

在書中可以清晰地看到，張無忌對四位姑娘的感情並不一樣。

張無忌首先與殷離（蛛兒）邂逅，殷離照顧摔斷了腿的張無忌，張無忌心存感激；進而知道她是自己的表妹，自然更有親人之情。當殷離被人追殺同時被人嘲笑醜八怪、無人愛之際，張無忌表示願意娶她為妻，那是為了維護她的自尊，為她打抱不平。即便是答應娶她為妻，也只是說夫妻關係，並不是談情說愛。

張無忌與小昭的關係，其實也是如此：小昭奉母命到光明頂當間諜，受到楊逍懷疑、楊不悔欺凌，張無忌對她友善，她便以貼身女僕身分追隨張無忌，或是依戀，或是有情，或是為自己安全計。張無忌受她感動，投桃報李，對小昭更加關愛憐惜。但關愛與憐惜，並不等於愛情。真正讓張無忌心動的，只有周芷若和趙敏。

在張無忌與這兩位姑娘相處過程中，發生過兩次「乾坤大挪移」：第一次是張無忌以為趙敏欺騙了他，又要幫周芷若驅毒，遂與周芷若訂婚，勝利者是周芷若。第二次是相反，發現騙人的並非趙敏而是周芷若，勝利者就是趙敏。如前所述，在張無忌內心深處，他對趙敏的深愛，無人可以替代。

小說第廿九回《四女同舟何所望》，寫張無忌做同時娶四個姑娘為妻的美夢，這是書中最為奇特且動人的情景，但也很容易混淆是非，即把一個青年男子的欲望本能和婚姻夢想，當作愛情；把親情、憐惜、關切等情感與愛情混為一談。作者說張無忌不知道自己最愛的人是誰，明顯是對主人公的曲解，是作者固執己見，甚至是作者濫用權力，剝奪了張無忌的自主意志。

若僅僅是在《後記》中說作者對張無忌的刻板印象，那也就罷了；問題是，作者在世紀新修版中，增加了兩大內容，即增加了張無忌對小昭的愛情與懷念，又讓張無忌答應周芷若不和趙敏拜堂成親，只過夫妻生活、照樣生娃娃云云。這樣的修訂，不僅人為地把張無忌的愛情攪成了一筆糊塗賬，更嚴重的是貶損了張無忌的心智水準、情感能力和自主意志，把張無忌的愛情故事弄得俗不可耐。讓張無忌對小昭情感恍惚，其實與張無忌本人無關，而是因為作者喜歡小昭，[7] 無視張無忌的情感意志，故意讓他頂缸。讓張無忌答應周芷若提出的荒唐條件，更是把主人公當作了傻瓜傖夫。

上述討論的結論是：作者也像他筆下的殷離一樣：不識張郎是張郎。即金庸先生雖然寫出了張無忌的故事，刻畫了張無忌形象，卻不真正理解張無忌。

張無忌回歸大陸後，人生慘不堪言：父母慘烈辭世，自己又中了玄冥毒掌，從童年到少年，每天都掙扎在生死線上，多年生活在死亡陰影中。由於每天都與死亡為伴，讓小小年紀的張無忌對莊子思想有了超出年齡的共鳴：「生死修短，豈能強求？予惡乎知悅生之非惑邪？予惡乎知惡死非弱喪而不知歸者邪？予惡乎知夫死者不悔其始之蘄生乎？」此事是影響張無忌個性、人生觀和世界觀的一大關鍵，由此對生命有深刻理解，從而倍加珍惜——不僅珍惜自己的生命，而是珍惜所有人的生命。證據是，他自修醫術，治病救人。

也許是張無忌有仁愛心，天生就適合學醫；也許是在學醫的過程中，培育了仁愛心，或讓仁愛心更加強烈也更加自覺。總之，學醫經歷及其結果，塑造了張無忌精神氣質的核心，即生命意識及其仁愛之心。

張無忌雖沒有成為職業醫生，但他有醫者仁心，不僅醫治人類疾病，還醫治人類認知偏見。遺憾的是，作者似乎並未理解死亡陰影、學醫經歷及醫者身分對張無忌心理和人格的重大影響，也未理解張無忌成長的另一大難題，即父親張翠山和母親殷素素屬於勢不兩立的正、邪兩派。師爺張三丰雖然胸襟開闊，見識不凡，但仍叮囑張無忌，不要加入明教。假如張無忌當真是沒有主見的人，他就不可能在六大名門正派圍剿明教光明頂之戰中挺身而出，排解糾紛、彌合矛盾、平息衝突。也不可能在救助明教之後，立即投入救助六大門派的行動中。所以如此，正是因為張無忌有獨特的生命意識、人生觀念和社會理想。張無忌懸壺濟世、拯救蒼生的偉大理想，超出了倚天屠龍事業。如果說《倚天屠龍記》有什麼缺陷，那就是後來書中對張無忌醫者身分的忽略或遺忘。

更大的遺憾，當是作者對自己的小說缺乏正確見解。《倚天屠龍記》中主人公張無忌的成長路徑，實是「通往太極之路」。張無忌出生在冰火島，掙扎於生與死之間，徘徊在父黨與母黨、正派與邪派的邊界，似乎有一種命運的力量要將他撕裂。張無忌奮發圖存，其目標就是要縫合裂隙，超越矛盾對立，讓生命圓滿。回歸武當山，從師爺張三丰學習太極拳、劍，張無忌的武功與人生才趨向大成，從而成了更好的自己。

所謂太極，是指天地未開、混沌未分陰陽之前的狀態，這也正是張無忌的心智及個性狀態。太極混沌，看似稚嫩簡單，卻能包蘊萬物且化生萬物，即所謂太極生兩儀、兩儀生四象、四象生八卦、八卦象萬物。所謂太極圓轉，如長江大河滔滔不絕，也正是張無忌心智的勢能。這位好好先生，看似平庸糊塗，實際上融匯陰陽，具有極大的創生力量。世人不知太極真相，卻說張無忌個性平庸，甚而沒有主見，其實是不識張無忌的真面目。

五、《白馬嘯西風》

《白馬嘯西風》與《鴛鴦刀》是同一年的作品，樣式風格截然不同，《鴛鴦刀》是功夫喜劇，《白馬嘯西風》則是傷情散文詩。兩部中篇，兩幅筆墨，兩種旨趣，說明作者是在有意嘗試不同的寫法，不斷進行小說創新實驗。

有人曾說過，你愛她，她不愛你；他愛你，你不愛他；兩情相悅，卻不長久。這是人間傷感之事，也是《白馬嘯西風》的故事主題。書中西域有一種天鈴鳥，叫聲十分淒涼。哈薩克人傳說，天鈴鳥原是一個美麗的哈薩克姑娘，只因心愛的男孩愛上了別人，於是化身天鈴鳥，從生到死都在啼唱傷情悲歌。

這部小說寫了幾組「天鈴鳥主題」故事。

其一，即小說故事情節主線，講漢族女孩李文秀，因父母被人追殺，流落在西域哈薩克鐵延部落，愛上了哈薩克男孩蘇普。開始時兩小無猜，按照哈薩克人的習慣，蘇普把第一次獵到的狼皮送給心上人李文秀，被父親發現並痛打。蘇魯克的妻子和長子都被漢人強盜殺害，從此痛恨所有的漢人。李文秀不忍見蘇普被父親責打，偷偷將狼皮送到哈薩克女孩阿曼家門前，並且拒絕與蘇普見面。後來蘇普真的愛上了阿曼，李文秀雖對蘇普一往情深，卻只能暗自神傷，最後騎著白馬離開。

其二，呂梁三傑的老二史仲俊，暗戀同門師妹上官虹，而上官虹卻愛上了白馬李三。李三和上官虹，就是李文秀的父親母親。

其三，哈薩克人瓦爾拉齊暗戀同族美女雅麗仙，而雅麗仙卻愛上並嫁給了車爾庫。瓦爾拉齊是李文秀的師父，有個漢人名字，叫華輝；而雅麗仙則是阿曼的媽媽。

其四，漢人馬家駿暗戀李文秀，而李文秀卻摯愛蘇普。這個馬家駿，就是把李文秀撫養成人的「計爺爺」，也是瓦爾拉齊的徒弟，怕師父找他麻煩，一直裝扮成白髮蒼蒼的老者，直到最後才露出真容。這些故事說明，類似情況可能發生在任何民族的男女之間。

問題是：你愛之人，卻不愛你，該怎麼辦？書中人有各自不同的選擇。

瓦爾拉齊作出了最可怕的選擇。因為雅麗仙嫁給了車爾庫，瓦爾拉齊嫉妒成狂，竟然毒死了雅麗仙，且要徒弟馬家駿在水源投毒，要毒死將他趕出部落的所有族人。所以如此，因為他脆弱的自尊心受傷，導致心理變態；而心理變態又刺激自尊畸形。在他畸形的自我想像中，他是世界上最可愛的男人，雅麗仙竟然不愛他，所以雅麗仙該死；部落中人不但不支持他，反而將他逐出部落，讓他丟人現眼，所以整個部落中人都該死。

進而，多年後瓦爾拉齊武功恢復，仍然餘恨未消，竟抓住雅麗仙的女兒阿曼，要她母「債」女還。當李文秀解救了阿曼，他竟要將曾經救過自己命的徒弟李文秀毒死！書中最驚心動魄的一幕：瓦爾拉齊要將李文秀置於死地，而李文秀卻懵懂無知。更驚人的是，李文秀無意間提及雅麗仙，竟讓瓦爾拉齊突然間精力盡失，猝死於迷宮黑暗中。實際上，瓦爾拉齊的一生都在迷宮中：不僅在物理迷宮中，更在心理迷宮中——「雅麗仙為什麼不愛他而去愛車爾庫？」這一謎題，即是他一生都無法找到出口的心理迷宮。

史仲俊作出了可悲的選擇。由於對上官虹始終不能忘情，史仲俊終生不娶，對情敵李三的妒恨也就始終不消。小說開頭，呂梁三傑追殺李三夫婦，固然是要搶奪藏寶圖，但史仲俊還另有圖謀，即射殺李三，奪回上官虹。只可惜這仍只是他一廂情願，射殺李三後，上官虹並沒有與師兄重歸於好，而是與他同歸於盡。至死他也不明白，為什麼師妹上官虹寧可死也不願嫁給他？他當然更不會明白自己一生的根本癥結，是從未學會：理解他人的感情、尊重他人的選擇。

馬家駿作出了可敬的選擇。他是瓦爾拉齊的徒弟，當年因為不願意服從師父亂命即不願在水源投毒，又怕師父不饒，於是先下手為強，在師父背上扎了三枚毒針。如今瓦爾拉齊武功恢復，馬家駿自然是避之則吉。可是他愛李文秀。雖然知道李文秀不愛他，而是愛蘇普；雖然恐懼與師父瓦爾拉齊見面，明知見師父就難免一死；但當李文秀要去幫助蘇普，即要去迷宮對付瓦爾拉齊時，他仍然義無反顧地跟進，結果被瓦爾拉齊打死，為李文秀獻出了自己的生命。

主人公李文秀則作出了崇高的選擇。她愛蘇普，蘇普愛阿曼，李文秀非但沒有將自己的感情強加於蘇普，而且還甘冒生命危險，拯救情敵阿曼，成全蘇普和阿曼的愛情。小說中，李文秀不止一次地這樣做。第一次，是當阿曼被強盜陳達海抓獲，成了他的女奴，李文秀打敗陳達海，解救了阿曼，說是要讓阿曼做自己的女奴，實際上是要讓阿曼自由，讓她去找蘇普。第二次，是瓦爾拉齊抓了阿曼，李文秀明知師父瓦爾拉齊武功高強，但她仍奮不顧身，毫不猶豫地進入迷宮，再次解救阿曼，成全蘇普和阿曼的愛情。

《白馬嘯西風》是愛情故事，也是奪寶故事。以奪寶作為情節線索，更符合武俠小說常規。小說開頭，陳達海等人追殺李三夫婦，是為了爭奪藏寶圖。小說結尾，蘇魯克等哈薩克英雄追蹤陳達海來到沙漠迷宮，終於發現了藏寶迷宮，揭開了寶藏的「秘密」，所謂寶藏，並非金銀財寶，而是唐朝皇帝送給高昌古國的禮物：書籍、衣服、用具、樂器、孔子的雕像。只不過，這些珍貴文物，當地高昌人並不喜歡。高昌人私下說：「野雞不能學鷹飛，小鼠不能學貓叫，你們中華漢人的東西再好，我們高昌野人也是不喜歡。」迷宮寶藏故事，顯然有寓言意義：一個民族的文化，未必適合於另一個民族；亦即，你之所愛，未必是我之所喜。這個寓言，恰好與書中愛情故事的「陰差陽錯」主題相通。

《白馬嘯西風》的故事淒美動人，而且寓意深刻，發人深思，或許可當作治療世間失戀傷心症的一劑良藥。小說文筆優美，語氣纏綿，情意悱惻，充分體現了作品所需情調。只不過，偶爾分寸失當，就會有點「泛酸」，例如計爺爺——即馬家駿——勸李文秀和他一起回中原時，這麼說：

「回到了中原，咱們去江南住。咱們買一座莊子，四周種滿了楊柳桃花，一株間著一株，一到春天，紅的桃花，綠的楊柳，黑色的燕子在柳枝底下穿來穿去。阿秀，咱們再起一個大魚池，養滿了金魚，金色的，紅色的，白色的，黃色的，你一定非常開心……」

如此說話，既不符合人物身分個性，與神秘恐怖的迷宮氛圍更是不搭。更不必說，馬家駿和李文秀相依為命，一起生活了十餘年，三十多歲的人一直扮作六十歲以上老者，李文秀竟然一直都沒有發現真相，實在讓人難以置信。

最後，《白馬嘯西風》作為創新實驗，不僅是新風格新樣式的實驗，也是人性實驗：在陰差陽錯的情感迷宮失意中，人們會怎樣選擇？小說中有實驗結論。

【注釋】

1 金庸在杭州高中、中央政治學校（重慶）兩次被學校開除；楊過則被逐出桃花島、又被全真教除名。金庸兩次被學校開除的經歷，可參見傅國湧：《金庸傳》（修訂版）的有關章節（第三十一—三十二頁，第四十八—四十九頁），杭州，浙江人民出版社，二〇一三年。

2 金庸語，轉引自張圭陽：《金庸與〈明報〉》第十七頁，武漢，湖北長江出版集團、湖北人民出版社，二〇〇七年。

3 金庸：《神鵰俠侶》第二冊第五一〇—五一一頁，北京，三聯書店，一九九四年。

4 金庸：《飛狐外傳》下冊第七二五—七二六頁，北京，三聯書店，一九九四年。本節引述金庸的話，如無特別注釋，均來自這篇《後記》（一九七五年一月，第一次修訂版）。

5 金庸：《倚天屠龍記・後記（一九七七年三月）》第四冊第一五九三頁，北京，三聯書店，一九九四年。

6 金庸：《倚天屠龍記・後記（一九七七年三月）》第四冊第一五九三頁，北京，三聯書店，一九九四年。

7 作者明確說：「我自己心中，最愛小昭。只可惜不能讓她跟張無忌在一起，想起來常常有些惆悵。」見金庸：《倚天屠龍記・後記（一九七七年三月）》第四冊第一五九四頁，北京，三聯書店，一九九四年。

第十四章

金庸的武俠小說創作（下）

性，隨時隨地擴散，從而影響他人、毒害世界。典型例證是段正淳到處沾花惹草，不僅使得刀白鳳、木紅棉、甘寶寶、王夫人、阮星竹、康敏等人成了情欲狂，更使其子女段譽、木婉清、鍾靈、王語嫣等人陷入亂倫危機而痛苦不堪。

更典型的例子是，少林寺方丈玄慈為了保衛大宋，率人到雁門關外埋伏，導致蕭峰母親死亡、父親九死一生，從而改變了蕭峰的一生；而蕭遠山為了報仇，奪走了玄慈和葉二娘的兒子，又徹底改寫了虛竹的人生命運。段延慶作惡，是因為有人叛亂，奪走了他父親的王位，並傷殘了他的身體，讓他滿懷怨毒；葉二娘作惡，則是因為有人奪走了她的兒子，讓她喪心病狂，要去傷害別人的孩子。玄慈衛國而導致蕭遠山家破人亡，並不是為自己，而是因為遼宋兩國對立，更因為慕容博別有用心，故意人為加劇宋遼兩國武林對抗，以便火中取栗。

人是社會關係的總和，每個人都處在社會關係的網路之中，任何人的戾氣與暴行，都可能影響和改變他人的命運，甚而影響整個社會世界。書中這些人的非常態心理與行為，無論是有意或無意，都給他人帶來痛苦和災難，把人間變成了「天龍八部」式非人世界。

其四，小說《天龍八部》的超凡之處，是突破或超越了簡單的道德評價框架，專注於人性非常態的探索和書寫。這是因為作者獲得了超級思想武器，即：「佛陀認為做了壞事的人不是壞人、惡人，而是不明白真義的『無知凡夫』，由於『處於黑暗』，而不是『生性黑暗』。」[3]

例一，書中的阿紫言語無禮、行為乖張，是典型的魔女，殘害同門師兄弟及游坦之的惡行令人毛骨悚然。代筆者倪匡對她十分厭惡，於是讓丁春秋毒瞎她的雙眼，[4]但她並非「生性黑暗」，而是「處於黑暗」，因為她母親阮星竹將她拋棄，讓她從小在星宿海丁春秋門下學藝，星宿海門規是弱肉強食的叢林法則，阿紫成了叢林中人。假如從小在母親懷抱中長大，並在文明社會中接受教育，她肯定是另一種人。

例二，游坦之被全冠清利用，又先後兩次投身於丁春秋門下，品格低下，作惡多端，固然是因為從小被過度寵溺，以至於不學無術，但改變或決定其命運的關鍵，卻是蕭峰與中原豪傑的聚賢莊大戰，使得游坦之的父親和伯父死於非命，急於報仇的游坦之才被命運塑造成如此古怪的模樣。大英雄蕭峰在聚賢莊雖是被迫應戰，卻也被激發出天龍八部式戾氣。

例三，康敏恐怕是最讓人毛骨悚然的人物，看似徹頭徹尾的蛇蠍美人。她是丐幫副幫主馬大元的夫人，也是段正淳的舊情人。馬大元愛她寵她，她卻設計殺了丈夫馬大元；段正淳寵她愛她，她卻一心想把情人段正淳殺了。丐幫幫主喬峰，與她沒有半點仇怨，也沒有任何情感瓜葛，只因在洛陽聚會時沒有看她一眼，就對喬峰恨之入骨，終於讓喬峰身敗名裂，歷盡劫難冤苦。

康敏是不是「生性黑暗」的惡魔？作者的回答仍然是否定的，書中暗示，她的病因是「貧賤綜合症」。總之，如陳世襄教授所說：「然實一悲天憫人之作也……讀《天龍八部》必須不流讀，牢記住楔子一章，就可見『冤孽與超度』都發揮盡致。書中的人物情節，可謂無人不冤，有情皆孽，要寫到盡致非把常人常情都寫成離奇不可；書中的世界是朗朗世界到處藏著魍魎與鬼蜮，隨時予以驚奇的揭發與諷刺……」[5]

小說《天龍八部》視野寬廣，氣勢恢宏，從大理、北宋、大遼、西夏皇帝以及吐蕃國師鳩摩智、女真首領完顏阿骨打，到丐幫、逍遙派、星宿海乃至遍布四面八方的三十六洞、七十二島，人物眾多，情節複雜，頭緒紛繁。小說的主人公就有三人，即段譽、蕭峰和虛竹。段譽是大理國王子、後是大理國王，蕭峰先是大宋國丐幫幫主、後是遼國南院大王，虛竹先是少林寺弟子、後是逍遙派掌門人兼靈鷲宮主人。只因段譽和虛竹在靈鷲宮裡醉酒結拜，把當時不在場的蕭峰也結拜在內，這三位主人公就成為一體，成為拯救與超度的力量的代表。大理王子段譽不僅是小說的主人公，同時也是小說結構的樞紐，蕭峰和虛竹兩人都是與段譽結拜兄弟後，才逐漸走向舞臺中央，成為小說的敘事主人公。

段譽、蕭峰、虛竹三人身分不同，性格也不同，卻有相似的命運。

其一，他們都是惡人之子。段譽的生父段延慶，是天下第一大惡人。虛竹的母親葉二娘，是天下第二大惡人。蕭峰的父親蕭遠山，雖沒有進入「惡人榜」，卻是殺人眾多、為惡很大，且是蕭峰一直追尋的「大惡人」。

其二，他們都受厄運支配，身不由己，更無法抗拒。段譽不斷遭遇厄難，先後被神龍幫、南海鱷神、無量劍派所囚禁，後來又被鳩摩智抓到江南，要把他作為禮物，在慕容博墳前燒掉。蕭峰出場不久就面臨丐幫骨幹叛亂，他的契丹人身分被揭露，他要調查身世真相，證人卻被人一一處死，以為段正淳就是導致他家破人亡的大惡人，竟因此打死了至愛戀人阿朱。虛竹被派離寺送信，同樣厄運不斷，一路被人陷害，不但破了葷戒和色戒，更被人清除了少林派內功、灌注逍遙派內力。

其三，強大而莫名的命運力量，使得三人的自我同一性被撕裂，先後經歷了自我認同的危機。段譽不願意練武，從家裡逃了出來，但卻不得不練武，甚至不得不殺人；更大的悲苦是，無論愛他之人或是他愛之人都是他同父異母的妹妹，擺脫亂倫危機的代價，是得知自己的生父是天下第一大惡人。

蕭峰更苦，從小在中原長大而不知道自己其實是契丹人，基於錯誤民族認同而手上沾滿了同胞鮮血，隨著身世之秘被無情揭露，又陷入契丹人血緣身分與漢文化身分的矛盾衝突中，自我同一性被殘酷撕裂，終生無法癒合。虛竹的人生理想，只不過是在少林寺裡當和尚，但卻想當和尚而不得。他根本就不知道，從小在少林寺長大，其實是受無情命運的作弄；而在得知自己生身父母的同一天，父親玄慈、母親葉二娘竟雙雙自殺身亡。

好在，他們還有第四個相似點，那就是無論遭遇怎樣的厄難，都沒有失去理性和自主意志，沒有失去溫暖明亮的悲天憫人之心。這種理性意志和悲憫之心，在段譽，表現為高貴的良知，無論遇到怎樣的厄難，都不會產生憎恨與怨怒，而是以寬容之心面對作惡之人，以幽默與智慧撫平自身的創傷。

在蕭峰，表現為俠義精神，雖然在漢人盲目的圍攻下，不得不在聚賢莊大開殺戒；進而被仇恨模糊了雙眼，打死了愛侶阿朱；但自幼習得的俠義精神卻是深入骨髓，最終化為拯救蒼生的巨大動力，並為世間和平立下頭功。

在虛竹，表現為慈悲之念，為了不讓段延慶自殺，他閉著眼睛下棋，無意中破解了珍瓏，而他自己卻失去了少林內功；為了不讓天山童姥被殺，他挺身而出，背起童姥逃生，結果成了靈鷲宮的傳人，離少林寺僧的生活越來越遠。虛竹的善念，常常給他帶來厄運；但他卻始終沒有因厄運而放棄善念，最終不但解放了自己，而且成了拯救世界的人。

蕭峰、段譽和虛竹三人聯手，是小說中的拯救者同盟，在少林寺，他們聯手打敗了武林中的邪惡力量；在宋國和遼國的邊境線上，他們又聯手逼迫遼國皇帝耶律洪基發誓終生不得侵犯大宋，為這塊土地上的人民贏得了持久的和平。

段譽的良知、蕭峰的俠義、虛竹的善念，不僅是其自我超度的驅動力，也是拯救世界和淨化人心的精神力量，治療心理變態，拯救世間厄難，阻止仇恨蔓延，消弭戰禍衝突，讓天龍八部世界不至於墮入絕對黑暗之中。

《天龍八部》的讀者，大多數人最喜歡蕭峰，這不難理解。首先是因為蕭峰最具英雄氣概，不僅天生武勇而技藝超群，富有經驗智慧且膽大心細，具有領袖氣質和領導才幹，與白面書生段譽及拘泥迂腐的小和尚虛竹不可同日而語。其次是因為蕭峰人生經歷如古希臘命運悲劇——如希臘神話中的獵神——具有極大的戲劇張力，從杏子林危機到聚賢莊大戰，繼而一路追凶到打死阿朱，繼而為救阿紫深入草原，在萬馬軍中俘遼國叛軍首領，最後迫使遼皇耶律洪基永不南下侵宋，無不具超人能力與魅力，驚險而激動人心。只不過，從小說的整體看，段譽的結構功能及其標示作用更大，而虛竹形象的意義也不可低估。

最後，這部小說雖然借用了佛教天龍八部概念作為書名，書中也多次引用佛經，更推崇佛家慈悲喜捨精神，但小說《天龍八部》卻非佛教思想演繹之書。小說探索和書寫的是人性，超度冤孽拯救世界的也是人性中的積極因素，即良知、俠義和悲憫之心。證據是，段譽雖然熟讀佛經，仍然是俗世的王子；小和尚虛竹亦因懷念「夢姑」而永遠離開了少林寺；蕭峰更是徹頭徹尾的俗世英雄。

二、《連城訣》

《連城訣》是在《東南亞週刊》上連載的。[6] 這個刊物是《明報》與新加坡《南洋商報》合辦的，金庸是股東之一，有義務為之創作武俠小說，以便招攬讀者。連載小說的書名，並不叫《連城訣》，而是《素心劍》。這就有一個問題：《素心劍》是個很好的書名，為什麼後來要把書名改為《連城訣》？

《素心劍》書名，顯然與主人公狄雲有關，狄雲是個素心人，也就是戚芳所稱的「空心菜」。從這一書名看，作者最初的設計，是要寫一個素心人蒙冤的故事，如修訂版《後記》中所說，是要把他家老僕和生年輕時的遭遇寫入小說。

主人公狄雲自幼生長在湘西沅陵南郊麻溪鋪，生活中只有師父戚長發、師妹戚芳，幹農活之餘練武，心地純樸，頭腦簡單，見少識淺，師父把「唐詩劍法」謊稱為「躺屍劍法」，他一直信以為真。老實人看不懂人間事，鄉下人進城，莫名其妙就蒙冤入獄，而且一待就是好幾年。更冤的是，同囚室的犯人丁典，竟懷疑他是要套取大寶藏秘密的官方臥底，丁典每次受審歸來，都要痛打狄雲出氣。直到戚芳嫁給了萬圭，狄雲絕望自殺，情況才有所改觀。

接下來的故事，頗似法國小說《基督山伯爵》，主人公愛德蒙・鄧蒂斯在監獄中遇到了法利亞神甫，獲得了寶藏消息，有了復仇的資本。在《素心劍》中，丁典告訴他有關寶藏的消息，還教他神照功，且成了狄雲的人生導師。因而接下來的故事與《基督山伯爵》走向不同，狄雲出獄後，並沒打算去報仇，而是繼續蒙冤：因為他穿著血刀門徒寶象的衣服，就被人當作「淫僧」，遭到水笙的毒打，還被水笙的馬踩斷了腿。

更加哭笑不得的是，血刀老祖也把狄雲當作徒孫，救了狄雲，抓了水笙。為逃避江南四俠陸、花、劉、水的追擊，一直逃往藏邊雪谷。如此，狄雲就更是有口難辯，俠義道要殺他，血刀老祖救了他，他還不能說自己不是血刀門的徒孫。一直到江南四俠中的陸、劉、水三位死於雪谷，狄雲也殺了血刀老祖，誤會和冤屈仍然沒有結束，反而雪上加霜：因為狄雲和水笙在雪谷中一起生活，被花鐵幹故意誣衊他們有不正當關係。這一次不但狄雲蒙冤，清白無辜的水笙也是滿身污水，惡意謠言造成刻板印象，水笙無法為自己辯白。雪谷故事結束時，狄雲練成了神照功和血刀絕技，武功超群，心智漸漸成熟，素心人蒙冤故事到了盡頭。

故事如何繼續？是一個重大問題。選擇之一，是寫狄雲出谷復仇。作為武俠小說，講述主人公為自己洗雪冤情、快意復仇，不僅合情合理，且符合讀者的期待。如果作者那樣寫，不僅無可厚非，且仍會是一個獨特且精彩的人生故事。但作者沒有這樣做，或許是因為這樣一來，《素心劍》未免太像《基督山伯爵》。

實際情況是，小說的後四章，作者改變了敘事方向，寫起了江湖中人爭奪大寶藏的故事。很顯然，《素心劍》和《連城訣》這兩個書名，代表著兩個截然不同的敘事方向。「連城訣」不僅是唐詩劍法的劍訣，更是一個大寶藏的關鍵密碼（**密碼藏在一本《唐詩選輯》中**）。所以，《連城訣》的故事主線，是奪寶故事。如果說，《素心劍》是「素心人蒙冤記」，那麼《連城訣》就是「江湖客爭寶藏」。作者是什麼時候決定要把《素心劍》改為《連城訣》的？我們不得而知。作者為什麼要把《素心劍》改名為《連城訣》？則應加以探討。

在修訂版故事中，本書易名《連城訣》的原因得到凸顯，作者將素心人狄雲蒙冤故事，置於江湖客爭寶藏的故事中。狄雲蒙冤下獄，決不僅是因為萬圭覬覦戚芳美色，從而設計讓與戚芳青梅竹馬的狄雲蒙冤入獄；而是因為戚長發、狄雲師徒早已落入了萬震山、凌退思等人爭奪寶藏的算計中。若不是萬震山決心將三師弟戚長發置於死地，萬震山的兒子及諸弟子怎麼敢如此膽大妄為？若不是荊州知府凌退思別有用心，狄雲又怎麼能從江陵縣監獄轉送到荊州府監獄中，並與丁典同監？

實際上，丁典入獄，也正因為他是世界上唯一知曉大寶藏資訊的人。丁典之所以瞭解大寶藏的秘密，則是因為他救助過知曉這一秘密的武林名宿梅念笙。這個梅念笙，正是萬震山、言達平、戚長發三人的師父。由此看來，早在狄雲蒙冤故事開始之前，奪寶故事早已展開：萬震山、言達平、戚長發殺師，師兄弟之間相互欺騙陷害，荊州知府凌退思把丁典抓捕入獄，全都是為了大寶藏。

狄雲一生最大的冤屈，不是萬圭師兄弟陷害他入獄，更不是鈴劍雙俠誤把他當作淫僧，而是從一開始就被師父戚長發矇騙。外號「鐵鎖橫江」的戚長發，明明心智過人且博學多才，卻裝作老實巴交目不識丁，固然是要欺騙師兄萬震山和言達平，也是因為不相信自己的徒弟狄雲、甚至不相信獨生女兒戚芳。之所以如此，說到底，就是因為覬覦大寶藏，被貪欲改變了人生。

萬震山、言達平、荊州知府凌退思等人，也都是被貪欲所綁架，背叛友情，如萬震山師兄弟之間相互殘害；甚至泯滅親情，如凌退思為了寶藏而導致女兒凌霜華毀容並慘死，戚長發為了寶藏而將女兒戚芳送入火坑。小說的最後一幕更為驚人，包括花鐵幹、汪嘯風等俠義道在內的所有人，全都加入了爭奪寶物的人群中，且都因奪寶中毒而致瘋狂，這一觸目驚心的場景，其寓言性不言而喻。

說《連城訣》是又一次小說創新實驗，理由也正在於此。此次實驗的目標，是要把主人公的人生傳奇故事，建構成具有普遍意義的人世寓言。小說的思想主題，顯然是對人類「拜金主義」的批判與憂思。「拜金主義」是具有普遍性的人類心理現象，在商業繁榮的香港尤為突出。[7] 是所謂：人為財死，鳥為食亡。書中江陵城南天寧寺中因奪寶而中毒而瘋狂的人群，正是現實社會中拜金主義者身影的寓言式折射。這，應該是作者把《素心人》改名《連城訣》的真正原因。

其實，《素心人》之名，也有深刻寓意。小說的主人公狄雲即素心人，讓我們想起法國啟蒙思想家伏爾泰的小說《老實人》，狄雲不僅蒙冤的傳奇主人公，同時也是人間觀察者和現實見證人，觀察並見證人性的貪婪與卑污。

狄雲的經歷令人唏噓。凌退思等官府中人固然可怕可惡，而萬震山父子更加可惡可怕，但最可怕且無法理解的卻是他的師父戚長發；進而，血刀老祖、寶象等邪惡之徒固然令人不齒，而俠名遠播的南四奇，即陸天抒、花鐵幹、劉乘風、水岱，也同樣令人失望——書中將南方語音的「陸、花、劉、水」讀成「落—花—流—水」，此一讀解顯然別有用心，讀者也一目了然。俠義之士落花流水，並不是欺世盜名，而是經不住生死壓力的考驗。

在雪谷追凶的過程中，劉、陸、水先後死於非命，碩果僅存的花鐵幹很快就意志崩潰，由鐵幹俠客變成搖曳乞命的花枝。花鐵幹的心理蛻變過程，是小說中最深刻且精彩的篇章。進而，汪嘯風與水笙號稱「鈴劍雙俠」，看似情感堅貞的神仙俠侶，但在雪谷重逢時，汪嘯風卻經不住考驗。由於水笙與「小淫僧」狄雲在雪谷中相處數月，加上花鐵幹故意潑污水，沒有人相信水笙的清白，鈴劍雙俠終於勞燕分飛。書中對汪嘯風心理變化的書寫，層次分明，細膩生動，看起來似因人言可畏，實質上是汪嘯風怯弱自私。

最讓狄雲絕望和茫然的，是戚芳的行為。明明與他青梅竹馬、兩情相悅，竟然嫁給了陷害他入獄的萬圭，這消息讓狄雲絕望自殺。若非丁典施救，狄雲早已告別人寰。更讓他絕望的是，明明知道萬圭父子殺害其父、陷害狄雲且要殺她，但戚芳竟還是要去拯救萬圭，以至於被萬圭殘忍殺害。

戚芳的行為是何道理？知識淺薄、頭腦簡單的狄雲無論如何也想不通。戚芳嫁給萬圭，是相信狄雲真的有罪？還是被萬圭的花言巧語所騙？或是決心嫁他以便讓他繼續拯救狄雲？戚芳最後拯救萬圭，是純粹出於善良天性？還是不相信狄雲？又或是一日夫妻百日恩？書中並未解釋，從而有較大想像與闡釋空間。無論是什麼，只會讓狄雲傷感。

好在，這世界並不只是貪婪和卑污，還有真心相愛且情操高尚的凌霜華和丁典。即便他們被囚禁，即便他們的生命如曇花一現，即便只有「丁點」的光芒，也能溫暖狄雲的心靈，照亮狄雲的人生，讓這個世界不至於一片漆黑。

與金庸後期的大部頭作品相比，《連城訣》有些單薄，未臻於上品。究其原因，或許是因為作者改變了實驗目標，又或許是因為所有實驗成敗難測。

三、《俠客行》

在金庸的後期小說中，人生故事越來越傳奇，寓言性也越來越明顯。《俠客行》亦是如此，主人公自稱狗雜種，還說是他媽媽給他取的名字，讓人匪夷所思。更匪夷所思的是，小傢伙居然不知道「狗雜種」是罵人話。這部小說的故事情節，若概括為一句話，那就是：無知小子走江湖。

讀這部書，自然是要從前往後看；要思考和理解這部小說，則不妨從後往前看。《俠客行》的書名和故事，是由唐代大詩人李白的古風《俠客行》而來。故事的真正緣起，是龍、木兩位在南海的一座荒島上發現刻寫李白詩《俠客行》的石窟，其中藏有一套絕世武功圖譜，龍、木二人在荒島上住下來，專心鑽研《俠客行》武功圖譜。二人將荒島命名為俠客島，龍、木兩位就成了島主，兩人對武功圖譜的理解出現明顯分歧，於是決定各收徒弟，繼續研究，結果是大家的理解出現了更多分歧。於是想到一個主意，即派人到大陸邀請武林各大門派掌門人前往俠客島共同研究。因為俠客島上的斷腸蝕骨腐心草每十年才開一次花，所以俠客島邀客每十年發生一次。

由於受邀而來的研究者仍然無法達成共識，而這些受邀者又全都癡迷於武功圖譜，以至於所有的受邀者沒有一個人願意離開。因為受邀前往俠客島的武林高手全都是有去無回，而俠客島邀客使者有賞善罰惡之舉，不受邀的武林門派則有滅門之禍，大陸武林人把俠客島邀客視為武林浩劫。因為要應付武林浩劫，長樂幫副幫主貝海石才要未雨綢繆，找石中玉當幫主的替罪羊；石中玉逃跑了，就找來與石中玉長相相似的狗雜種石破天來頂缸。主人公狗雜種石破天與石中玉長相相似，是因為他們是親兄弟，即都是玄素莊主石清、閔柔夫婦的兒子，小兒子從小被嫉妒閔柔的梅芳姑劫走，稱呼他為狗雜種。

上述梳理是基於後見之明，固然脈絡清晰，卻不免大煞風景。小說敘事是從狗雜種找媽媽開始，無意中獲得謝煙客的玄鐵令，從此陷入命運漩渦之中，身不由己，無法自拔，於是懸念迭起而波譎雲詭，驚險不斷且迷霧重重，過程和結局的傳奇性令人咋舌，小說的寓言隱喻卻也意味深長。

先說第一個謎題，為什麼大陸武林人把俠客島邀客視為武林浩劫？

俠客島邀客，純屬好意，不過是邀請武林高手去共同研究《俠客行》武學而已。只不過，俠客島的請柬是兩塊銅牌，一塊「賞善」、一塊「罰惡」。即便如此，俠客島邀客為何被視為十年一屆的武林浩劫？部分原因是作者敘事安排，故意不寫俠客島「賞善」，只寫邀客使者「罰惡」，造成了讀者片面認知，以為俠客島邀客使者動輒滅門，如凶神惡煞，製造禍災。

真正問題是，書中的武林人物談論俠客島邀客，也是只說滅門之禍，無人談及賞善之舉，更無人去做全面調查，從而形成了認知局限，即只相信耳聞傳說。進而，武林人如此風聲鶴唳，比如長樂幫如此煞費苦心，是因為他們知道自己作惡太多，害怕罰惡，所以惶惶不可終日。進而，俠客島邀客使者武功奇高，又善於用毒，大陸武林無人能敵，造成了大陸武林的普遍恐懼，而恐懼有極強的傳染性，於是一犬吠影、百犬吠聲，恐懼想像不斷傳播，結果就變成了大家的盲目共識，即似是而非的刻板印象。

再說第二個謎題，為什麼那麼多人分不清石中玉和石破天？

長樂幫的軍師貝海石，把石破天改造成石中玉，不僅本幫的幹部如展飛分不清真假，就連石中玉的情人丁璫、石中玉的仇人白萬劍和花萬紫、石中玉的父母石清和閔柔夫婦，也全都分不清真假，儘管主人公不斷地解釋說：「我是狗雜種，不是你的天哥、不是石幫主、不是你兒子」，但這些人仍然堅持己見，認定他是石中玉。這是為什麼？原因有兩條，一是兩人的長相確實有八九分相似，二是石破天的肩膀上有丁璫咬出的傷疤，腿上有雪山派留下的傷疤，屁股上有仇人留下的傷疤，讓情人丁璫、仇人白萬劍、父母石清夫婦確認眼前人就是石中玉。這些人先入為主，且都自以為是，不能冷靜傾聽主人公的解釋，而把主觀認定當作客觀真相，卻不知自己的認定是基於主觀情感偏見。曾被石中玉強暴的阿繡，卻能看出眼前樸實厚道的石破天絕非浮滑輕佻的石中玉，原因是，她能突破表象看本質。

再說第三個謎題，為什麼天下武林高手四十年來都無法解開《俠客行》武功圖譜之謎，而石破天在短短幾個月時間內就破解了？

俠客島上的《俠客行》武功圖譜，龍、木兩位島主已經研究了四十年，從大陸武林邀高手共同研究也已有三十年之久，參與研究的共有將近兩百人，但沒有一個人能夠破解武學秘密，而主人公石破天到俠客島不過幾個月，很快就破解了。書中給出的解釋，讓人目瞪口呆：石破天能夠破解武學謎題，是因為他不識字，因而不受概念干擾，直達武功真相。而那些按照詩意、字義、注釋及其知識背景等複雜路徑去探討的人，卻在歧路上越走越遠，永遠無法達成共識。

作者在本書《後記》中說，「各種牽強附會的注釋，往往會損害原作者的本意，反而造成嚴重障礙。」[8] 又引述《金剛經》中「凡有所相，皆是虛妄」、「法尚應舍，何況非法」及「如來所說法，皆不可取，不可說，非法，非非法」等說，印證上述觀點。中國古代智者對此也早有認識，老子說「名可名，非常名」；公孫龍子說「物莫非指，而指非指」，意思相同。即，我們所使用的每一個概念都指代一種事物，但概念和事物並不完全是一回事。《俠客行》武學之謎，說的就是這點事，石破天不識字，所以能夠直達真相；而那些識字的人卻被牽強附會的解釋，也就是各種假象所迷惑，即便皓首窮經，仍只能迷亂不堪。此種現象，佛家稱為「所知障」。

再說第四個謎題，為什麼在父母身邊長大的石中玉成了為非作歹的惡徒，而飽受梅芳姑虐待的石破天卻是天使？這一安排，看似顛覆了古今育兒信條，確實事關重大，需要兒童心理學家和教育學家破解。粗淺之見是，一，在石中玉，是寵溺的結果；二，在石破天，則是自然賦予靈性；三，人類個體的遺傳因素和生活環境各不相同，任何育兒信條都非普遍真理。

本書的表象，是《俠客行》中無俠客；真正的思想主題，是寓言人類蒙昧無知。書中人耳聞俠客島製造浩劫，目睹石破天身上傷疤，心思《俠客行》武功圖譜，都不過自以為是的錯覺，與事實真相天差地遠，甚至南轅北轍。

俠客島上數百位武學高人，自大成狂的白自在，書中所述武學高人，無不在認知局限裡打轉；丁不四、史小翠、梅文馨、梅芳姑、丁璫，全都在一廂情願中迷失；貝海石之流更是似詐實愚，令人不齒。黑白雙劍石清、閔柔夫婦縱有俠名，在書中不過是世間蒙昧父母的典型。石破天讓人想起伏爾泰的《天真漢》，引領讀者觀察體驗人類的種種蒙昧、恐懼與卑污；而他自己到最後也不知道「我是誰？」這一問題的答案，非僅限於他的身分（**百分之九十九是石清和閔柔的次子**），同時也是在追問人——我——的本質，這才是本小說最後也是最大的謎題。

四、《笑傲江湖》

《笑傲江湖》在《明報》上連載時，中國大陸正在「文化大革命」高潮中。小說寫作與「文革」有一定的關係，卻非具體人事的簡單影射。作者在修訂版《後記》中說：「我寫小說是想寫人性，就像大多數小說一樣。這部小說通過書中一些人物，企圖刻畫中國三千多年來政治生活中的若干普遍現象。影射性的小說並無多大意義，政治情況很快就會改變，只有刻畫人性，才有較長期的價值。」[9]

《笑傲江湖》既是主人公令狐冲的人生傳奇，也是中國政治歷史寓言。小說有兩個層面，一是故事層，一是寓言層。

先說故事層。

小說開頭寫福州福威鏢局滅門之禍，林平之獨自逃生到衡陽城中，聆聽華山派的諸多秘聞。主人公令狐冲出場之前，林平之就聽到別人對他的種種傳說。在傳說中，令狐冲的聲譽很不好，似乎是個不守規矩的人，到處惹事生非，嗜酒如命，竟然帶著恆山派小尼姑逛窯子，甚至與採花淫賊田伯光稱兄道弟。直到小尼姑儀琳出來為他辯護，才得知令狐冲的另一面，那就是他多情重義，是非分明，聰明活潑，

願，且為此家破人亡。理由是，左盟主（**和岳不群**）不允許劉正風與日月神教中的音樂家曲洋有私人交往。

無獨有偶，在日月神教中，黃鐘公、黑白子、禿筆翁和丹青生四位精通琴棋書畫的藝術家，即使甘心充當小小獄卒（**這本身就是一個極大諷喻**），仍然不得善終，黑白子慘死，黃鐘公自殺，禿筆翁和丹青生不得不吞下「三屍腦神丸」，去做教主任我行的精神奴隸。更具象徵意義的是，杭州西湖孤山原是詩人林和靖的居住地，曾留下梅妻鶴子的千古佳話，而日月神教卻將孤山梅莊改變成地下囚牢。

在權力鬥爭的格局中，左冷禪、東方不敗是當權派，岳不群、任我行是造反派（**任我行是前任教主，他之造反其實是復辟**），而少林掌門方證、武當掌門沖虛、衡山掌門莫大先生、恆山掌門定靜師太則是保守派。[10]華山氣宗的封不平、成不憂和叢不棄，泰山派長老玉璣子等人，是小號的岳不群，即造反奪權派。書中還有第四類人，那就是不滿現狀卻無力改變現實，但又不願與當權者同流合污，更不想成為造反奪權者，此類人只有一種選擇，那就是做隱士。隱士的最大特徵，是選擇退避隱居，躲讓權力衝突，以便維護個人的自由與尊嚴。問題是，在專制制度及其權力鬥爭中，許多人想當隱士而不可得，劉正風和曲洋、黃鐘公和丹青生等人的遭遇，就是最好的例證。

回頭再說令狐冲。

作者說：「令狐冲是天生的『隱士』，對權力沒有興趣。」[11] 果如是否？需要討論。令狐冲對權力確實沒有興趣，但不能因為這一點就判定他是天生的隱士，毋寧說，他是個典型的浪子。浪子未必是天生的隱士，更像是在隱士與鬥士之間，令狐冲的天性及其行為表現，也恰好一半是隱士，另一半是鬥士。

劉正風和曲洋最後一次演奏《笑傲江湖之曲》，讓令狐冲產生了強烈的共鳴，於是劉、曲臨終前將曲譜托付給令狐冲。後來，令狐冲和任盈盈成了這部樂曲的傳人。書中說，這部樂曲的源頭來自嵇康的《廣陵散》。嵇康是魏晉之際竹林七賢之一，是中國歷史上著名的隱士，《廣陵散》固然是隱士之曲，根據它改編的《笑傲江湖之曲》卻更像是自由之歌。進而，令狐冲不僅是《笑傲江湖之曲》的傳人，同時也是《獨孤九劍》的傳人。若僅僅是琴師，或只能當隱士；既是琴師又是劍士，就不可能是單純的隱士，而有鬥士的能力和義務。進而，傳劍的風清揚雖是隱士，但創造這套劍法的獨孤求敗卻非隱士，而是打遍天下無敵手的鬥士。獨孤九劍的精髓，是活學活用，料敵機先，隨機應變，無招勝有招，任憑武者天賦才能自由發揮。可以說，獨孤九劍的實質，正是自由的精神。

如此，才能真正理解，令狐冲剛剛當上恆山派掌門，任盈盈立即動員其麾下的散兵游勇加入恆山派。任盈盈這樣做，主要是讓令狐冲避免孤男處於群尼之中的尷尬；令狐冲接納這些人，卻是有意無意地要將他領導的恆山派建成自由浪子的共同家園。

在恆山派的新增人員中，固然有嚴三星、仇松年、游迅等怙惡不悛的惡徒，也有祖千秋、計無施、藍鳳凰、黃伯流等生性熱愛自由之人，更有不戒和尚、不可不戒、桃谷六仙等自由中堅。

不戒師徒與桃谷六仙等人早已出現在小說中，與令狐冲的命運多次糾結，他們自己的故事也很精彩。若只把他們當作傳奇人物及插科打諢的小角色，未免有點簡單。桃谷六仙非純粹喜劇小丑，在五嶽並派大會上，由任盈盈指揮，他們撕開了左冷禪、岳不群的面具，成了專制寡頭的譏諷者、偽君子的顯影劑。進而，不戒與不可不戒之名有明顯的象徵性，「不戒」寓意「自由」，其經歷與個性，是對自由概念的另類生動詮釋；而他閹割了淫賊田伯光並收他為徒，賜法號「不可不戒」，顯然是對「自由邊界」的重要隱喻及警示。

在任我行及其日月神教大舉侵入華山，欲將五嶽劍派一網打盡之際，恰恰是不戒和不可不戒挺身反抗、決心為保護自由而戰。

在日月神教大兵壓境之際，面對任我行的淫威和教眾肉麻的奉承，令狐冲終於打定主意：「倘若我入教之後，也須過這等奴隸般的日子，當真是枉自為人，大丈夫生死有命，偷生乞憐之事，令狐冲決計不幹。」（第三十九回）於是，令狐冲第四次（當眾）拒絕了任我行的入教邀約，進而公開表示，若任我行大開殺戒，他將率領恆山派弟子誓死周旋。此刻的令狐冲，顯然不是只顧個人安全的隱士，而是自由鬥士。

任我行走火入魔而死，恆山派危機不戰而解，這一出人意料的結局，看似作者弄巧幫忙，其實也含有深刻隱喻。任我行因慣用吸星大法而致走火入魔，實是所有極權專制者的通病，吸星大法的本質是貪天之功為己有，所有教眾的貢獻都變成了他一個人的功勞，最後極度自我膨脹而亡，這是寓言的一部分。當令狐冲和任盈盈在杭州孤山梅莊舉行婚禮，並再次合奏《笑傲江湖之曲》，進一步證明此曲為自由精神之歌。劉正風想當隱士而導致滅門之禍，令狐冲卻終於爭得圓滿結局，正是因為令狐冲不僅是隱士，而且是戰士，曾為自由與尊嚴而奮鬥。

五、《鹿鼎記》

《鹿鼎記》是金庸最後一部長篇武俠小說，是金庸小說的絕世奇葩。

說《鹿鼎記》是絕世奇葩，因為它不怎麼像武俠小說，更像是「反武俠小說」，如賽凡提斯的騎士小說《堂吉訶德》。《鹿鼎記》可謂文化小說，準確地說，是文化幽默與解構之書。小說從莊廷瓏《明史》案引發的一場文字獄開始，許多文化精英牽

功根本不值一談：他沒上過學，沒讀過書，自己的名字「韋小寶」也只認得其中一個「小」字。在武功方面，他雖拜過名師，例如獨臂神尼、天地會總舵主、神龍教主等等，但他的武功水準始終不過是第九流，最擅長的「百變神逃」。總之，韋小寶的武功不值一談，拿手功夫不過是撒石灰、捏陰囊、剁腳板三招，加上所謂「隨身四寶」，即匕首、寶衣、蒙汗藥、俏丫鬟。韋小寶創奇蹟、建奇功，遇難呈祥、四海通吃，除了好運之外，應該別有因由。

韋小寶成功的奧秘，當在「韋小寶神功」。所謂神功，說起來並不稀奇，不過是察言觀色、阿諛逢迎而已。從俄羅斯凱旋歸來時，他曾說過，之所以揚威異域，「全憑老子聽的書多，看的戲多。」（第三十六回）此說透露了韋小寶的文化資源，來自揚州市井的書場、戲院、賭館。其中奧妙，正經的文史專家可能不懂，民間文藝家也可能一頭霧水，只有小說家金庸先生深諳個中三昧，韋小寶神功涉及人性與文化之秘。

美國人類學家羅伯特·雷德菲爾德有《農民社會與文化》一書，[12] 把文化分為大傳統和小傳統，簡單說，官府與儒林共同主宰的中心城市文化為大傳統，農村文化或農民文化即小傳統，小傳統是大傳統的簡陋錯漏版。此書的價值自不待言。遺憾的是，雷德菲爾德的研究對象不是康熙時代的中國，沒看到在大傳統和小傳統之間，還存在揚州市井民間的一種「中傳統」；大傳統對中、小傳統固然有影響，而小傳統和中傳統對大傳統其實也有看不見的影響滲透，在一定程度上，小傳統和中傳統還能改寫、決定或顛覆文化大傳統。關鍵點，就是思想家吳思提出的顯規則與潛規則。[13]《鹿鼎記》一書，就是最好的證明。

韋小寶傳奇的關鍵一步，是與康熙皇帝相交，繼而成了康熙王朝的第一紅人。卑賤的妓女之子與滿清王朝的皇帝，社會地位天差地遠，本無相見的可能，作者讓他們相見並且相交，形成傳奇故事，同時也建構了文化寓言。有意思的是，韋小寶來到皇宮之初，以為這裡是一所妓院，韋小寶的這一聯想有充分的理由，因為他一生所見最豪華的場所只有妓院。而這一聯想，也構成了寓言的基礎。

韋小寶與康熙是由摔跤遊戲而結交，在康熙是難得的福緣，因為在皇宮中找不到敢與皇帝較真的摔跤夥伴；而韋小寶敢於和康熙摔跤，則是因為他糊塗無知，不知道這裡是皇宮，更不知道康熙是皇帝。韋小寶和康熙相交，超越了社會等級和文化身分，是兩個少年——小桂子和小玄子——的遊戲，並由此結下純真友誼。這種交往雖屬傳奇，卻有充分的人性依據。

韋小寶知道康熙的身分後，自然明白皇帝與太監的身分差異，好在韋小寶自幼生長於妓院中，早已練就了察言觀色和阿諛逢迎的本領，雖不敢再與康熙摔跤，卻仍能使皇帝龍顏大悅。他們的關係，從摔跤夥伴變成了皇帝與弄臣，但仍然是皇宮中的冒險夥伴，其中最大的冒險，就是一起對付權臣鰲拜。抓捕且謀殺鰲拜，是韋小寶傳奇人生的另一關鍵。

接下來的故事很容易理解，作為康熙的愛寵，韋小寶一躍而成康熙王朝的第一紅人，大官索額圖乃至康親王傑書等等，無不爭相巴結。原因並不是他們喜歡韋小寶這個人，而是因為韋小寶生活在康熙身邊，最瞭解康熙的喜怒消息，而當官的最大訣竅就是揣摩上意。皇帝權威至高無上，韋小寶在皇帝身邊，相當於政治文化劇的導演助理，與韋小寶結交，相當於購買了升官保險。索額圖與韋小寶結拜兄弟，同時也成了韋小寶的文化（**大傳統**）輔導員，在索額圖的指點下，韋小寶不僅貪污術突飛猛進，逢迎術也在百尺竿頭更進一步。有康熙的百般寵愛、索額圖悉心指點，韋小寶要建立功勳，當然如囊中探物。

若說韋小寶建功立業全憑康熙的恩典，未免低看了韋小寶，實際上也淺看了文化的真正奧妙。薦良將趙良棟，那可是真正的「慧眼識英雄」——韋小寶並非當真慧眼獨具，而是通過自我反省，推測出官場逆定律：自己是因為沒有真本領才不得不拍馬屁，不喜歡拍馬屁的則必有真本領。趙良棟不喜歡拍馬屁，應該有真本領。經過驗證，果然不錯。這一原理，可命名為「韋小寶定律」。

韋小寶曾被賜封「通吃伯」，這一封號大有講究。他不僅在朝廷與官府中春風得意，在反抗朝廷與官府的天地會中也同樣如魚得水，一層原因是韋小寶殺了鰲拜，另一層原因是天地會青木堂因爭權而瀕臨分裂，總舵主陳近南才想出高招，收韋小寶為徒並讓他做青木堂堂主。韋小寶的天地會故事，與其朝廷故事如出一轍，因為是「老大」的紅人，於是所向披靡。也就是說，天地會與滿清王朝，在政治上截然對立，在文化上卻是異構而同質。神龍教故事也是如此，不必多言。

韋小寶經歷無數凶險，都憑高超的危機公關能力而逢凶化吉。典型案例是在揚州麗春院中，面對西藏喇嘛桑結和蒙古王子葛爾丹這兩位刺客。韋小寶殺了桑結十二個師弟，且讓桑結中毒而自斷十指；葛爾丹也曾在少林寺被韋小寶羞辱，這兩人與韋小寶不共戴天。韋小寶的護衛親兵，或被擒，或被殺，再無任何援助，韋小寶不得不做危機公關。

書中情節十分精彩，要點是三個步驟，一是吹捧對方以便沖淡明顯的敵意；二是故作神秘和誇張以便擾亂對方思想；三是找準對方弱點提出恰當交易。結果，是桑結、噶爾丹、韋小寶結拜兄弟。此事看似匪夷所思，實際上，與韋小寶所有傳奇故事一樣，有充分的人性與文化依據。

韋小寶遭遇的核心難題，是康熙要他去滅天地會，而天地會要他去殺康熙，而他兩樣都不願做。不願做的原因並不是因為民族意識或政治立場，而是在他內心深處，把天地會總舵主陳近南當作父親，而把康熙當作兄弟。這是心理依據，也是文化隱喻。

更大難題是，小說第五十回中，顧炎武、黃宗羲、呂留良、查繼佐——都是真實

種、鑄劍師薛燭來商議，情況顯然不容樂觀。越王宮場景，是歷史場景，這一場景的功能，是欲揚先抑，為主人公出場作情緒鋪墊。

第二個場景，是吳國劍士橫行於越都街頭，醉酒高歌「我劍利兮敵喪膽，我劍捷兮敵無首」，飛揚跋扈，不可一世，先是斬斷范蠡兩個衛士持劍的手，接著又將牧羊女的一隻羊劈為兩半。牧羊越女要討回公道，手持一根竹棒，將八名吳國劍士每個人都打瞎一隻眼。如此精湛的技擊之術，當真是神乎其神。這是傳奇的場景，主人公即越女阿青登場，讓讀者對這個神奇的劍俠充滿期待。

再說精煉細節。

在第一個場景中，越王勾踐心情不爽，抓起一把利劍劈開座椅，大夫范蠡卻說：「恭喜大王，賀喜大王！」理由是：「大王既有此決心，大事必成。」這一細節，表現了范蠡的機智，將勾踐的消極情緒轉化為積極情緒。

在第二個場景中，范蠡問牧羊女：「姑娘尊姓？」姑娘聽不懂。范蠡又問：「姑娘姓什麼？」姑娘說：「我叫阿青，你叫什麼？」寥寥幾句對話，突出了阿青純樸天真。

第三個場景更有意思，是范蠡把阿青和她的羊全部請到自家花園中，看到羊群大嚼花園裡的牡丹、芍藥、芝蘭、玫瑰等名花異卉，「范蠡卻笑吟吟的瞧著，並不駭異。」這一細節，充分體現了范蠡「行事與眾不同，原非俗人所能明白」的性格特徵。他的目的是讓阿青高興，與滅吳大計相比，這點花卉算什麼？再說精心留白。短篇小說最重要的技巧，應該就是留白的技巧。滅吳九術只說最後一術，前八術都在留白之中，就是重要例證。

更好例證是書中第四個場景，即范蠡陪阿青牧羊，等待阿青的師父「白公公」（**白猿**）出現，小說中寫道——

他抬頭向著北方，眼光飄過了一條波浪滔滔的大江，這美麗的女郎是在姑蘇城中吳王宮裡，她這時候在做什麼？是在陪伴吳王麼？是在想著我麼？

阿青道：「范蠡，你的鬍子很奇怪，給我摸一摸行不行？」

范蠡想：她是在哭泣呢，還是在笑？

阿青道：「范蠡，你的鬍子中有兩根是白色的，真有趣，像我羊兒的毛一樣。」

范蠡想：分手的那天，她伏在我肩上哭泣，淚水濕透了我半邊衣衫，這件衫子我永遠不洗，她的淚痕之中，又加上了我的眼淚。

阿青道：「范蠡，我想拔你一根鬍子來玩，好不好？我輕輕的拔，不會弄痛你的。」

范蠡想：她說最愛坐了船在江裡湖裡慢慢的順水漂流，等我將她奪回來之後，我大夫也不做了，便是整天和她坐了船，在江裡湖裡漂遊，這麼漂遊一輩子。

突然之間，頦下微微一痛，阿青已拔下了他一根鬍子，只聽得她在格格嬌笑，驀地裡笑聲中斷，聽得她喝道：「你又來了！」

——是白猿，即「白公公」出現了。范蠡和阿青雖然在同一時空之中，但他們的情感心理卻相隔遙遠。范蠡的心神是在遙遠的姑蘇城吳王宮中，在思念、想像和回憶西施；阿青不知道范蠡心裡在想些什麼，實際上，她同樣不知道自己的情感心思，她不知道自己愛上了范蠡，拔鬍鬚的言行，只是一種無意識的情感表達。

接下來的故事是白猿要刺殺范蠡，阿青把白猿雙臂打斷。阿青說，白猿曾三次衝向范蠡，要刺殺范蠡。白猿為何刺殺范蠡？當然是因為他嫉妒范蠡；嫉妒范蠡，則是對阿青有情。這段情節，范蠡的功利目的落空了，但作者的敘事目的卻實現了，因為這段情節的目的不在武打技擊，而在對阿青和白猿的無意識情感作巧妙表達。作者要表達的內容資訊，大部分是在留白中，需要讀者細心揣摩與體會。

第五個場景是練武場，阿青教授越國劍士練劍，這是《越女劍》的重中之重，但寫得極其簡約，而且出人意料：阿青並不教授劍法，而是與越國劍士們實戰，將他們一一打敗，打敗了一批，再換另一批。而且只練了三天，到第四天，阿青就不見了蹤影。這裡又有大塊留白，需要仔細揣摩這樣寫的理由：

其一，阿青的劍法並非師父所教，而是與白猿的嬉戲中訓練出來的，沒有語言，沒有理論，沒有套路，更無招式名稱，只有實戰遊戲與訓練。《吳越春秋》中越女見越王，有關於「劍道」的長篇大論，說什麼「其道甚微而易，其意甚幽而深。道有門戶，亦有陰陽」等等，此說雖然有道理且道理很深，問題是：阿青「生於深林之中、長於無人之野」，如何能說出那些大道理？

其二，為什麼阿青只教了三天就離開了？答案是，阿青是個純樸的牧羊女，固然喜歡技擊遊戲，但不見得喜歡與人打架，不見得喜歡傷人，更不見得喜歡戰爭；那個時代的阿青，也不見得有民族主義或愛國主義立場。她教越國劍士技擊，只不過是受范蠡所托，是因為她喜歡范蠡，願意聽范蠡的話，願意為范蠡做些事。但是專門教人擊劍，對她來說並非正業，所以三天之後離開，完全符合阿青的性格和行為習慣。

其三，只教三天，是極其巧妙的傳神設計，書中說：「八十名越國劍士沒有學到阿青的一招劍法，但他們已親眼見到了神劍的影子。每個人都知道了，世間確有這樣神奇的劍法。八十人將一絲二忽勉強捉摸到的劍法影子傳授給了旁人，單是這一絲一忽的神劍影子，越國武士的劍法便已無敵於天下。」由此可見，越女的劍法有多麼神奇！

小說最後一個場景是吳王宮。書中沒有寫勾踐滅吳的戰爭場面，而是寫越國劍士佔領吳王宮，范蠡與西施重逢時，阿青在宮牆外高喊：「范蠡，范蠡！我要殺了你的西施，她逃不了的！」這一行為，突出了她的自然屬性，她喜歡范蠡，就要把競爭者殺掉。當眾大聲喊出自己的行動目標，顯然是並不知道且不認為自己的言行有何不妥。但阿青並沒有殺西施，並非沒機會，更非沒能力，而是因為她被西施的絕世姿容所震撼：「天下竟有這樣的美女！范蠡，她比你說的還要美！」阿青被西施的美貌征服了，於是知難而退。

《越女劍》不僅成功刻畫了范蠡的形象，也成功刻畫了越女阿青的形象。只不過，范蠡形象是寫實，阿青的形象是寫意，且阿青形象多半在留白中，需要讀者也展開藝術想像。要點是，阿青生在深林之中、長於無人之野，她對范蠡的情感，亦是半屬自然、半屬人文。在自然和文明邊界線上，她可以走向文明，也可能隨時返歸自然。阿青到哪裡去了？這是小說最後的留白，也是最大的留白。

結語：獨一無二的金庸

金庸及其小說是香港和整個中國武俠小說史上獨一無二的存在，無與倫比。本節要討論的問題是：金庸小說如何獨一無二？金庸小說創作何以獨一無二？

金庸小說獨一無二，外在證據是，金庸是「說不盡的金庸」。自一九八〇年臺灣遠景出版公司推出「『金學』研究叢書」推出四十年來，金庸小說研究著作及論文層出不窮，已不計其數。僅在中國大陸地區，自一九九九年起，每年新發表的金庸研究論文數就一直在五十篇以上，二〇〇三—二〇一四年間，年發表金庸研究論文最低數為七十篇、最多數為九十四篇；二〇一五—二〇一七年間，最低數為五十二篇，最高數為六十一篇；二〇一八年為一一八篇，二〇一九年為一〇九篇。[17] 上百部專著，數千篇論文，足以證明金庸確實「說不盡」。

另一思考線索是，金庸小說突破文類局限，即它比尋常純文學作品顯然更為生動好看且更吸引人；而又比尋常通俗武俠小說更為豐富且更為深刻，以怎樣的理論框架和觀測模型來談論金庸才合適？迄今未有定論。

金庸小說獨一無二的內在證據，是其作品不僅與其他作家作品不同，而且作者自己的每一部也都互不相同。在武俠小說史上，大部分作家是模仿當時的流行模式進行故事生產，只有一小部分比較優秀的作家才會創造自己的故事模式並作相應的複製。金庸卻說：「一個作者不應當總是重複自己的風格與形式，要盡可能的嘗試一些新的創造。」[18] 對通俗類型小說作家而言，這是一個極高的自我期許。

難能可貴的是，金庸不僅這樣想，這樣說，且一直這樣做，前面以「小說創新實驗」為說辭的小節，分別討論《碧血劍》、《雪山飛狐》的小說敘事技巧與形式實驗，《鴛鴦刀》、《白馬嘯西風》的小說敘事風格與樣式實驗，《飛狐外傳》的思想觀念與敘事立場實驗，《連城訣》的寓言建構實驗，《越女劍》的創作路徑（為畫作小說）實驗，就是證據。實際上，在其處女作《書劍恩仇錄》時，雖然處於借鑒與嘗試階段，仍有「百花錯拳」的創新實驗，而射鵰三部曲及其後的《天龍八部》等沒有標注「創新實驗」的小說，恰是創新實驗的成功之作。正因始終如一的創新實驗與探索，才使得金庸小說創作既不重複他人，而又不重複自己。

金庸小說並非每部都是佳作，《書劍恩仇錄》及標注了「小說創新實驗」的作品，明顯不如《射鵰英雄傳》等高峰之作。標注「創新實驗」，並非故意為那些品質稍次的作品開脫，而是想提示若干事實：

一，這些創新實驗作品，都是篇幅較短的作品，包括三個中短篇，以及四個小長篇，篇幅較短者便於新方法與新形式實驗或嘗試。

二，這些作品大多在《明報》以外但與金庸有密切關係的報刊上發表的（只有《白馬嘯西風》例外），無法推脫，又不願敷衍，創新實驗就成了最佳選擇。

三，金庸小說的創新實驗貫穿其創作始終，不僅在成名作《射鵰英雄傳》之後還有實驗嘗試，即便是在巔峰之作《鹿鼎記》連載時仍有實驗性的《越女劍》——這也是金庸動筆最晚的作品。

四，這些創新實驗的成果融入了金庸其他小說的創作中，可以說，若沒有這些實驗嘗試，就沒有那些高峰乃至巔峰之作。

金庸武俠小說的突出貢獻，是創造了成長故事、寓言故事兩種新模式。

成長故事模式，見於《射鵰英雄傳》、《神鵰俠侶》、《倚天屠龍記》等小說，以主人公的成長過程作為故事情節主線，即從主人公年幼時開始講述，直到主人公長大成人。這一模式的優點，一是增加了人性維度。成長故事講究人性依據，有了人性依據，也就增強了小說的文學品質。二是增強了傳奇故事的仿真度。

梁羽生創造的新派武俠模式是歷史＋傳奇，其中歷史維度旨在仿真，而金庸的成長小說則是歷史＋傳奇＋成長，仿真度自然會大大提高，郭靖、楊康的心智水準和道德風貌迥然不同，並非生來如此，而是分別在蒙古草原放牧和在金國王府養尊處優的不同環境的產物。三是讓小說敘事形成故事與人物雙向驅動。武俠小說靠傳奇吸引讀者，若一味傳奇，不僅會漫無頭緒，甚至會荒誕不經；加入主人公成長線索，故事與人物、傳奇與寫真即可雙向驅動，形成張力，相得益彰。成長故事模式寫作，需傳奇想像力、人生經驗與人性洞察力融為一體，否則難以成功。

寓言故事模式，見於《天龍八部》、《俠客行》、《笑傲江湖》及《鹿鼎記》等小說，特點是在傳奇故事情節之上建構寓言層次，即表面上仍然是傳奇故事，實質上卻是現實或歷史文化寓言。這一模式的優點，首先，是拓展了小說藝術空間。《天龍八部》不僅僅是段譽、蕭峰、虛竹等人的傳奇故事，且有一個博大精深的「天龍八部世界」。

《笑傲江湖》也不僅僅是令狐冲的人生傳奇，而是「中國三千多年來政治生活」的濃縮寓言。其次，是提升了小說的認知複雜度。武俠小說作為「成人的童話」，認知模式相對簡單，好人與壞人、俠客與魔頭往往一目了然，在金庸小說中，尤其是金庸的寓言性小說中，這種簡單的認知模式不再有效，段延慶是天下第一大惡人，但他首先是權力鬥爭的受害者，其次是主人公段譽的生身之父，最後是不殺親子，滿懷悲愴自憐地飄然遠去，要討論這個人需要相應的認知複雜度。

再次，是大大增強了對現實人生與人世的關切。武俠小說創作與閱讀，通常是為了逃避現實的無聊與苦悶，而金庸的寓言故事，卻將敏感的讀者拉回對現實人生與社會的深度感受中，並且思索：自己身上是否還存在石破天的自然靈性、令狐冲的浪子基因或是有韋小寶的影子？在作者而言，寫作寓言故事，不僅要有對現實的關切，要有人性的洞察力，更要有寬闊情懷與深邃思想。

談論金庸及其小說，當然不能忽視他的文學天賦。

金庸說：「我自己以為，文學的想像力是天賦的，故事的組織力也是天賦的。同樣一個故事，我向妻子、兒女、外孫兒女講述時，就比別人講得精彩動聽得多，我可以把平平無奇的一件小事，加上許多幻想而說成一件大奇事。我妻子常笑我：『又在作故事啦，也不知是真的還是假的。』至於語言文字的運用，則由於多讀書及後天的努力。」[19]

其弟查良鈺的回憶，能夠印證這一說，查良鏞一九四六年從外地返家：

「那時，他見了外人講話很慢，還有些口吃。但同我們在一起卻全然變了樣兒。每天晚上，小阿哥都給我們講故事。他的故事都是現編現講，可編得天衣無縫，講得引人入勝，常常是講到興頭上，一下子跳起來站在床上，連比畫帶模仿，手舞足蹈，有意思極了。」[20]這證明，金庸確有非凡的講故事天賦。

金庸的文學天賦，最好的證明，當然還是他的小說本身。絕大部分金庸愛好者都有同樣的體驗，只要拿起金庸小說，就會被它牢牢吸引，常常廢寢忘食，乃至通宵達旦。實際上，金庸在小說寫作過程中，最終成品常常超越了原初的構想，例如《天龍八部》，作者在流行版《釋名》中說：「這部小說以《天龍八部》為名，寫的是北宋時雲南大理國的故事」。[21]新修版《釋名》中改為「……寫的是北宋時宋、遼、大理等國的故事。」[22]這說明，作者的原初構想是只寫雲南大理國的故事，而在寫作過程中突破了原初設計，從大理寫到了北宋，又寫到遼國，還寫到了西夏皇宮（可見新修版《釋名》的概括仍不完整）。

進而，細心的讀者能看到書中一些人物身上有「天龍八部」的影子，例如天下第一大惡人段延慶就很像「天」，他身上有所謂「天人五衰」的跡象，即衣裳垢膩、頭上花萎、身體臭穢、腋下汗出、不樂本座（他的王座被別人搶去了）；又如甘寶寶和丈夫鍾萬仇則像阿修羅，因為女性美貌，男性醜陋而嫉妒；蘇州王夫人很像乾達婆，因為她喜歡種花（以香氣作為滋養）。這表明，作者在原初構想中，天龍八部有具體的對應者，但後來改變了這一構想，讓天龍八部成為小說中所有人物的普遍象徵。

更能證明金庸文學天賦的證據是，他創作的人物形象，有時超出作者的理解。對《倚天屠龍記》主人公張無忌的誤解，就是典型例證，小說中的張無忌明明是靈性過人且意志堅定，在原則問題上沒人能扭曲他的意志，作者在本書的《後記》中卻把他描述成個性平庸的濫好人。另一例證是《笑傲江湖》中的令狐冲，作者在《後記》中說他是天生的隱士，而在小說文本中的令狐冲卻是喜歡熱鬧、關心公眾、熱愛群體生活的浪子，關鍵時刻，他也是堅貞不屈的鬥士。

作者之所以誤解此人，是因為在其政治人物分類中，只有當權派、造反派、改革派和隱士，卻沒有想到，這一分類影響了作者對主人公形象的確切認知。在文學理論上，有形象大於思想之說，上述事實就屬於這種情形。只不過，只有真正天賦過人的作家，才會出現這種情況。

金庸之獨一無二，還在於他對小說一而再、再而三的不斷修訂。

作者說：第一次「修訂的工作開始於一九七〇年三月，到一九八〇年年中結束，一共是十年。」[23] 這十年，還只是第一次修訂。一九八五年，他又推出第二次修訂版，這意味著，在第一次修訂結束不久，他又開始了第二次修訂工作。也就是說，金庸修訂其小說的時間，不止十年，而是十五年。

值得注意的是，這段時間，正是金庸忙於讓《明報》升級發展的關鍵時刻。在《明報》四十周年紀念專文中，金庸揭開了《明報》發展的一大秘密：

「到了七十年代，我們在內部提出了『把《明報》辦成全世界最好的中文報紙』的口號，因為中國大陸文革還沒有過去，臺灣、新加坡對新聞都有嚴格管制。外國華埠讀者人數不多。任何出版中文報紙的主要地方，都沒有香港這樣享有最充分的新聞自由，再加上讀者水準高，社會經濟繁榮，通訊方便。」[24]

要把《明報》辦成世界上最好的中文報紙，作為經營者、管理者、報紙把關人、社評言論主筆的金庸，身兼多職，其忙碌程度可想而知。即使是在報紙升級發展的關鍵時段，仍要抽出寶貴時間專門對早已聲名遠揚的小說作品進行修訂，足以證明金庸對其小說作品的重視程度。

藝術精品需要打磨。金庸小說出類拔萃，不僅因為作者天賦超群，也因為前有創新實驗，後有反覆修訂和打磨。只不過，過度打磨也可能會過猶不及，金庸的第三次修訂中就出現了此類情形，例如新修版《天龍八部》，作者讓段譽送走王語嫣，否定了與王語嫣之間的感情，也將純真聰慧的王語嫣變成了空虛無聊且莫名其妙的人。

作者的修訂，不能說全無依據，現實中的當權者確有人將利害關係置於個人情感之上，亦有人在獲得愛情之後即不再珍惜乃至棄若敝屣，問題是，作者似乎忘記了，段譽既是現實中人，亦是寓言中人，對段譽故事的修訂，必須既符合現實邏輯同時也符合寓言邏輯。在現實中，段譽要當大理國王，而在寓言中，段譽是良知先生、寬容先生，新修版中段譽對王語嫣的處置，與段譽的良知不符。更大問題是，如果說段正淳是情魔（欲望無度），段譽則是情聖，新修版居然將段譽與王語嫣純潔深摯的愛情，當成了佛家所謂的「心魔」，這實際上是對小說人文主題的自我顛覆。此類修訂，有狗尾續貂之嫌，有不如無。

【注釋】

1 金庸：《笑傲江湖．後記》第四冊第一六八二頁，臺北，遠流出版事業股份有限公司，一九八七年。引者按：在大陸出版的《笑傲江湖》後記中，這段話被刪除了。

2 金庸：《天龍八部．釋名》第一冊第三頁，北京，三聯書店，一九九四年。

3 金庸、池田大作：《探求一個燦爛的世紀》第四一一頁，臺北，遠流出版事業股份有限公司，一九九八年。

4 倪匡說：「阿紫是《天龍八部》中一個相當重要的人物，我討厭這個人，所以令她瞎了眼。」見倪匡：《我看金庸小說》第一四四頁，臺北，遠流出版事業股份有限公司，一九九七年。

5 陳世驤：《致金庸函（一九六六年四月廿二日）》，載金庸：《天龍八部》第五冊第一九七五頁，北京，三聯書店，一九九四年。

6 金庸在《連城訣》第一次修訂版後記（一九七七年四月）中說「這部小說寫於一九六三年」（見金庸：《連城訣．後記》第三九八頁，北京，三聯書店，一九九四年）。但據顧臻等人考證，這部小說發表的時間並非一九六三年，小說《素心劍》的連載時間實際上是一九六四年一月十二日至一九六五年三月七日。

7 在與池田大作對話時，金庸仍說：「香港人、日本人的拜金主義值得警惕。」見金庸、池田大作：《探求一個燦爛的世紀》第二四三頁，臺北，遠流出版事業股份有限公司，一九九八年。

8 金庸：《俠客行》下冊第六三三頁，北京，三聯書店，一九九四年。

9 金庸：《笑傲江湖》第四冊第一五九一頁，北京，三聯書店，一九九四年。

10 作者在《笑傲江湖．後記》中，將政治格局中人分為當權派、造反派、改革派和隱士，書中未見改革派，少林方證大師等人並沒有改革夢想，而是要保守傳統。值得注意的是，方證大師、沖虛道長、定靜師太都是出家人，他們對權力角逐興趣不大，只想保守傳統。莫大先生是喜愛拉琴的世俗中人，近乎自由派。

11 金庸：《笑傲江湖》第四冊第一五九一頁，北京，三聯書店，一九九四年。

12 羅伯特・雷德菲爾德：《農民社會與文化——人類學對文明的一種詮釋》，王瑩譯，北京，中國社會科學出版社，二〇一三年。

13 吳思：《潛規則》，昆明，雲南人民出版社，二〇〇一年。

14 金庸：《卅三劍客圖・前記》，載金庸：《俠客行》下冊第七〇一頁，北京，三聯書店，一九九四年。

15 《明報》「七兄弟姊妹」分別是：一、《明報》，二、《武俠與歷史》，三、《明報月刊》，四、新加坡《新明日報》，五、馬來西亞《新明日報》，六、《明報週刊》，七《明報晚報》。

16 金庸在《鹿鼎記》第一次修訂版《後記》（一九八一年六月廿二日）中說「最後的《越女劍》作於一九七〇年一月」（金庸：《鹿鼎記》第五冊第一九九〇頁，北京，三聯書店，一九九四年），根據顧臻等人考證，《越女劍》的連載時間實際上是一九六九年十二月一日至同年同月三十一日。

17 上述資料，是按中國知網篇名檢索「金庸」的結果。

18 金庸：《鹿鼎記・後記》第五冊第一九八九頁，北京，三聯書店，一九九四年。

19 金庸、池田大作：《探求一個燦爛的世紀》第一四〇頁，臺北，遠流出版事業股份有限公司，一九九八年。

20 傅國湧：《金庸傳》（修訂版）第五十五頁，杭州，浙江人民出版社，二〇一三年。

21 金庸：《天龍八部》第一冊第三頁，北京，三聯書店，一九九四年。

22 金庸：《天龍八部》第一冊第五頁，廣州，廣州出版社，二〇一三年。

23 金庸：《鹿鼎記・後記》（一九八一年六月廿二日），載金庸：《鹿鼎記》第五冊第一九九〇頁，北京，三聯書店，一九九四年。

24 金庸：《「我曾在〈明報〉做過事」》，原載《明報》一九九九年五月廿四日，李以建編：《金庸散文集》第三一三頁，香港，天地圖書有限公司，二〇一九年。

香港武俠小說史(上)

作者：陳墨
發行人：陳曉林
出版所：風雲時代出版股份有限公司
地址：10576台北市民生東路五段178號7樓之3
電話：(02) 2756-0949
傳真：(02) 2765-3799
執行主編：朱墨菲
美術設計：吳宗潔
行銷企劃：林安莉
業務總監：張瑋鳳

初版日期：2023年1月
版權授權：陳墨
ISBN：978-626-7153-11-6
風雲書網：http://www.eastbooks.com.tw
官方部落格：http://eastbooks.pixnet.net/blog
Facebook：http://www.facebook.com/h7560949
E-mail：h7560949@ms15.hinet.net
劃撥帳號：12043291
戶名：風雲時代出版股份有限公司

風雲發行所：33373桃園市龜山區公西村2鄰復興街304巷96號
電話：(03) 318-1378
傳真：(03) 318-1378
法律顧問：永然法律事務所 李永然律師
　　　　　北辰著作權事務所 蕭雄淋律師

行政院新聞局局版台業字第3595號 營利事業統一編號22759935

定價 ：550元

國家圖書館出版品預行編目資料

香港武俠小說史 / 陳墨著. -- 初版. -- 臺北市：風雲時代出版股份有限公司, 2022.07　冊；　公分

ISBN 978-626-7153-11-6 (上冊：平裝). --
1.CST: 武俠小說 2.CST: 文學評論 3.CST: 香港文學

850.3857　　111007755